피의 언어

The Language of Blood : *a memoir*
by Jane Jeong Trenka

Copyright © Minnesota Historical Society, 2003
Korean translation copyright © Y-Gelli Books, 2004

이 도서의 국립중앙도서관 출판시도서목록(CIP)은 e-CIP 홈페이지(http://www.nl.go.kr/ecip)와
국가자료공동목록시스템(http://www.nl.go.kr/kolisnet)에서 이용하실 수 있습니다.
CIP제어번호: CIP2012002147

The Language of Blood

a memoir   *Jane Jeong Trenka*

피의 언어

제인 정 트렌카 지음 | 송재평 옮김

도마뱀출판사

개정판 서문

수년 전 『피의 언어』 한국어 초판본이 나오고 이렇게 개정판이 나오기까지, 그 사이에 나는 미국에서 서울로 이주했고 개인적으로 안락한 삶을 꾸렸다. 무척 감사한 일이다. 이처럼 책을 쓰고 공부를 하고 또 일자리도 얻을 수 있었던 덕분에, 내 삶은 그럭저럭 무난한 '성공'처럼 보일는지도 모르겠다. 확실히 유명한 해외입양인들, 예컨대 올림픽 모굴 스키 은메달리스트인 토비 도슨이나 프랑스 최초 한국계 상원의원이 된 장 뱅상 플라세 같은 이들의 삶은 분명 '성공적'이라 여겨지는 편이므로.

그러나 소수의 그들과는 달리, 단순히 살아남는 것 자체가 성공적이라 할 만한 해외입양인들도 있다. 이들은 양부모와 그 가족으로부터 육체적으로, 성적으로, 정서적으로 학대당하거나 입양된 가정에서 쫓겨났고, 입양인들의 커뮤니티 내에서도 인종차별로 괴롭힘을 당했으며, 또 어떤 이들은 입양된 나라에 끝내 적응하지 못해 한국으로 추방당하기도 했다. 개중에는 약물에 중독되고, 정신적으로 병들고, 고등학교를 중퇴하고, 실업자 신세를 면치 못하는

5

이들, 응급 의료 상황에서도 병원비를 낼 형편이 못되는 이들, 심지어는 사형선고를 받고 집행을 기다리거나 정신병동에 감금된 이들도 있다.

우리 해외입양인들이 자주 하는 말이 있다. '입양은 복권과 같다'는 말. 우리가 어떤 나라에 입양되는가는 순전히 우연의 결과이며, 우리를 사랑해주는 가족을 만나느냐 아니면 우리를 학대하는 가족을 만나느냐 또한 백퍼센트 운에 달렸으니 말이다. 그러나 나는 여기 이 지면을 입양과 가정을 주제로 하는 어느 책 속의 몇몇 페이지라 가정하고서, 한국에 있는 어떤 집 하나를 상상해보고 싶다. 이 집은 '영구적인 집' 혹은 '영속적인 가정'을 아직 가져보지 못한 모든 해외입양인들을 위한 공간이다. 아마 수많은 해외입양인들 중에서도 가장 힘든 처지에 놓인 이들에게 요긴한 곳이 되지 않을까. 장애 때문에 해외입양인을 위한 임시 쉼터에 기거할 수 없는 이들, 공부를 할 수도 없고 정규직으로 일을 할 수도 없는 이들, 세상 그 어디에도 달리 갈 곳이 없는 이들 말이다. 세상에 이름을 날릴 만한 재주라곤 하나 없는 이 평범한 무명의 입양인들에게 성공의 잣대는 오로지 생존하느냐 못하느냐이며, 이들에게 가장 절실한 것은 제 한 몸 마음 편히 누일 자리이므로. 내가 그려보는 집은 사 층이나 오 층 정도의 건물로서, 고령자와 장애인을 위한 시설이 갖춰져 있고, 사교 모임과 언어 교육·직업 교육을 위한 공간이 마련되어 있으며, 옥상에는 유기농 정원이 있고, 일 층에는 수공예품이라든가 입양인들이 직접 기르거나 요리한 먹거리를 내다 팔 수 있는 가게가 있는 집이다. 펫 테라피(동물 매개 치료) 차원에서 반려 동물도 함께 살 수 있고, 이웃들과 부단히 교류함으로써 입양인들 역시 단순한 관광객이나 영어 강사 혹은 사업 파트너가 아니라 이 사회의 귀중한 일원으로 인정받는 이웃으로서 공동체와의 관계를 돈독히 해나갈 수 있는, 그런 여건이 마련된 집을 꿈꾸어본다.

　살아 있는 동안 완수해야 할 일들을 고려할 때에는 삶의 종착역 도 함께 생각해야 한다. 내가 한국에서 살아오는 동안, 해외입양인 들의 사망 소식이 서울의 해외입양인 커뮤니티에 속속 전해져왔다. 우리 해외입양인들이 한국인들의 눈에는 영원한 아이로 비쳐지지 만, 우리도 타국에서 나이를 먹고 죽어가고 있다. 유태인 가정에 입 양된 한 여성은 이스라엘에서 백혈병으로 사망했다. 만일 같은 유 전자를 지닌 친척으로부터 골수 이식을 받았더라면 목숨을 구할 수 있었을지도 모른다. 이십 년 전 영화 「수잔 브링크의 아리랑」으로 한국의 해외입양 문제에 큰 관심을 불러일으킨 주인공 수잔 브링크 는 스웨덴에서 암으로 사망했다. 미국에서는 입양 청소년 세 명이 양아버지에게 잔인하게 살해당했다. 네덜란드에서는 한 중년의 입 양인이 암으로 사망했다. 덴마크에서는 한 젊은 입양인이 다른 수 많은 입양인들이 그랬던 것처럼 스스로 목숨을 끊었다. 해외입양인 들의 죽음은 지금도 이렇게 계속되고 있다.

만일 자신이 죽을 때 한 줌의 재라도 한국으로 돌아오기를 희망하는 해외입양인들이 있다면, 이들을 위한 추모 공간이 한국 땅 어딘가에 마련될 수 있을까? 현재 한국에서 살아가느라 고군분투하고 있고 미래에도 한국에서 죽을 것이 분명한 해외입양인들은 대부분이 알려진 가족이라곤 아무도 없이 홀로 죽게 될 텐데, 이들이 죽어갈 때 이들의 손을 잡아주고 이들이 쓰는 언어로 위로해줄 사람이 누가 있을까? 이제는 해외입양인의 라이프 사이클 전체를 고려해야 할 때다. '입양 복권'에 당첨되지 못한 이들은 물론이고, 우리 해외입양인 모두에게 존엄한 삶을 살아갈 정당한 기회를 부여하고 또한 사후에도 기억될, 한국에 이바지할 길을 터주기 위해서는 어떤 조치를 취해야 할지 이제는 모색해야 할 때다.

해외입양인 센터 건립에 대한 꿈은 서울을 근거지로 활동하는 우리 커뮤니티에서 꽤 오랫동안 얘기되어왔지만, 최근에서야 비로소 그에 대한 절박한 필요성과 제반 사항에 관한 규모가 확실해졌다. 사실 해외입양인 센터는 해외입양인이 단 한 사람이라도 존재하는 한 지속적으로 필요성이 제기될 사안이다. 지금도 매년 미혼모들이 낳은 약 천 명에 달하는 아기들이 해외로 입양되고 있다. 때문에 해외입양인 센터의 필요성은 앞으로 최소한 70~80년 동안은 지속될 것이다. 이와 같은 불행한 사태는 바로 한국 해외입양 프로그램의 당연한 결과이다. 이 프로그램은 국가의 복지 문제를 잠정적으로 해결하려는 임시방편이었지만, 개개인의 일생에는 장기간에 걸쳐 많은 문제를 일으켰다. 따라서 이러한 문제를 다룰 해외입양인 센터가 우리 입양인 커뮤니티를 위해 반드시 마련되어야 하며, 이는 동정심이나 연민에서가 아니라 정의감과 성취감의 차원에서 이루어져야 할 것이다.

행동을 취하려면 생각이 선행되어야 한다. 그래서 나는 지금 나 자신의 확고한 생각을 세상에 꺼내놓는 것이다. 앞으로 『피의 언어』의 세 번째 개정판이 나올 때까지, 요행이 아닌 우리가 직접 의도한 성과를 통해, 우리 모두의 가정, 우리 모두를 위한 가정이 안락함과 휴식과 일체감을 위한 공간과 함께 건립되는 것이 나의 바람이다. 그래서 나는 우리 커뮤니티의 미래에 대한 진실한 꿈들과 우리 모국과의 화해를 간절히 염원하는 마음으로, 다시 이 책을 세상에 내보낸다.

2012년 5월, 서울에서
제인 정 트렌카

차 례

…… 왜냐하면 우리는 피로 맺어져 있고,

  피는 언어로 존재하지 않는 기억이기 때문이다.

   ─조이스 캐럴 오츠, 『나 자신에게 문을 걸어 잠그다』 중에서

어머니의 편지

사랑하는 딸 미자와 경아에게.

1992년 올 한 해도 미국의 아버지 어머니 모두 건강하시고 하시는 일 날로 번창하기를 빈다.

너희를 그곳에 보낸 지 어언 이십 년 하고도 일 년이 지났구나. 너희가 겪은 불행에 이 엄마는 얼마나 가슴이 미어졌는지 모른다.

우리 가족의 슬픈 과거를 더듬어볼게. 너희를 떠나보내기 전에도 우리는 그리 행복한 가정이 아니었단다.

1964년 눈 내리던 추운 겨울날, 나는 너희 아버지와 혼인을 했다. 그 사람한테는 이미 전 부인에게서 난 두 딸 선미와 선영이가 있었지만, 그날 이후 나는 늘 화목하고 단란한 가정을 만들기 위해 최선을 다했단다.

너희 아버지는 목수 일을 하러 다녔는데, 넉넉지는 않아도 그럭저럭 먹고살 정도의 벌이는 되었지. 한데 이 양반이 단 하루도 술을 마시지 않는 날이 없더구나. 그러다 보니 우린 사글셋방에서 살 수밖에 없었단다. 그래도 너희 아버지가 그렇게 술을 마시는 걸 나는 고단한 일 탓이려니 이해하며 지냈단다.

몇 년이 지나 너희 언니 은미가 태어나고 또 몇 년이 흘러 미자가 태어나고, 그렇게 해서 우린 여섯 식구가 되었지.

허구한 날 술에 취한 너희 아버지를 볼 때마다 나는 마음이 짠했다. 그래서 나도 살림을 거들겠다고 팔을 걷어붙였지. 한때는 남쪽 지방의 진해에서 쌀장사를 하기도 했고 말이다.

하지만 내가 애쓴 보람도 없이, 그 양반은 늘 가정을 못마땅하게 여기고 집에 들어와선 폭력을 행사하며 식구를 괴롭히더구나. 자연히 우리 식구들은 그 양반을 무서워하게 되었지. 그러면서 이웃들은 의처증이라고 쑥덕쑥덕 흉을 봐가며 깔보고, 그 양반 술버릇은 날이 갈수록 점점 더 고약해져만 갔다. 여하튼 힘든 게 한두 가지가 아니었지만, 나는 그저 알뜰살뜰 살림을 꾸리고 딸들이 장차 어여쁘게 자라 사회에서 성공할 수 있게끔 최대한 잘 키우려고 애를 썼단다.

그렇게 세월이 흘러 너희 언니 선미가 중학교에 입학했을 때는 정말이지, 그렇게 기쁠 수가 없었다. 이 엄마는 많이 못 배웠지만 너희는 중학교, 고등학교까지 착실히 밟아가서 자랑스러운 딸들이 되어주길 바라마지 않았으니까. 그런데 선미는 이런 내 희망대로 나아가지 않고 탈선의 길로 빠지더니, 끝내 학교를 그만두고 가출해버리더구나.

선영이 역시 엄마의 희망을 저버리고 공부를 집어치우고는 집안을 시끄럽게 했다. 이게 다 아버지란 사람이 가정교육에 그리도 무심한 탓이거늘, 집안이 이 지경이 되자 나는 도무지 어찌 손을 써야 할지 몰라 그저 눈앞이 깜깜하더구나.

셋방살이하던 그 시절에 이 엄마는 어떻게든 살아남으려고 닥치는 대로 죽을 둥 살 둥 일을 해가며 억척스레 살았단다. 막사 같은 데서 떡을 팔기도 하고, 봇짐 지고 행상을 다니기도 하면서 말이다. 이를 악물고 근근이 하루 벌어 하루 먹고사는 세월이었다.

그러는 동안에도 너희 아버지는 술에 취해 식구들을 무슨 종 부리듯이 괴롭혀대더구나. 결국은 그 양반이 휘두르는 폭력에 못 이겨 친정으로 피신한 적이 있는데, 며칠 못 가 그 양반한테 붙들렸다만 그때는 또 손가락으로 혈서를 써가면서까지 가정에 소홀했던 잘못을 용서해달라고 비는 게 아니겠니. "이제껏 내 잘못한 거 다 뉘우치고 있소!", "다시는 그러지 않겠소!" 맹세를 하며 제발 집으로 돌아가자고 애원을 하더란 말이다. 아이고, 기구한 내 신세야. 서럽고도 서럽더구나. 나는 통한의 눈물을 흘리며 모든 걸 하늘에 맡기고 다시 살아보자고 마음을 고쳐먹었다. 한데 기가 찰 노릇이게도 너희 아버지의 정신병은 채 몇 달이 못 가 재발하고 말더구나.

그리고 경아가 태어났단다. 다른 집들은 산모의 건강을 염려해 병원이나 조산원에 가서 산고를 치르게 하는데, 나는 추운 겨울날, 그것도 집밖에서 경아를 낳았지. 영하 십 도의 혹독한 겨울밤에 한데서 애를 낳았으니 내 몸이 어떠했겠니. 그나마 이웃의 도움으로 겨우 살아난 거란다.

그런데 너희 아버지란 사람은 "누가 아비야! 쟤는 내 딸년이 아니야!"라며 홀대를 하더구나. 마른하늘에 날벼락 칠 일이었지. 그러면서 어느 날 그 양반은 툭툭한 이불로 경아의 숨통을 틀어막고 죽이려드는데, 세상에, 그리도 처참한 일을 내 어찌 말로 다 할 수 있겠니. 애한테 무슨 죄가 있느냐, 그러지 말라고 통사정을 하며 매달렸지만 그 양반은 막무가내였다. 도저히 더는 설득할 도리가 없더구나.

하는 수 없이 이웃의 도움을 빌어 사회복지센터에서 운영하는 어느 고아원에다 경아를 보내기로 했단다. 한데 며칠이 지나고 내가 기진맥진한 채로 서울 우이동에 있는 그 고아원을 찾아갔더니, 경아가 사경을 헤매고 있지 않겠니. 그 어린것이 엄마한테서 떨어져 제대로 먹지도 씻지도 못하고 내버려졌으니 오죽했으려고. 그리도 처참한 자식의 모습을 보는 순간 하마터면 눈물을 왈칵 쏟을 뻔했단다.

그래서 너희 아버지한테 경아를 집에 데려오게 해달라고 사정사정했더니 이런 조건을 걸더구나. "경아를 미자랑 같이 미국으로 입양 보내! 그럼 미국으로 보내기 전까진 경아를 볼 수 있게 해줄 테니." 결국 너희를 입양시키는 조건으로 내 원을 들어준 셈이었지.

경아는 천만다행으로, 내가 집에 데려와 보살핀 지 한 달 만에 기력을 회복하게 되었단다.

그리하여 한 달이 지나고, 너희 미자와 경아는 같은 집에 함께 입양되는 조건으로 미국에 가게 된 거란다.

김포공항에 나갔을 때 경아는 아무것도 모른 채 내 품에 안겨 있었고, 미자는 곁에서 〈고향의 봄〉을 불렀지. 너희는 그렇게 한국에서 멀리, 우리 가족을 떠나갔단다. 너희가 내 품을 떠난 뒤에도 미자가 부르던 그 노랫소리는 내내 귓가를 맴돌더구나. 그때 이 엄마는 얼마나 슬프디슬프던지, 집으로 돌아오는 내내 정신을 차릴 수가 없었단다.

그날 이후로 너희 아버지는 사람이 여러모로 달라지더구나. 과거의 잘못을 뉘우치고, 가정에 충실하려고 애쓰는 모습도 보이곤 했지. 그래서 그즈음 몇 년간은 집안 형편도 좀 피고, 너희 동생 명희도 태어났단다. 그런데 또 딸이었으니 아무래도 아이를 하나 더 가져야겠구나 싶었는데, 그건 한국의 남아 선호 사상 때문에 그랬단다. 그래도 명희가 자라는 동안 우리 집안에 별다른 우환은 없었다.

그동안에도 우리는 여러 해에 걸쳐 너희 소식을 백방으로 알아보고 연락을 취하려 해봤으나, 입양을 주선한 고아원에서조차 소식하나 들을 수 없었단다. 그 사람들은 그저 때를 기다리라고만 했지.

세월이 흐르면서 너희 언니 은미는 중학교와 고등학교를 착실히 졸업했단다. 상업계나 실업계 고등학교를 나온 게 아니기에 취직이 쉽지는 않았지만, 버스 안내원이든 제과점 판매직이든 은미는 뭐든지 아주 열심히 했지.

그런데 우리가 가정을 위해 이렇게 악착같이 일하는 동안 너희 아버지는 다시 술독에 빠지고 말았다. 또다시 집안에 풍파가 일었지. 한번은 너희 아버지가 던진 맥주병에 은미가 다리를 맞아서 이주 동안이나 치료를 받아야 했다. 그뿐이랴, 명희가 버스에 부딪히는 사고를 당했는데도 아버지란 사람이 어찌 그리 무심한지 자식에 대한 관심이라곤 눈곱만치도 없는 사람처럼 행동하더구나. 그때 나는 절실히 깨달았다. 너희 아버지, 아니 그 주정뱅이는 인간도 아버지도 아니더란 것을.

한날은 너희 외삼촌이 병원으로 명희의 문병을 왔는데, 그 양반이 외삼촌을 발로 차서 계단 아래로 넘어뜨리지 않았겠니. 그런 정신 나간 짓거리 때문에 외삼촌은 심하게 다치고 말았단다. 나는 속으로 이 양반이 이젠 정말로 미쳤구나 하고 생각했다. 그 양반이 저지른 몹쓸 짓거리야 수두룩하지만 구구절절 읊을 수도 없는 노릇, 떠올리기조차 싫을 뿐더러 너희한테 설명하기가 여간 힘든 게 아니구나.

그로부터 몇 달이 지나고 우리는 서울 서초동으로 이사를 했단다. 너희 아버지는 여전히 횡포와 구타를 일삼고 우리를 한없이 못 살게 굴었지. 어느 날 밤에는 또 술에 취해 너희 외삼촌을 죽여버리겠다고 엄포를 놓으며 집을 뛰쳐나갔는데, 그 양반이 칼부림으로 달려드니 너희 외삼촌이 죽자 사자 맞서 싸워야 하지 않았겠니. 나 역시도 두들겨 맞고. 정말이지 하마터면 죽을 뻔했단다. 우린 너무나 무서워서 그 양반을 더는 그냥 내버려둘 수가 없더구나.

결국 경찰을 불렀고, 그 양반은 가족에 대한 상해 및 학대 죄로 육 개월간 감옥살이를 하게 되었지. 그런데 감옥에 있으면서도 풀려나면 우리를 죽여버리겠다고 내내 분통을 터뜨렸다더구나. 우린 무서워서 벌벌 떨다가 급기야는 은미와 명희를 데리고 그 양반한테서 영영 도망가기로 결단을 내렸다.

그 양반은 감옥에서 풀려나자마자 주민등록등본을 근거로 우릴 찾아다녔고, 그 바람에 우린 십 년간이나 흔적을 없애며 이곳저곳으로 이사를 다녀야 했단다.

그러는 사이 우리 가족은 서울에서 가장 초라한 빈민촌의 판잣집 같은 작은 비닐하우스에서 이날까지 어찌어찌 살아오게 된 거란다.

돌아보니 인생은 짧고도 길구나.

행복하게 살았으면 인생이 너무 짧다 할 테고, 불행하게 살았으면 너무 길다 할 테지.

너희 아버지는 그 뒤로 행방불명이 되었기에 일절 만난 적도, 소식을 들은 적도 없단다. 너희 언니 선미와 선영이 역시 어디서 사는지 알 수가 없구나. 집안의 가장이란 사람이 가정을 제대로 건사했다면 식구들이 죄 행복했으련만……. 하지만 이제 와 이런 얘기 해보았자 무슨 소용이겠니. 지나간 내 청춘에 대해서는 일말의 후회도 없고, 그저 모두가 내 몫이려니 생각하련다.

내 나이 이제 환갑이구나.

이 엄마가 너희를 제대로 돌보지 못해 참으로 부끄럽구나. 입이 열 개라도 할 말이 없다. 내 소싯적 꿈들은 하나같이 행복했는데, 현실은 행복과 거리가 멀더구나. 내가 살아온 얘기를 너희한테 두런두런 들려주고 싶다만, 이 신산한 인생살이 너희가 어찌 쉬이 이해하겠니. 무엇보다 어미 노릇 못한 이 부끄러움을 다 어찌할까! 나 자신이 원망스러워 울고 싶을 뿐이다. 그래도 너희가 괜찮다면, 살아생전에 꼭 한번 만나고 싶구나. 사랑스러운 너희 얼굴을 한 번이라도 보는 것, 내 소원은 이뿐이란다.

미자야, 경아야. 엄마는 머지않아 너희를 만날 희망만으로 살고 있단다. 부디 너희에게 성공과 행운과 건강이 함께하기를 빈다.

만날 날을 고대하며 이만 줄이련다. 잘 있으렴.

1992년 2월,
서울에서 엄마가.

추신: 연락이 너무 늦어 미안하구나. 내가 영어를 못해 이 편지는 다른 사람에게 부탁해서 쓴 거란다.

꿈꾸는 인형

이기는 그에게는 내가 감추었던 만나를 주고 또 흰 돌을 줄
터인데, 그 돌 위에 새 이름을 기록한 것이 있나니 받는 자밖
에는 그 이름을 알 사람이 없느니라.

— 요한계시록 2:17

먼 옛날, 총애받는 왕후가 죽어가고 있었다. 그 어떤 의원의 치료도
효험이 없었다. 왕비가 몸져누운 날이 하루하루 늘어가자 흉흉한
소문이 혼령의 무리처럼 떠돌고, 왕비의 가장 가까운 충복들만이
내궁에 출입할 수 있었다.

왕은 절박한 심정으로 수도승 두 명에게 구호를 청했다. 두 수도
승은 낯빛이 파리한 왕비를 자신들의 초막으로 데려가 긴 실로 한
끝은 왕비의 등창에 묶고 다른 한끝은 바깥 나무에 묶었다. 그리고
밤새도록 염불을 했다. 날이 새자 등창은 사라지고 나무는 말라 죽
어 있었다.

이 기적 같은 은덕에 보답하고자 왕은 그 둘의 작은 초막을 증축
하도록 후원했다. 그리하여 열여덟 채의 건물이 산 중턱에 조화롭게

들어섰고, 만물이 고요한 바다에 비침을 뜻하는 '해인(海印)'*이라는 이름의 이 가람에서 두 수도승은 화엄경 구도의 길에 정진했다.

⌒

그로부터 무려 천이백 년의 세월이 흐른 지금, 나는 해인사의 뜰에서 쉬고 있다. 바로 이 자리에 원래의 초막이 있었고, 나무가 왕비의 병을 대신 진 곳도 이곳이다.

두 수도승의 법손들은 도량에서의 일과로 분주하다. 각자 정좌를 수행하고 경전을 공부하며 염불을 외느라 여념이 없다. 삭발한 머리에 헐렁한 잿빛 승복을 걸친 이들은 7세기 이래로 이곳에 머물며 수행해온 여느 수도승들과 다를 바 없어 보인다.

첩첩 산들 하며 법당과 암자와 오래된 부도(浮屠)들까지, 내게는 순전히 신비롭게만 느껴지는 문화의 아름다움에 나는 취해 있다. 나 역시 이 땅에서 태어났으니, 이 탐닉은 나의 생득적 권리이리라. 짙은 향냄새 코끝을 감돌고 톡톡톡 리듬을 타는 목탁 소리 귓전을 어루만지는 곳, 부처님께 절 한 번 올리고 한 자씩 단 한 자의 오자도 없이 새겨 넣어 칠백오십 년을 이어 내려온 고려대장경 팔만 사천 개의 목판들이 살아 숨 쉬는 곳, 이곳은 바로 내 선조의 고갱이

---

* 화엄경의 해인삼매(海人三昧)에서 비롯된 말. 해인삼매는 삼라만상이 고요한 바다에 그대로 비치는 상태, 즉 깨달음의 경지, 부처의 세계를 의미한다. 해인사는 의상대사의 법손인 순응과 이정이 신라 애장왕과 그 왕후의 도움으로 창건했다고 전해진다.

가 자리한 장소다.

이곳에서 나는 뭔가를 얻어야 한다. 염불 테이프나 값싼 우편엽서, 나무염주보다 더 의미 있는 무언가를. 귀청이 터질 듯한 화려한 색채로 나를 집어삼키는 이곳에서, 오늘 내가 느끼는 바를 나는 기억해야 한다.

땅에 쪼그리고 앉는다. 손바닥만 한 흰 돌멩이 하나가 발치에 놓여 있다. 돌멩이는 모가 나고 먼지투성이다. 나는 그걸 푸른 손수건으로 싸서 가방에 집어넣는다.

이 순간의 이곳을 기억할 것이다. 꽃이 흐드러지게 핀 나무들을, 하늘을 향해 살짝 들린 기와지붕을, 목을 데우는 볕의 감촉을, 그리고 이곳에서의 나를 기억할 것이다.

내 이름은 정경아. 주민등록등본에는 1972년 음력 1월 24일생으로 기록되어 있다. 정호준의 다섯째 딸이고, 그의 둘째 처인 강안선의 셋째 딸이자 넷째 자식이다. 친가 쪽으로는 정송필과 이진화의 손녀, 외가 쪽으로는 강순옥과 박옥분의 외손녀이다. 조상 중에는 지주와 학자와 정부관리 들이 있었다. 내게는 여섯 명의 형제자매가 있다. 나는 대한민국 국민이다. 배밭이 있고 개울이 흐르는 땅, 절과 암자가 첩첩 산속에 꼭꼭 숨어 있으며 사람들은 호탕하게 웃고 죽은 조상을 섬기는 땅에서, 나는 태어났다.

세상의 반을 돌면 나는 또 다른 사람이다.

나는 제인 마리 브라우어. 비행기에 태워져 미국 땅을 밟은 1972년 9월 26일에 브라우어 가의 딸이 되었다. 미네소타 주 출생증명서에는 1972년 3월 8일생으로 기록되어 있다. 프레더릭과 마거릿 브라우어의 둘째 딸이다. 친가 쪽으로는 다윈과 도리스 브라우어의 손녀, 외가 쪽으로는 아이버와 루린 라이크만의 외손녀이다. 우리 조상은 대개 농부나 공장노동자였고, 전직 성경 판매원이 한 사람 있었다. 내게는 언니도 한 명 있다. 나와 피를 나눈 친자매로, 같은 집에 함께 입양되었다. 나는 다섯 살 때 판사 앞에 서서 성조기에 충성을 맹세함으로써 자랑스러운 미국 시민이 되었다. 대평원의 땅, 일직선으로 죽 뻗은 지평선 상에 하늘과 땅이 끝없이 맞닿아 있고 루터교회*가 광활한 옥수수밭에 점점이 흩어져 있으며 종교적 금욕주의가 자손 대대로 뼛속 깊이 박혀 내려오는 땅에서, 나는 다시 태어났다.

미네소타는 지금 밤이다. 제인 마리 브라우어는 사라지고 없다. 사람들의 마음속에 한낱 기억으로 남은 채 사라져버렸다. 그러는 사이 한국의 산속에서 정경아가 돌멩이를 하나둘 주워 호주머니를 채우며 햇살에 힘겹게 눈을 깜빡이고 있다. 마치 깊은 잠에서, 아니 어쩌면 아주 오랜 배회중에서 이제 막 깨어난 듯이.

---

* 독일 신학자 마르틴 루터가 16세기 종교개혁으로 성립시킨 복음주의 교파. 독일과 북유럽을 위시하여 전 세계에 널리 세력을 뻗친, 개신교 주류 교단 중 하나이다.

10번 고속도로
제인의 상상 연극

등장인물
프레드 : 백인, 마거릿의 남편이자 캐럴과 제인의 양아버지
마거릿 : 백인, 캐럴과 제인의 양어머니
캐　럴 : 제인의 한국인 핏줄의 친자매이며 함께 입양된 언니,
　　　　네 살 반
제　인 : 캐럴의 한국인 핏줄의 친자매이며 함께 입양된 동생,
　　　　생후 육 개월

1970년대 초 미네소타 주. 등장인물들은 그 시대 중산층의 수수한 옷차림을 하고 있다.

이 공연은 예고된 시각보다 십 분 늦게 시작한다. 그러나 객석 조명은 예고된 시각에 맞춰 잦아들고 관객은 기대감 속에 십 분을 기다린다. 그사이 음향 기기로부터 공항 소음, 이를테면 끊임없이 웅얼대는 말소리, 안내 방송, 비행기의 이착륙 소음 등이 흘러나온다. 공연이 시작되면 극장의 모든 출구가 잠기고, 공연이 끝날 때까진 아무도 나갈 수 없다. 공연은 실시간으로 네 시간가량, 관객들이 폐쇄된 공간에 갇혀 있다는 불안감을 느끼게 될 정도의 긴 시간 동안 진행된다.

시골 고속도로의 밤. 공항 소음이 페이드아웃 되고 에이엠 라디오에서 흘러나오는 컨트리음악과 기상방송이 페이드인 된다. 1960년대 후기 모델의 미국산 자동차에 조명이 서서

히 밝혀진다. 차는 우측면이 객석을 향하고 있고, 따라서 관객에게는 차에 탄 사람들의 옆모습만 보인다. 밝게 켜진 헤드라이트 때문에 운전대를 잡고 있는 프레드가 앞쪽만 볼 수 있다는 인상을 준다. 마거릿은 조수석에서 제인을 안고 있고, 캐럴은 마거릿의 뒷좌석에 앉아 차창 밖의 어둠 속을 주시한다. 대화가 진행되는 동안, 캐럴은 눈을 동그랗게 뜨고 입은 무표정하게 다문 채 관객 한 사람 한 사람을 뚫어지게 쳐다본다. 프레드는 운전하면서 몇 분간 담배를 피운다. 자동차 한 대가 지나가는 소리가 들리고, 뒤미처 그 차의 헤드라이트가 번쩍 무대를 가로지른다.

프레드: (사이드미러로 캐럴을 쳐다본다.) 뒤에 별일 없니?

　　(캐럴은 여전히 관객을 뚫어지게 쳐다본다.)

마거릿: (아기 제인을 다정하게 토닥인다. 그 토닥임은 마치 신경성 경련처럼 끝도 없이 계속된다. 캐럴을 보려고 고개를 돌리지만 볼 수는 없다. 어깨 너머로 말을 건넨다.) 너 괜찮니?

　　(긴 침묵)

프레드: (더 큰 소리로) 엄마가 묻고 있잖아.

(캐럴은 마거릿을 보는 대신 관객들의 얼굴을 살핀다. 어디 한국인의 얼굴이 없나, 한국인의 얼굴이 하나라도 없나 찾고 있다. 그런 얼굴은 하나도 보이지 않는다. 그러자 그만 눈을 감고 잊기로 마음먹는다.)

오픈릴식 홈 무비가 자동차 너머 그 위로 페이드인 되면서 캐럴(미자)의 한국 생활상을 보여준다. 한국말로 찍힌 각 장면은 몇 초쯤 펼쳐지다 페이드아웃 되고 그다음 장면으로 넘어간다. 장면들은 지금까지 캐럴의 어린 시절을 보여주는 다양한 추억을 펼쳐 보인다. 언니들이랑 친구들과 어울려 놀던 일, 식구들과 둘러앉아 밥을 먹던 일, 엄마 곁에 꼭 붙어 잠을 자던 일, 주먹을 쳐들던 아버지, 조그만 방 하나, 서울에서 버스를 타던 일, 그리고 김포 공항에서 엄마와 외삼촌과 언니들에게 마지막 작별인사를 하고 떠나온 긴 여정의 출발 시점까지. 영화가 마지막 장면에 이르면 한국에서의 추억은 완전히 사라지고, 오픈릴 프로젝터는 테이프의 시작과 끝 지점에서 감길 때 그러하듯 텅 빈 화면과 백색 소음을 흘려보낸다. 캐럴은 그예 과거가 없는 소녀가 되겠다고 결심하고, 이제부터 새 삶을 시작할 마음의 준비를 한다.

가족은 고속도로를 내달리고, 무비 프로젝터는 그들 위로 지지직거리고 흠집에 불과한 영상을 환히 내쏜다.

미네소타 주 할로우는 칠면조에 관한 한 세계에서 둘째가라면 서러운 곳이다. 라이언스 공원에 우뚝 선 칠면조 빅 톰이 이곳 서식지의 일인자로 군림한다. 유리섬유로 만들어진 이 거대한 조각상은 타운 호수와 할로우 '시내'를 굽어보고 있는데, 시내라고 해봐야 남북으로 세 블록, 동서로 두 블록이다. 정육점, 제과점, 이발소, 그리고 주유소가 시내 상가 경제에 주요한 위치를 점하고 있을 뿐, 다른 업체들은 생겼다 없어졌다를 반복한다. 레스토랑은 예전에 약국이었고, '앤티크'라는 간판을 단 가게 건너편 집은 술집에서 아이스크림 가게로, 또 가구점으로 탈바꿈해왔다. 칠면조 가공공장 스위프트 상사도 문을 닫고 말았다.

가게마다 내건 간판들이 실용적인 흰색 글씨에서 최근 유행하는 자주색과 분홍색 배합으로 서서히 바뀜에 따라 시내의 풍경이 변하고 있다. 하지만 사람들은 예나 지금이나 여전하다. 이들은 대부분 독일계와 스칸디나비아계 이주민의 자손이며 타자 실습과 가정, 기계 조립 같은 수업을 정규 과목으로, '미국 미래의 농부'를 심화학습 과목으로 배우며 그 가치를 신뢰하는 미국인들이다. 팔월이면 칠면조 축제가 열리고, 고등학교를 마친 처녀들 중에 심사를 맡은 유명 인사들의 마음을 사로잡은 처녀를 미스 할로우로 뽑아 왕관을 씌워준다. 심사위원 가운데 대표적인 한 사람을 꼽는다면 '은하수의 케이 공주'*일 텐데, 그녀의 초상은 미네소타 주 박람회에서 거대한 버터 덩어리로 조각되어 선보일 만큼 고장의 명물이다. 금요일 밤 미스 할로우에 등극한 처녀는 축제의 주말 동안 이브닝드레스와 왕관으로 치장하고서 벼룩시장, 시가 행렬, 자동차 충돌 경기 같은 행사의 사회를 보게 된다. 기회는 누구에게나 열려 있기 때문에, 왕관을 차지하기는커녕 재능 심사나 수영복 심사, 이브닝드레스 심사, 하다못해 인터뷰 심사에서조차 우승할 승산이 없다는 걸 잘 아는 참가자들도 대회 내내 열심히 해서 잘 보이기만 하면 우정상 정도는 탈 수 있다.

할로우에서 남자들은 으레 남편이고 아버지다. 그렇지 않은 남자는 분명 괴짜 노총각 아니면 중학교 영어 선생이다.

마찬가지로, 할로우의 여자들은 으레 아내이고 어머니다. 그리고 그저 한 남자의 아내가 아니라, 엄마가 되어야 한다. 아이가 곧바로 안 생기면 구설수에 오르고, 이웃들로부터 숱하게 난처한 질문을 듣기 마련이다. 그러다 그런 질문은 우리 엄마 마거릿이 자신에게 던지는 질문이 되고 말았다. 아이는 언제 갖게 될까? 여자가 가족을 만들지 못하면 이를 어쩐다? 결혼 후 아이들 장난감을 사 모으고 개와 고양이를 돌보며 수년의 세월을 보내고 나니, 그런 질문이 그녀의 마음속에서 꼬이고 뒤틀리기 시작했다. 왜 하나님은 하필 우리 가정에 아이를 내려 축복하지 않으실까? 내 몸에 무슨 문제가 있나? 남편 몸에 이상이 있는 걸까?

---

* 미네소타 주 낙농협회가 주관하는 낙농 아가씨 선발대회에서 우승한 여성에게 주어지는 타이틀.

엄마 아빠에겐 한 번씩 들여다볼 조카 녀석들은 있었지만 복도에 걸어둘 자식들 사진은 없었다. 침실은 죄 비고 아래층 휴게실은 적막했다. 갈아줄 기저귀도, 준비할 생일 파티도, 챙겨줄 숙제도 없었다.

대신 엄마 아빠에겐 일요일마다 참석해야 하는 예배가 있었다. 장례식이나 결혼식이 있으면 토요일, 간혹 수요일에도 교회에 나갔다. 그곳에는 해야 할 일이, 스스로 쓸모 있는 사람이라고 느낄 수 있는 여러 일이 있었다. 아빠는 말이 유창하지 못해 성경을 봉독하는 일은 없었지만, 교구민들이 신도 좌석에 들거나 나갈 때 조용히 목례를 하고, 헌금을 모으고, 나무로 된 헌금 접시에 목사님이 축복을 빌 수 있도록 교회 앞자리에 서서 봉사하는 등 이런저런 안내를 맡았다. 아빠는 교회 이사회 자리를 탐하지 않았고, 엄마 역시 간사 자리를 넘보지 않았다. 오히려 그런 자리들이 자신들에겐 너무 과하다고 생각했다. 대신 엄마 아빠는 신도 좌석을 청소하고, 일품요리와 디저트를 만들고, 저녁 만찬을 차려내고, 다른 집 아기의 세례 준비를 도울 수 있었다. 또 어린아이들이 콩알과 알파벳 모양의 파스타로 장식판 꾸미는 걸 거들거나, X자를 옆으로 돌리면 우리의 죄를 사하여준 예수의 십자가가 된다는 것도 보여줄 수 있었다. 메이플 거리의 끝에 위치한, 미주리 총회 소속의 베들레헴 루터 교회는 언제나 엄마 아빠를 반겨주는 곳이자 자신들이 필요한 존재라고 느끼게 해주는 곳이었다.

교구민들은 각자 임무를 하나씩 맡아 지역 활동에 참여하게 되어 있었고, 그 모두의 손길과 헌금은 합쳐졌다. 이렇게 미네소타 주 전역에 걸쳐 백오십칠 개 교구에서 창출된 일손과 자금이 루터교 사회복지회를 이루고 있었다.

루터교 사회복지회는 사람들의 삶을 변화시키기 위한 것이었다.

주일마다 맷슨 목사님은 엄마 아빠 옆 좌석의 빈자리가 눈에 밟혔다. 이미 식구가 불어났어야 하는데 말이다. 그러던 어느 일요일, 목사님은 엄마와 악수를 하다 엄마에게로 고개를 기울이더니, 다과 시간이 끝나면 자기 사무실에서 두 사람을 좀 보자고 귀엣말을 건넸다. 엄마는 무슨 영문인지 알 수가 없었다.

두 사람은 자신들의 헌금이 부족했나 싶기도 했고, 교회 일에 열심히 참여하지 않았나 하는 생각도 들었다. 그러나 검은 양복으로 갈아입고 나온 맷슨 목사님은 엄마 아빠와 악수를 하고 어깨를 다독이더니, 모던한 육십 년대 양식의 닫힌 창문을 통해 강렬한 햇살이 심문하듯 퍼붓는 가운데 그들을 자신의 큼지막한 책상 맞은편에다 앉혔다.

"브라우어 형제자매님." 그가 말문을 열었다. "저는 형제자매님을 필요로 하는 아이들이 있다는 사실을 접하게 됐습니다."

———⌣———

만에 하나 그래야 한다면 나는 다시 할로우로 돌아가 살 수도 있

37

을 것이다. 그러나 지난 십이 년간 나는 도시에서 살아왔고, 유나이티드 누들스 식품점과 아직도 내 이름을 제대로 기억하지 못하는 닥터 왕의 침술 치료를 떠나서는 살아가기 어려울 것이다. 요즘 들어선 사우어크라우트보다 김치가 더 좋고, 칠면조는 추수감사절에만 먹는다.

내가 진짜 할로우 태생이었으면 애초에 떠나지도 않았을 것이다.

할로우는 선하고, 올바르고, 원칙적이고, 동질적인 건 뭐든지 지켜지는 최후의 보루이다. 화단을 훼손한 사건이 신문의 일면 기사를 장식하고, 날씨에 따라 다들 무얼 입고 무얼 사냥할지 판단하며, 주민 모두가 같은 축일을 지내는 데다, '정치적으로 올바른 어휘*'를 기억할 필요조차 없는 곳이다.

할로우는 자체적인 자정 체계를 갖고 있다. 한때는 몽족** 사람들이 왔다가 떠났다. 게이, 레즈비언, 양성애자, 성전환자 들을 후원하는 단체라곤 찾아볼 수 없다. 할로우의 유일한 흑인은 백인 가정에 입양되어 자란 아이였는데, 고등학교 시절 내내 북 두드리는 검둥이라고 두들겨 맞고 백인 여자 형제를 강간했다는 소문에 시달리다가 결국은 이곳을 떠나 다시는 돌아오지 않았다. 니카라과 난민 가족도, 다른 누구도, 횃불로 무장한 군중에 의해 쫓겨난 게 아니다. 오히려 이곳의 동질성은, 교회 단체를 통해 이주해온 소수민

---

* 소수민족, 여성, 장애인, 동성애자 등 사회적 소수자에 대한 차별과 비하를 내포하지 않는 말.
** 라오스 산악의 소수민족으로 베트남전 때 미국을 도와 특수 게릴라전을 펼쳤지만 전후에 난민으로 전락, 미네소타 주에만 약 이만 칠천 명이 이주했다.

족 사람들이 차츰 어디로 이사를 해야 자기네 동포들 속에서 살 수 있는지 알게 되어 그리로 하나둘 이사를 가버리는 데서 연유한다.

그러나 본디 이곳에 뿌리를 내리고 살아온 이들에게 할로우는 아이들을 키우기에 좋은 곳이다. 부모가 우리를 기른 방식 그대로 우리가 우리 아이들을 기르면 안 될 이유가 뭐 있나. 어쩌면 훨씬 더 잘 기를 수도 있는데.

엄마는 내게 자수와 매듭의 기본을, 아빠는 사십 에이커의 우리 땅에 심어진 나무들 이름을 전부 가르쳐주었다. 아빠는 어떤 나무가 불에 활활 타버리는지, 또 어떤 나무가 밤새 천천히 타는지도 가르쳐주었다. 미어스 호숫가에서 보낸 시간은 소소한 즐거움으로 가득했다. 신선한 야생 딸기와 신문지 잉크에 까맣게 절어버린 신발, 봄과 가을이면 확확 변하는 호수 풍경이며 호숫가 후미 반대편에서 들려오는 젖소의 울음소리에다, 보트 바닥에 납작 누운 작은 민물고기의 깜박이지 않는 눈동자까지.

———

한국 어머니의 얼굴은 빛이 난다. 어머니는 아버지와 나란히 흑백사진 속 한가운데에 앉아 있다. 어머니는 한복을 곱게 차려입고서 어린 아기인 나를 품에 안고 있다. 아버지는 검은 양복 차림이다. 그들 뒤로 교복을 입은 두 딸이, 양옆으로 한복을 입은 더 어린 두 딸이 서 있다. 점잖은 가족사진을 찍느라 모두 웃지도 않고 진지

한 표정들이다.

유치원 친구들은 이 사진을 보고 아주 신기해했다.

"이게 정말 너니?" 아이들이 하나같은 목소리로 물었다.

"응." 내가 말했다. "이게 내 한국 가족이야."

"오늘 우리한테 보여줄 게 또 뭐가 있더라?" 호프만 선생님이 부추겼다.

"우리 반 친구들한테 진짜 한국 옷을 보여주고 싶어요." 나는 이렇게 말하며 종이봉투 속으로 손을 뻗었다.

"그럼 한국 옷에 대해 좀 더 얘기해주겠니?" 호프만 선생님의 거품처럼 부풀어 오른 갈색 머리카락은 솜사탕 같았다. 그녀에게선 캐시미어 부케 같은 꽃향기가 났다. 나는 이 선생님이 무척이나 좋았다.

"음⋯⋯." 나는 그만 말문이 막혔다. 한국의 옷이나 전통에 대해 아는 게 없었으니까. 그러다 문득 내가 알고 있던, 한국에 관한 유일한 이야기 하나가 떠올랐다.

"이 옷은 내가 미국에 오고 나서, 아직 어린 아기였을 때, 한국 어머니가 보내준 거야. 크리스마스 선물로 말이야."

"정말 고맙구나, 제인." 호프만 선생님이 말했다. "자, 여러분, 제인의 사진과 옷을 돌려볼 땐 아주 조심해야 해요. 망가지면 다른 것으로 대신할 수 없는 물건들이니까요. 그러니 조심해서 다루도록 해요."

물건들이 돌아가는 동안 아이들은 우와, 이야, 하고 탄성을 내지르며 아름다운 자수와 색동 소매와 인디언 카누처럼 생긴 기묘한 고무신을 보고 놀라움을 감추지 못했다.

"자, 여러분." 호프만 선생님이 말했다. "지금부터 나와 제인은 에번스 선생님 반에 가서 이 물건들을 보여주고 올 테니, 여러분은 그동안 벤슨 선생님과 함께 있도록 해요. 오늘 제인의 발표는 아주 특별했어요. 다른 나라에서 온 것들을 볼 기회란 흔치 않으니까요. 자, 모두 얌전히 있어야 해요. 이제 가볼까, 제인."

에번스 선생님 반에서 우리는 똑같은 발표를 되풀이했고, 아이들과 선생님들의 눈은 더 휘둥그레졌다. 내 마음은 윤기가 흐르는 빨간 풍선처럼 부풀어 올랐다. 이토록 특별한 관심을 독차지한 적이 한 번도 없었으니까. 그날 담임선생님 둘, 보조 선생님 둘, 그리고 서른두 명의 아이들이 모두 나를 주시하며 내가 얼마나 특별한 존재인가를 눈여겨본 것이다. 나는 자부심으로 터질 것 같은 기분이 되어 버스를 타고 집으로 돌아왔다.

———

엄마는 나를 아주 많이 사랑한다. 엄마는 흔들의자에 앉은 채, 학교에서 돌아온 나를 무릎에 앉힌다. 그러기엔 내가 너무 많이 자랐는데도 말이다. 나는 사진을 들고 오늘 학교에서 얼마나 즐거웠는지 엄마에게 재잘대고 있다. 그러다 문득 사진 속의 내 얼굴을 좀 더 자세히 들여다봐야겠다는 생각이 떠오른다. 캐럴 언니의 말이 과연 사실인지 따져봐야겠으니 말이다. 언니는 내가 너무 못생겼기 때문에 우리가 버려진 거라고 했다. 나는 내 얼굴에 어디 추한 구석이라도 있는지 유심히 살핀다. 입이 너무 크나? 눈이 너무 작은가? 내가 정말 개구리같이 생겼나?

그리 못 생긴 것 같진 않은데. 난 그저 보통 아이들처럼 생겼어. 캐럴 언니의 말이 맞을 리 없어. 우리가 버려진 데는 분명 다른 이유가 있을 거야. 하지만 왜 자식을 버리는 걸까? 엄마라고 해서 다 제 아이를 사랑하는 건 아닌가?

그 순간 나는 이마가 잔뜩 구겨지고 이내 뭔가 뜨거운 것이 가슴 속에서 목구멍으로 불끈 치밀어 오르는걸 느꼈다. 그것은 곧 목 위로 올라와 턱을 덜덜 떨게 하더니 코 뒤로 해서 눈에까지 치달았고, 나는 끝내 눈물을 뚝뚝 흘리기 시작한다.

"왜 우릴 버린 걸까요?" 내가 작은 입을 뾰족한 초승달처럼 오므리며 엄마에게 묻는다. 발표 시간에 거둔 쾌거는 어느새 눈물 젖은 물음표로 변해버린다.

흔들의자가 멈춘다. 엄마는 반사작용처럼 무릎에서 날 떼어내며 재빨리 일어선다. 나는 엄마가 다시 돌아오리라 생각하며 기다린다.

그로부터 이십오 년 뒤, 나는 엄마를 찾아 기억 속의 집을 뒤진다. 부엌에서 달가닥거리는 소리가 나는지 귀를 기울인다. 아무 소리도 나지 않는다. 리놀륨 바닥에서 엄마의 발소리가 자박자박 날까도 싶어 귀를 쫑긋 세운다. 조용하기만 하다. 기억 속에서 나는,

의자에서 일어나 아래층을 살핀다. 아무도 없다. 침실마다 들여다 봐도 아무도 없다. 집은 텅 비어 있다.

엄마는 증발해버린 것 같다.

기억 속에서 나는, 정지된 흔들의자에 홀로 앉아 있다. 바깥은 가을이다. 떡갈나무 잎들이 붉다. 포플러 잎들은 노랗다. 구름은 하얗다.

엄마는 돌아오지 않는다.

나는 내가 엄마를 화나게 한 걸 알고 있다. 달려가서 잘못했다고 말하고 싶다. 잘못했어요, 잘못했어요, 엄마를 화나게 해서 미안해요. 다시는 물어보지 않을게요. 그러나 집은 텅 비었다. 누가 내 말을 들어줄까? 누가 날 용서해줄까? 나는 흔들의자에 홀로 남겨져 있다. 다리가 너무 짧아 바닥에 닿지도 않고, 다리가 너무 짧아 의자를 흔들 수도 없는 채로. 그토록 어리석은 말만 하는 바보 같은 아이를 누가 사랑해줄까? 나에게 뭔가 문제가 있는 게 틀림없어. 나는 버르장머리 없고 못생긴 아이야. 캐럴 언니의 말이 맞나 봐.

"우리가 너희를 선택했어." 엄마는 늘 이렇게 말한다. 내 귀엔 마치 인형 가게에서 데려왔다는 말처럼 들린다. 가게에 가면 진열대에 죽 나열된 인형들을 보고 그중 하나를 선택하니까. 지금 문득 어떤 생각이 떠오른다, 이렇게 홀로 앉아 있으려니 정말 그럴듯하게 여겨지는 섬뜩한 생각이. 어쩜 난 가게로 돌려보내질지도 몰라. 나보다 더 착하고 더 철이 든 여자아이, 다른 사람에게 상처 되는 얘기는 하지 않는 그런 여자아이와 교환될지도 몰라. 안 돼, 난 돌아가고 싶지 않아. 난 여기 있고 싶어. 왜냐하면 나는 우리 가족을 사랑하고, 또 미국 어머니까지 날 버리면 두 번 다신 누구도 날 원치 않을 테니까. 그렇게 되면 영영 가게에서 살아야 할 테지.

단추를 잃어버린 곰 인형 코듀로이*처럼 넓고 컴컴한 가게에 밤새 홀로 있고 싶지는 않아. 진열대 위에 다른 여자아이들이랑 줄줄이 함께 앉아 있고 싶지도 않아. 만약 그렇게 되면 우리는 어디서 자야 하고, 또 이불은 누가 덮어주나?

나는 아주 아주 착한 아이가 되어야 해. 그럼 엄마가 날 계속 데리고 살 거야. 더는 어리석은 질문 따위 하지 않을래. 엄마를 화나게 하는 일은 하지 않을 거야.

난 엄마에게 아주 착한 아이가 될 거야.

완벽한 아이가 될 거야.

———————⌣———————

---

* 돈 프리먼의 그림동화 『꼬마 곰 코듀로이』(1968)의 주인공. 백화점 장난감 가게에서 자신을 데려갈 가족을 마냥 기다리지만 멜빵바지의 단추 하나가 떨어져나가 아무도 사가지 않으려는데, 리사라는 소녀를 만나 결국 행복한 가족을 갖게 된다.

멧슨 목사님이 책상 뒤에서 얇은 책자 하나를 꺼냈다. "하나님 눈에는 모든 아이가 다 귀한 존재입니다." 그가 크게 소리 내어 읽었다. 그는 버림받은 한 한국 여자아이의 사진이 담긴 페이지를 펼쳐보였다. 그러곤 엄마와 아빠의 눈을 차례로 쳐다보았다.

"이 아이들은 유산될 수도 있었겠지만, 엄마들은 생명을 택한 겁니다. 흔히 이런 엄마들은 매춘여성이거나 십대 미혼모라 아이를 돌볼 수 없는 처지랍니다. 하지만 이 아기들도 부모의 사랑과 가정이 필요하고, 또 우리 구주 예수그리스도의 사랑으로 길러져야 하지요. 하나님이 이런 아이들을 도울 기회를 주시어 우리를 축복하심은 바로 우리 교회를 통한 성령의 역사가 아니고 무엇이겠습니까."

"실은 말입니다." 아빠가 말문을 열었다. "저희도 정말 가정을 이루고 싶어요."

"그렇긴 해도 외국 아이를요?" 엄마가 물었다.

"하나님은 우리의 피부색을 보지 않으십니다." 목사님이 말했다. "당신의 형상대로 우리 모두를 똑같이 지으셨지요. 하나님은 오직 영혼만을 보십니다. 두 분도 마음을 열고 어린아이들을 향한 예수님의 사랑을 보십시오. 형제자매님을 통해 우리 한번 그분의 기적이 이루어지도록 해봅시다."

엄마 아빠는 집에 돌아와 목사님이 준 책자를 놓고 얘기를 나누었다. 한국 아이를 입양한다는 것이 왠지 꺼림칙했지만, 입양 자체는 그럴듯한 선택 같아 보였다. 어쩌면 입양기관에 전화해서 미국 백인 아이를 입양할 수 있는지 알아봐야 하는지도 모른다. 가능하다면 사내아이, 그것도 어린 아기로. 그러나 입양 가능한 백인 사내아이는 없었다.

엄마 아빠는 다시 책자를 읽었다.

루터교 사회복지회는 입양될 아이와 입양할 부모 양쪽에 똑같이 비중을 두고 있습니다. 본 기관은 모든 아이가 영속적으로 부모의 사랑과 보살핌을 받는 환경 속에서 자랄 권리가 있다고 믿습니다. 아이는 저마다 가정생활이라는 든든한 보호막과 기독교 신앙으로 자랄 기회, 타고난 자질을 계발할 기회를 누려야 합니다. 본 기관은 또한, 아이를 돕는 데 동참하길 희망하는 부부라면 입양을 통해 어버이로서의 만족과 책임을 경험할 기회를 몸소 실천해야 한다고 믿습니다.

물론 엄마 아빠는 아이를 돕고 싶었다. 당연히 아이에게 가정을 주고 싶었다. 정말이지 아이에게 기독교 신앙으로 자랄 기회를 주고 싶었다.

그리하여 결국 두 사람은 입양을 위한 가정조사를 치러냈다. 하나님이 친자식을 내려주진 않았지만, 자신들이 선량한 사람들이고 독실한 기독교인이며 수입도 충분하다는 사실을 무어헤드에서 온 사회복지사에게 증명해 보일 수 있다면 방법이야 좀 다르더라도 자식을 갖게 될지 모를 일이었다.

두 해가 지나고 마침내 연락이 왔다. 나이를 조금 먹은 여자아이가 하나 있는데, 이미 네 살 반이고 영어는 하지 못한다. 그래도 영리하고, 잘 놀고, 노래 부르길 좋아한다. 사람들이 원하는 나이보다 많아 가정을 찾기가 어렵지만, 어린 아기인 여동생과 함께 왔다. 이 자매를 입양하겠는가?

물론이다. 그들은 부모가 되고 싶었다.

빵 만들기

1. 이스트 2봉지를 물 1컵에 푼다.
2. 우유 1쿼트, 소금 2큰술, 설탕 6큰술, 쇼트닝 1/4컵을 함께 녹인다.
3. 2번을 밀가루 10컵 분량에 넣어 섞는다.
4. 두 배로 부풀어 오르면 30분간 구운 뒤 4등분 한다.

집안 대대로 엄마에게서 딸에게로 전수되어온 우리 엄마의 빵 만들기 비법은 훌륭했다. 정말이지 기가 막혔다. 그러나 엄마는 이것뿐 아니라 그 어떤 레시피도 지역 요리책 편찬위원회에 제출하지 않았다. 너무 겸손해서 자기 빵을 사방에 뽐낼 엄두가 나지 않았던 것이다. 일 년이 지나고 지역 요리책이 나왔을 때 엄마는 세 권을 사왔다. 그 요리책에는 칠면조 사육업자 집안의 아무개와 트럭 운송업자 집안의 아무개가 비누 제조법과 돌능금 절임 레시피 사이의 페이지에 죄 값비싼 재료를 들여 만든 화려한 레시피들과 함께 실렸는데, 자기들이 어떻게 해서 덴버에 사는 친구가 무려 개당 삼십구 센트나 받고 판다는 버터스카치 초콜릿 칩 쿠키를 보고 그와 똑같이 만들 생각을 하게 되었는지 자랑을 늘어놓고 있었다. 엄마는 자신의 레시피들을 혼자서만 간직했고, 훗날 자기 부엌에서 출장 요리 사업체를 열고 싶다는 은밀한 꿈에 부풀어 있었다. 그런 날이 오면, 사람들은 엄마 얘기를 하면서 엄마의 감자 샐러드와 엄마의 초콜릿 칩 쿠키와 엄마의 더없이 훌륭한 빵을 이구동성으로 칭찬하게 되리라.

늘 한낱 꿈에 지나지 않았지만, 이 꿈속에선 어떤 요리도 망쳐지는 법이 없었다. 감자 샐러드는 언제나 알싸한 맛이 나고, 쿠키 밑바닥은 절대 타지 않으며, 빵은 자칫 공기가 들어가 성찬떡처럼 납작하게 팬에 들러붙는 일이라곤 없었다.

아이들을 갖게 되길 꿈꾸던 시절, 엄마는 아이 방을 정해두려고 창고 대방출 길거리 세일 때 곰 인형 하나를 사다 두었다. 내가 어느 정도 자라 그 곰을 내 것으로 찜했을 때 나는 녀석을 지미라 불렀고, 그러다 언제부턴가 메리라 고쳐 부르기로 마음먹고는 다른 옷을 입혀주었다. 설명을 하자면 메리는 지미의 쌍둥이 여동생이고, 지미는 죽어서 먼 곳에 묻혀 있는 것이다. 아빠의 형이 아기 때 죽어, 아빠가 한 번도 들른 적 없는 미시간 주 랜싱 근처 어딘가 양이 조각된 묘석 밑에 묻혀 있는 것처럼 말이다.

그 아기는 분명 유령이 되어 아빠의 머리 주위를 떠돌았을 것이다. 무릇 생명에 대한 약속은 생명의 실현보다 더 장밋빛이다. 존재하지도 않는 것이 잘못하는 일은 있을 수 없으니까.

곰 인형 메리를 박스에 넣어 치워버리고서 수년이 지난 뒤 외할머니가 돌아가셨고, 그제야 나는 그녀의 진짜 이름이 루린임을 알게 되었다. 부고장에 박힌 그 이름을 보는 순간 나는 인쇄가 잘못된 줄 알고 당황했다. 내내 외할머니 이름이 로레인인 줄 알고 있었으니까.

외할머니 루린의 자식들은 아버지의 뜻을 거스르지 않도록 배웠고, 마치 화가가 의자나 사과 접시를 그릴 때 그 대상을 둘러싼 바깥 공간을 그리는 것처럼 자기 주변 공간을 잘 살핌으로써 무언의 것들을 헤아리도록 배웠다. 그리하여 외할아버지가 둘째 부인을 첫째 부인의 이름인 로레인으로 부르자, 자식들은 그 이유를 알았으되 모르는 척했다. 그래서 손자들은 외할머니가 돌아가실 때까지 그녀의 진짜 이름을 알 리 만무했다.

첫째 부인 로레인과 외할아버지는 결혼한 지 두어 해 만에 이혼했으니, 로레인은 그의 기억 속에 언제까지나 젊고 아름다운 신부로 남아 있었으리라.

엄마는 열여덟 살에 아빠와 결혼하면서 자기 머리엔 잘 맞지도 않고 광채도 사라진 이런 망상의 왕관을 물려받아 자기가 쓰는 대신 고스란히 우리 두 딸에게 넘겨주었고, 그 바람에 우리는 엄마 뱃속에 품어진 적조차 없는 친자식, 다시 말해 엄마의 아름다운 푸른 눈과 아빠의 익살맞은 미소를 빼닮은 핑크빛 피부의 사내아이에게 홀리게 되었다. 그리고 이 아이의 유령뿐 아니라 우리는 우리 자신의 쌍둥이 혼령들에게도 사로잡히게 되었다. 우리가 어느 날 단순히 옷을 갈아입음으로써 모습이 바뀌기 이전의 존재들, 육 개월까지 산 경아와 네 살 때 죽어 캐럴이 된 미자 말이다. 사진을 근거로 말한다면, 캐럴 언니는 어린아이로 세상에 태어났고 아기였던 적은 없었다.

나는 아기였기 때문에 안아주고 싶을 만큼 적당히 귀여웠고, 그래도 될 만한 사람들에겐 적시에 애정표현도 잘했다. 몇 안 되는 문제들은 쉽게 해소되었다. 가령 짜증 부릴 땐 그냥 못 본 척 놔두면 저절로 괜찮아졌고, 만성적인 아침 복통은 박하사탕 하나로 진정되었으며, 잠을 안 자려고 떼를 쓸 땐 진공청소기 소리를 들려주거나 자동차에 태우면 그만이었다.

캐럴 언니도 입양기관에서 엄마 아빠에게 약속한 대로 잘 적응했다. 언니는 행동거지가 얌전하고, 청결하고, 뭐든 낭비하는 법이 없어 쌀 한 톨이라도 바닥에 떨어지면 그걸 주우려고 식탁 밑으로 뛰어들곤 했다. 다만 규칙적인 취침시간의 중요성을 이해시키는 것이 다소 어려운 문제였는데, 하고 싶은 대로 실컷 하게 했더니 절로 해결되었다. 즉 밤늦게 텔레비전 보는 걸 허락했던 것이다. 그것도 거실 바닥 한가운데 꼿꼿이 책상다리를 하고 앉아서 보는데도 말이다. 그러자 그 뒤론 제법 적당한 시간에 흔쾌히 잠자리에 들었다.

엄마 말에 따르면, 캐럴 언니는 뚜렷한 이유도 없이 어떤 한국말 하나를 입에 달고 살다시피 했단다. 엄마는 그 말이 루터교 사회복지회에서 제공한 한국어 어휘 목록에 나온 한 단어와 일치함을 알아냈다. 아픔, 즉 'pain'이었다. 그걸 제외하면 완전한 영어문장이 다른 사람들처럼 입에서 술술 나올 때까지 언니는 아예 말을 하려고 들지 않았다. 그러다 채 일 년이 지나지 않아 유치원에 입학했을 땐 발음하지 못 하는 단어가 고작 몇 개에 불과했다. 그중 하나가 '버펄로(buffalo)'인데, 언니의 우스꽝스러운 발음은 '버파로(bupparo)'였다.

언니는 한국어 단어 하나와(보기에는 분명 하나뿐이었다), 한국 노래 한 곡을 기억하고 있었다. 엄마 아빠 최초의 가족 앨범을 보면, 우리 자매가 함께 치른 세례식 사진들 가운데 언니가 한국 노래를 부르고 있는 사진이 한 장 있다. 당시 십대였던 사촌이 오픈릴식 녹음기에 담아둔 바로 그 노래다. 캐럴 언니는 눈을 감은 채 입을 선율에 따라 벌리고, 얼굴에는 황홀한 기색이 역력하다. 그러나 소리는 없다. 음은 숨을 다 내쉬기 직전의 정지 상태에서, 마치 껍질이 벗겨지지 않은 오렌지처럼 앞니 뒤에 붙들려 있기에.

언니는 좀처럼 곁을 주지 않고 피부가 벌게질 때까지 몸을 긁어대며 스쿨버스가 오기 직전에 자주 코피를 쏟는 데다 자립심이 강해 엄마가 포옹하려면 언니의 팔을 강제로 누르고 꽉 껴안아야 했는데, 이건 분명 언니에게 성격상의 문제가 있었던 것이지 엄마가 한국 아이의 몸에 대해 무지하거나, 과거에는 문제없었지만 새로운 환경에는 들어맞지 않는 아이의 행동양식에 대해 잘 몰라서 생긴 게 아니었을 것이다. 언젠가 아빠는 심히 낙담하여 언니에게 물었다. "우리가 왜 제인을 더 좋아하는지 알고 있니?"

"우린 제인이 더 좋아." 캐럴 언니가 들은 건 이게 다였다. 그랬으니 한국 엄마가 갓 태어난 여동생을 구하기 위해 희생시킨 이 소녀는 점차 나를 원망하고, 나를 잘 돌봐주라던 한국 엄마의 명령에 분개하고, 십대 초반에 접어들면서부터는 나를 보살피라는 미국 엄마의 명령에도 분개하면서, 동생을 봐주고 놀아주는 일에 얽매이지 않고 자기만의 생활, 자기 나이에 맞는 관심사들을 향유하고 싶어 했다. 내가 순전히 언니를 흠모하고, 마음을 다 바쳐 언니를 사랑하고, 어린 여동생만이 할 수 있는 방식으로 언니와 언니의 헤어스타일을 숭배했음에도 불구하고, 언니는 결국 내가 중학교 삼 학년에 올라갈 때 자기는 기꺼이 사백여 킬로미터나 떨어진 대학에 진학했다.

그리고 그 세월 동안 우리 자매는 한국에 대해 단 한마디도 꺼내지 않았다. 사랑만큼이나 두텁고 꿰뚫을 수 없는 재갈을 우리는 각자 입에 물고 살았다.

———

엄마: 또 뭔가 이질적인 느낌이 든단 말이니?

네이빈: 난 이곳에 어울리지 않는 것 같아요. 난 이 집 식구가 아닌 것 같아요.

엄마: 오늘이 네 생일이니 너도 알 때가 되었구나. 네이빈,
    넌 우리 친자식이 아니란다.

네이빈: 친자식이 아니라고요?

엄마: 누가 널 우리 집 문 앞에 놔두고 갔는데, 우리가 자식
    삼아 거둔 거란다.

네이빈: 그럼 난 계속 이런 피부색으로 살아야 하나요?

[스티브 마틴과 칼 고틀리브 각본, 「바보 네이빈」*]

아이스 하우스 레스토랑
뮤지컬

등장인물

프레드 : 백인 남편이자 아버지

마거릿 : 백인 아내이자 어머니

캐   럴 : 한국인, 초등학교 육 학년

제   인 : 한국인, 초등학교 이 학년

웨이트리스 : 중년의 전문 웨이트리스

식당 손님들 : 백인, 모든 연령대의 미네소타 주 시골 사람들

이 공연은 미네소타 주 클라라 대호수에 위치한 어느 시골
식당에서 펼쳐진다. 이 호수가 1940년대 중반까지 아이스박

---

* 칼 라이너 감독, 스티브 마틴 주연의 미국 영화로, 원제는 'The Jerk'이고 1979년 작이
다. 주인공 네이빈은 정신박약아로 버려져 흑인 가정에서 자라난 백인 청년이다.

스용 얼음을 잘라내던 곳이라 "아이스 하우스 레스토랑"이 란 이름이 붙은 식당이다. 사방 벽에 엄청나게 큰 검은색 얼음 집게들이 걸려 있고, 호수의 얼음과 짚을 가득 실은 짐마차 사진들도 심심찮게 보인다.

등장인물들은 1980년대 초의 수수한 옷차림을 하고 있다.

피아노 음악이 배경으로 깔리기 시작한다. 행크 윌리엄스의 히트곡들이다. 홀 중앙에 빈 테이블이 하나 있고, 그 위에 조명이 켜진다. 주변 테이블에는 저마다 손님들이 가득하다. 먹고 떠들고 접시가 달가닥거리는 소리. 주인공 가족이 들어와 외투를 벗어 옷걸이에 건다. 다른 테이블 손님들은 이 가족을 보자 식사를 멈추고는, 서로 머리를 맞대고 쑤군거리며 버터나이프로 그쪽을 가리켜 보인다. 가족이 자리를 잡고 앉자, 공연은 이들을 중심으로 자연스레 재개된다.

웨이트리스: (메뉴판과 함께 빨간 플라스틱 컵에 담긴 물 넉잔을 들고 온다.) 안녕하세요. 오늘 저녁엔 와일드 라이스를 넣고 끓인 크리미 치킨 수프가, 특별 메뉴로는 구운 감자를 곁들인 창꼬치 생선 튀김이 준비되어 있고요, 당근이나 강낭콩 중 하나를 선택하시면 됩니다. 이 메뉴엔 롤빵이 함께 나오고요, 샐러드 바도 이용하실 수 있어요. 뭐, 음료나 애피타이저 먼저 갖다드릴까요?

프레드: 아, 아무렴 어때. 난 올드 밀 맥주 한 병 부탁해요.

웨이트리스: 뭐로 하시겠어요?

마거릿: 난 칵테일 한 잔, 서던 컴포트 맨해튼으로.

웨이트리스: 네, 좋습니다. 꼬마 아가씨들은 뭐로 할래요?

캐럴과 제인: (고개를 저어 거절 의사를 전한다.)

웨이트리스: 그래요. 그럼 주문하신 음료 곧 갖다 드릴게요.
　　(퇴장)

　　(가족은 메뉴판을 본다.)

마거릿: 오늘 저녁엔 스테이크가 먹고 싶네요. 당신은 뭐로
　　할래요, 프레드?

프레드: 특별 메뉴가 괜찮을 것 같은데. 샐러드 바에는 뭐가
　　있나 궁금하군.

제인: (마거릿을 향해) 저 남자가 날 쳐다봐요.

마거릿: 누구?

제인: 저기 저 사람이요. (머리를 그 남자 쪽으로 기울인다.)
　　왜 사람들은 항상 우릴 쳐다보나요?

마거릿: 누가 쳐다본다고 그래.

제인: (그 남자를 한 번 째려본 뒤 다시 메뉴판을 읽는다.)

　음악이 점점 강해지고 빨라진다. 어른 손님들이 하나둘 이 가족의 테이블로 몰려든다. 이들은 자기들끼리 웅성거리며 이러쿵저러쿵 지껄인다. "어린 여자애들이 참 귀엽기도 하지! 애들이 중국말을 할까요? 키는 얼마나 자라나 몰라. 아몬드처럼 생긴 눈이 예쁘기도 하네! 어머, 저 가는 허리 좀 봐요! 머리카락도 좀 만져봐. 숱이 참 많기도 해라!" 개중 일부는 캐럴과 제인이 인형이라도 되는 것처럼 만져대며 두 아이를 의자에서 거칠게 민다. 마거릿과 프레드는 자기네 테이블로 모여든 사람들이 안중에도 없다는 듯 여전히 메뉴판을 얼굴에 들이댄 채 읽고 있다. 마침내 식당 손님들이 모조리 테이블 주위로 몰려들어 캐럴과 제인을 이리저리 밀치며 여기저기서 한마디씩 내뱉는다.

손님들: 쌀농사나 짓는 주제에! 우리 애들은 저런 애들과 못 놀게 할 거예요. 너희 나라로 돌아가. 쟤들이 영어는 할 줄 알까요? 장미꽃은 붉고, 제비꽃은 더 큰데, 너희 입술은 아프리카 검둥이 입술이군!* 학교에선 선생님들 손길이 특히나 더 필요하지? 이봐요, 우리가 발견한 이 떠돌이 개는 어때요, 입양해볼 생각 없어요? 너희 나라

사람들은 죄 수학박사들이지. 개구리눈 칭크**! 보트피
플***! 쟤들 얼마나 줬어요? 어디서 얻었어요? 중국 년,
일본 년, 무르팍 더러운 년****, 이 무르팍 좀 보라고!
뭔 말인지 모르겠어요? 입양을 하다니, 당신들 참 친절
하기도 하네요. 외국 교환학생들한테도 관심 있어요?
쟤들, 젓가락질은 할까? 뭘 먹고 사나 그래? 어디서 영
어는 그리들 잘 배웠니? 나도 한국 여자애들을 입양한
사람들 알고 있는데. 그 사람들 알아요? 구크*****!

　　손님들이 계속해서 밀치고 떠드는 사이 조명이 서서히 꺼
지며 무대가 어둠에 잠긴다. 캐럴과 제인은 아랫입술을 꽉
깨문다. 피아니스트가 「이봐요, 미남!」을 즉석 반주로 연주
하고 있다.

─────────────

* "Roses are red, Violets are blue, Sugar is sweet, And so are you(장미는 붉고, 제비꽃은
푸르며, 설탕은 달콤한데, 당신도 그래요)"라는 시구를 패러디한 것. 영어권의 사랑 시로
주로 쓰이면서 구전되어온 "장미는 붉고, 제비꽃은 푸르다"라는 시구(詩句)가 현대에 들
어 가장 일반적으로 회자되는 형태이다.
** chink. 원래 중국인을 가리키지만, 중국인이나 중국인처럼 보이는 다른 아시아인들
을 널리 통칭하는 비속어.
*** 베트남전 직후 공산정권을 피해 보트나 어선으로 탈출한 베트남 난민.
**** 펠라티오를 한 여성을 가리킴. 무릎을 꿇고 행위를 하는 데서 비롯됨.
***** gook. 한국인을 가리키는 비속어. 경우에 따라 베트남인이나 다른 아시아인들
을 가리키기도 함.

미국 여자아이들이라면 공통으로 좋아하는 것들이 있다. 유니콘이나 재미난 의상, 아기 동물, 공주 이야기, 경쾌한 비트의 음악, 스티커, 나비 등이다. 그래서 라슨 선생님이 과학 수업 프로젝트로 제왕나비를 길러보자고 발표하는 순간, 학급 아이들의 절반은 좋아서 어쩔 줄 몰라 했고 나머지 절반은 흡족해하는 학생부터 무관심한 학생 그리고 불만스러워하는 학생에 이르기까지 다양한 분포를 이루었다. 그중 아버지가 체육선생이고 자기네 패거리의 리더인 남자아이는, 의자 뒷다리에 두 발을 감고 벽에 떡 하니 기대어 앉은 채 챕스틱 입술 연고를 한 입 깨물어 보임으로써 과학 프로젝트에 대한 자기 생각을 내비치기도 했다.

"제왕나비를 기르기 전에 해둬야 할 쓰기 과제물이 있어요." 라슨 선생님이 말했다. 그녀는 철자 시험 성적이 우수한 아이들에게 지폐로 만든 스펠링 달러를 주고 자신이 마련한 선물과 교환할 수 있게 하거나, 산수 문제들을 넣어 놓은 바구니에서 문제를 꺼내 푸는 학생들에게 성과표를 작성하게 하는 등 학습 열의를 고취하는 보상물을 늘 준비했고, 학생들이 항상 올바르고 철저하게 배우도록 최선을 다하는 노련한 선생이었다.

오십 줄에 접어들었을 텐데도 라슨 선생님은 결혼을 하지 않았다. 사람들은 그녀에 대해 수군거릴 때면 다 안다는 듯 고개를 끄덕이며, 마치 그녀가 찰스 디킨스의 소설 『위대한 유산』에서 남자한테 비극적으로 차이는 미스 하비샴이라도 되는 것처럼 말했다. 할로우에는 그녀와 관련해 전해 내려오는 일화가 있다. 어느 날 아침

교회 친교 시간, 그녀가 혼자 서 있는 모습이 유달리 눈에 띄자 할로우의 소문난 수다쟁이 그레이엄 부인이 그녀의 면전에 대고, "라슨 선생, 언제 결혼해서 가정을 꾸릴 건가요?" 하며 맞섰다. 그러자 그녀는 웃으면서 대답했다. "아이들이 왜 필요하죠? 학생들이 다 내 아이들인데요."

그레이엄 부인은 그녀를 따라 웃고 말았지만, 그 후 여신도들의 자선 모임에 갔을 때 립스틱이 묻은 스티로폼 커피 컵을 힘껏 움켜쥐며, 깜짝 놀라 쳐다보는 여신도들에게 이렇게 공표해버렸다. "라슨 선생은 남편을 만나 가정을 꾸릴 의사가 없다더군요."

그들은 라슨 선생을 위해 기도했다.

그러나 여신도 자선 모임의 회원들뿐 아니라 그들의 친구들, 그 친구들의 친구들까지 그 모든 이들이 기도했음에도 라슨 선생님은 그 후로도 오랫동안 미혼의 숙녀로 지냈고, 결국 사람들은 그녀의 미혼 신분을 기정사실로 받아들였다. 이 이야기를 모르는 사람들은 "봐, 저 여잔 학생들이 자기 아이들이래."라는 말을 들을 것이고, 그 말뜻이 자식 없는 여자라는 것을 알아차리고서 "아하!" 또는 "어쩐지!" 하며 장단을 쳐줄 것이다.

할로우의 엄마 아빠들은 나이 든 가련한 여인 라슨 선생님을 측은하게 여기긴 했지만, 그녀가 좋은 선생이라는 걸 알고 있었고 또 독신이었기에 자기 아이들에게 많은 신경을 써주길 원했다. 다른 선생들이 가족과 함께 저녁 시간을 보내고 있을 때, 그녀는 과제를 채점하거나 게시판을 정리하고 제왕나비를 기르는 것과 같은 멋진 프로젝트를 구상하면서 홀로 저녁 시간을 보낸다는 것을 할로우 사람들은 잘 알고 있었다.

엄마 아빠가 나를 할로우의 전설적인 인물 라슨 선생님이 담임을 맡은 사 학년 반에 넣어달라고 교장에게 특별히 부탁한 사실을 나는 알고 있었다. 나는 라슨 선생님이 좋았고, 그녀 특유의 연분홍 베이지 빛깔이 좋았다. 그녀는 학생들을 안아주거나 학생들의 어깨 가까이에서 맴도는 다정다감한 성격은 아니었지만, 분홍색 블라우스나 카키색 셔츠를 입고 베이지색 간호사 단화를 신은 옷차림에는 뭔가 사랑스럽고 세련된 느낌이 있었다. 목과 머리의 빛깔은 옷차림의 색상과 자연스럽게 이어졌다. 그녀를 보면 둥지 안의 부스러기들이 머리에 달라붙은 새끼 독수리가 떠오르곤 했다.

"앤더슨 군! 의자 바로 해요!" 라슨 선생님이 챕스틱을 깨 먹는 친구에게 명령하자, 그는 눈알을 굴리며 뒷벽에 기대고 있던 의자를 바로 하고 앉았다. "다시 말하지만, 먼저 쓰기 과제물을 마쳐야 해요."

"계절이동." 라슨 선생님은 이 단어를 칠판에 쓰더니 강조하기 위해 밑줄을 두 번 그었다. "제왕나비들은 매년 미네소타에서 멕시코로 날아갔다가 다시 돌아오는 대이동을 해요. 앞으로 삼 주에 걸쳐 제왕나비의 생명 주기를 공부하겠어요." 그리고 나서 그녀는 세계지도를 펼쳐 내려 '계절이동'이라는 단어 바로 위에 기가 막히게 딱 멈추도록 한 다음 코팅을 입힌 그림들을 보여주며 설명을 이어갔다. 여학생들은 리포트를 쓰고 싶어 안달이 났다.

제왕나비 기르는 법

나비는 다이아몬드처럼 예쁘다. 제왕나비는 주황색과 검은색을 띤다. 제왕나비는 다음과 같이 기른다.

1. 제왕나비 알이 놓인 유액 식물을 찾아낸다.
2. 유리병 바닥에 마른 종이 수건을 깐다.
3. 유액 식물과 가는 나뭇가지를 병 속에 집어넣는다.
4. 나일론 천과 고무줄을 사용하여 병을 덮는다.
5. 잎을 매일 갈아준다.
6. 알이 애벌레로 변한다.
7. 애벌레는 번데기로 변한다.
8. 번데기는 나비가 된다.

라슨 선생님의 설명에 의하면, 제왕나비는 철 따라 이주한다. 그것은 다른 나라로 이주해가는 종(種), 즉 한 방향으로만 이주하는 인간들과는 다르다. 다른 두 장소 사이를 오가며 이주하는 제왕나비, 그들에게는 집이 두 곳이다.

제왕나비는 팔월에 남쪽으로 대이동을 한다. 캘리포니아나 멕시코로 날아가는 것이다. 무려 오천 킬로미터 가까이 날 수 있다. 아주 긴 여정이다. 몸 안의 수분이 얼지 않도록 갈증이 나더라도 물을 마시지 않고, 몸의 온기를 유지하기 위해 서로 붙어 지내기도 한다. 그렇게 멀리 날고 나면 날개가 찢어지거나 너덜너덜해진다. 그들이 그렇게 멀리 날아갈 수 있는 건 기적이다.

나비의 계절이동 주기가 한 바퀴 완성되기까지는 여러 세대가 걸린다. 매년 가을 멕시코나 캘리포니아로 돌아오는 나비들은 그 전년 봄에 떠난 나비들의 손자의 손자뻘이다. 나비들이 어떻게 자신들만의 길을 찾아가는지는 아무도 모른다.

사랑하는 어머니에게.

오늘은 제 생일이에요. 지금도 저를 생각하고 있나요? 저는 매해 생일마다 어머니를 생각해요. 제가 태어났을 때를 기억하시나요? 어머니를 위해 편지를 쓰고 사진을 모아왔어요. 머지않아 상자 하나에 가득 찰 정도예요. 미국 엄마가 그러는데요, 언젠가 제가 죽으면 그때는 제가 어머니에게 그걸 전해줄 수 있을 거래요. 우리가 만나게 되면, 어머니 당신에 관한 이야기를 들려주세요. 좋아하는 색깔은 뭐예요? 어떤 음식을 좋아해요? 어머니에 관해 제가 만든 이야기책이 있는데요, 그게 사실과 맞는지 알아볼 거예요. 그때까지 이 편지들과 제가 그린 그림들을 안전한 곳에 보관해두겠어요. 우리가 하늘나라에서 만날 날을 간절히 기다릴게요.

사랑해요.

제인 올림.

"친엄마를 모르고 사는 기분은 어때?"

반 아이들은 진심으로 의아하게 생각했다. 나는 빈정거림과 자기방어라는 두 가지 의도로 반문했다. "친엄마를 알고 사는 너희 기분은 어떤데?"

친구들에게 어떻게 설명해야 할지 난감했다. "끔찍해. 이상하기도 하고. 태어난 적이 없는 느낌이야. 난 말이야, 너희가 너희 가족이나 너희처럼 생긴 사람들을 쳐다볼 때 어떤 기분인지 궁금해. 할아버지 할머니 댁에 가면 가족 앨범을 꺼내 보여주잖아. 그러면 너희가 집안의 코를 빼닮았다, 집안의 눈을 물려받았다, 고모의 어릴 적 모습을 똑 닮았다, 라고들 하며 고모나 삼촌이 웃으며 얘기할 텐데 그럴 땐 어떤 기분이 드니? 또 너희 엄마를 껴안으면 키가 꼭 알맞아서 너희가 태어난 엄마의 배에 얼굴이 딱 들어맞잖아. 그건 대체 어떤 느낌이지? 그리고 거울 앞을 지나갈 때 거기에 비친 자기모습을 보고 놀라지 않는 기분이란 어떤 거야? 난 말이야, 거울에 비친 내 모습에 놀랄 때가 많아."

'입양'이라는 말은 우리 집에서 꺼내어서는 안 될 금기였다. '한국'이라는 말도 마찬가지였다. 입양 관련 책자라고는 집 안 어디에도 없었고, 우리가 입양된 날이나 국적을 바꾼 날을 기념하지도 않았으며, 문화 캠프에 참가하여 한국에 관해 알아본다거나 하는 기회도 없었다. 엄마 아빠는 애초에 마음먹었던 대로—'친자식'처럼—우리를 키웠다.

그러나 내 과거와 관련한 비밀의 문을 열어줄 단서가 있었다. 그것은 엄마가 얼마 동안 보관하고 있던 것들이었다.

발단은 편지 한 통이었다. 어느 날 나는 엄마 책상에서 속이 엷게 비쳐 보이는, 빨갛고 하얗고 파란 줄무늬의 항공우편 봉투 속에 든 편지를 발견했다. 발신자 주소가 있었다. 나는 그 주소로 한국에 있는 어머니에게 편지를 보내기 시작했다.

그렇게 형편없이 쓰지 않을 수도 있었을 텐데, 당시 그저 감상에 젖어 쓴 편지들을 떠올리니 창피하다. 어떤 이유에서 어린아이가 그토록 오랜 시간 이야기를 꾸며가며 편지를 쓰는 데 열중할 수 있었는지 모를 일이다. 그 편지들은 나 혼자 몰래 슬픔에 잠기는 방식, 즉 상상 속의 어머니에게 울며 매달리는 나만의 은밀한 방식이었다. 왜냐하면 미국 부모님은 내 마음의 진실을 들으려고도, 또 궁금해하지도 하지 않았을 테니까. 나는 가필드 고양이가 그려진 편지지 위에 앳된 글씨체로 편지를 쓰고 또 써서 세상 밖으로 내보냈다. 이 세상 어딘가에 이 편지를 읽어줄 눈과 이 얘기를 들어줄 마음을 만나고 싶은 소망을 싣고서…….

편지들은 그렇게 발송되었고, 어쨌든 되돌아오지는 않았다. 어쩌면 '반송. 수취인 불명'이라는 자주색 스탬프가 찍혀 돌아왔는지도 모른다. 하지만 정말 그랬는지는 알 길이 없다. 우편물은 내가 매일 학교에서 돌아오기 전에 배달되어 일찌감치 엄마의 손에서 정리되었으니까.

캐럴 언니는 미국에 왔을 때 영양실조 상태였고, 그 때문에 시력이 좋지 않아 법률상으로는 맹인이었다. 다행히 미국 음식과 미니트 라이스라는 인스턴트 쌀을 꾸준히 먹은 덕에 점차 시력을 회복하여, 콜라병 유리처럼 두꺼웠던 안경 렌즈가 해가 지날수록 얇고 덜 우스꽝스러운 모양으로 바뀌어갔다. 반면 내 눈은 처음에는 좋았으나 이 학년에 올라가면서부터 나빠졌다. 안과의사는 내게 빨간 곤충같이 생긴 안경을 쓰게 했고, 여러 가지 시력 강화 운동을 시켜주었다. 그렇게 처음 시력이 나빠진 뒤로 검안사가 일 년에 두 차례씩 성의껏 치료해준 덕분에 나는 완전한 시력상실은 피할 수 있었다.

그 당시 안과의 환자 대기실에서 앉아 있던 어느 날 오후, 나는 『하이라이츠』와 『레이디스 홈 저널』 등이 뒤섞인 잡지 무더기 속에 살짝 숨어 있던, 연한 청록색의 두툼한 책에 실린 이야기 하나를 읽게 되었다. 나병과 수두, 부스럼 따위의 병에 걸려 처참한 고통을 겪는 소녀에 관한 이야기였다. 절망에 빠진 소녀의 어머니는 하나님에게 간절히 기도를 올렸다. 하나님은 선지자 한 분을 보내 해 질 녘부터 다음날 동틀 녘까지 아픈 아이의 두 손을 머리 위로 들고 있으라는 명을 어머니에게 전했다. 그러면 하나님이 아이를 보고 측은히 여겨 천국으로 데리고 갈 것이고, 그곳에서 아이는 앞서 세상을 뜬 모든 이들과 만나게 되리라 말했다. 그리고 참으로 자비로운 하나님은 소원을 들어주었다. 하나님은 아이를 보았고, 다음날 동이 트기 전에 어린 소녀는 죽어서 하늘나라로 올라갔다.

라슨 선생님은 매부리코에 올라앉은 안경이 인상적이었다. 그래서 안경쟁이인 나는 그녀에게 친근감을 느꼈고, 그녀도 내게 한국에 있는 친구 한 명을 소개해주는 것으로 나에 대한 관심을 보였다.

그렇게 해서 알게 된 한국의 펜팔 친구 홀리는, 라슨 선생님 친구의 친구인 테네시 출신 선교사의 딸이었다. 홀리의 아버지는 내가 태어난 출생지와는 거리가 먼 대전에서 근무했지만, 내 마음속의 한국은 할로우만큼 작은 곳이며 한국 사람끼리는 서로 다 알고 지내는 사이라고 느껴졌다. 홀리의 생활은 나와 별 차이가 없었다. 한국에서도 홀리는 미국인 학교에 다니고, 미국인 친구들과 사귀며, 미국 옷을 입고 살았다. 어느 날 그 아이는 자기가 기르는, 발이 하얀 검은 고양이 사진을 보내주었고, 그 뒤로 나는 온통 스티커로 도배하고 지나치게 길고 상세하게 쓴 편지를 보내기 시작했다. 그리고 그 모든 편지를 다음과 같은 부탁의 말로 끝맺음했다. '내 어머니를 좀 찾아주겠니?' 물론 홀리는 어느 거리를 찾아가 어느 집 문을 두들기고서 내 어머니인지 확인하려 들 만큼 엉뚱하지는 않았을 터였다. 하지만 어린 내가 뭘 알기나 했을까?

경험의 세계가 확장되면서, 나는 세상이 어떻게 움직이는지 조금씩 알게 되었다. 어떤 것이 다른 것으로 바뀌는 마술 같은 원리, 즉 변환의 기적을 발견한 것이다. 그건 바로 세상이 돌아가는 근본적인 이치였다. 예를 들면 이런 것이다. 긴 나눗셈을 풀어내느라 한참을 끙끙거렸다. 그러면 말끔한 답이 나눗셈 꺾음 기호 위에 나타나고 나머지는 대문자 R(Remainder, 나머지) 뒤에 정돈되는 새로운 형식으로 바뀌었다. 또 칼 샌드버그의 「안개」라는 시를 읽었다. '살금살금 작은 고양이 발로 / 안개가 걸어 나오네.'라는 시구는 일상적인 사건 하나를 일곱 단어로 바꾼 것이었다. 감자와 리트머스 종이로 변환 실험도 했다. 피아노 레슨을 시작한 후로는 피아노 교본의 신비한 기호들이 눈에 안 보이도록 우리가 숨 쉬는 공기 중으로 부풀어 올라 거기에서 음악으로 변한다는 것도 알게 되었다.

한번은 스테인드글라스와 신성모독적인 성상(聖像)들이 들어찬 가톨릭 성당의 장례식에 간 적이 있다. 순교자들과 사도들은 몸에 박힌 화살과 못이 여기저기 삐쳐 나온 모습으로 아직도 이승을 배회하고 있었고, 성모상은 행복하면서도 슬픈 표정을 띠는 듯했다. 향을 흔들며 수리수리 마하수리 주문을 욀 것만 같은 마술사 신부님은, 주기도문의 끝 부분을 제대로 못 외우고 있는 것 같아 미심쩍긴 했지만 루터파 교회의 목사님보다 훨씬 믿음직스러웠다. 우리네 목사님은 복음서 설교를 할 때마다 사람들의 가장 큰 관심거리인 미식축구팀 미네소타 바이킹스와 어떻게든 연결을 짓곤 했는데, 나는 그것이 영 마뜩잖게 느껴졌던 것이다. 그리고 그 교회의 창시자 마틴 루터는 내가 성찬식에 참석하려면 중학교 이 학년이 될 때까지 기다려야 한다고 규정해 놓았지만, 성당에서는 아주 어린 꼬마들도 성찬식에 참석할 수 있었으며 가톨릭의 빵과 포도주는 뱃속에 들어가자마자 말 그대로 예수님의 몸과 피로 변했다. 그렇게 거리 끝에 있는 성당 사람들은 뭔가 마술적인 것과 연결되어 있었다.

성상을 멀리하는 데다 장식이라곤 없는 소나무 의자에 근엄하게 앉은 칙칙한 루터파 교회 사람들에 비해, 가톨릭 사람들은 더 재미있게 살고 있었다.

마술은 존재했다. 예수님이 혼외로 태어날 수 있었다면, 그리고 내가 실제로 태어나지 않았다면—물론 나는 이렇게 태어나버렸지만—나는 다른 것을 이루기 위해 그 마술의 힘을 빌렸을 것이다.

도서관에서 말과 개에 관한 책을 모두 섭렵하고 난 뒤에는, 과학적으로 설명이 불가능한 현상에 관한 책들을 읽기 시작했다. 그러면서 요정과 유령과 외계인 따위를 예의 주시하게 되었다. 언니와 둘이서 초능력 테스트를 실험해보았을 때 최소한 오십 퍼센트는 성공적이었다. (그러나 나중에 알게 된 진실은 이랬다. 언니는 내가 텔레파시를 통해 보낸 메시지를 받았다고 하면서 자기가 생각하고 있던 색깔이 내가 말한 바로 그 색이라고 맞장구를 쳐주었던 것이다. 그 바람에 나는 깜빡 속아 넘어간 것이었고 말이다.)

한국 어머니에게 쓰고 또 써서 보낸 편지에 대한 답장은 오지 않았다. 우체부가 편지를 전하는 일에 최선을 다하고 있지 않음이 분명했다. 그래도 이제 초능력이 생긴 나는 편지 대신 텔레파시를 통해 어머니에게 메시지를 보낼 수 있지 않을까 생각했다. 하지만 메시지를 거실 너머 언니에게 보내는 것과 바다 너머로 보내는 것은 별개의 일이었다. 아주 멀리까지 보내려면 별도의 우송료가 필요했다. 나만의 마술 가루가 긴히 출동할 때였다.

캐럴 언니와 나는 예전부터 돌을 부수어 가루로 만들곤 했다. 그건 언니가 한국에서 가져온 놀이였다. 그곳에서는 장난감이 거의 없어 손에 잡히는 대로 아무거나 갖고 놀았던 모양이다. 긴 여름날 오후, 우리는 조경의 용도로 놓인 돌들을 주워 모은 다음 보도에 앉아 그것들을 가루로 만들었다. 곱게 갈아서 마술 가루를 만드는 데에는 혈암이나 석회암 같은 돌이 최고였다. 우선 큰 화강암 조각으로 크기가 더 작은 돌을 깨뜨려 잘게 부수고, 그것을 매끈한 둥근 돌로 갈아 미세한 가루로 만들었다. 마술 가루는 보통 연노란색인데, 머리에 뿌리면 피터 팬처럼 하늘을 날도록 도와주고, 물과 섞어서 다리에 바를 수 있으며, 기저귀 피부염이 생기지 않도록 인형에다 발라 줄 수도 있었다.

이처럼 마술 가루는 다용도로 쓸 수 있으므로 메시지를 보내는 데도 쓸 수 있다는 건 일리 있는 생각이었다. 나는 밖에서 가장 상태가 좋으면서 가장 노란 석회석들을 주워 왔고, 창문의 오목한 곳에 숨겨두었던, 돌을 가는 용도로 쓰기에 적합한 돌들도 꺼내왔다. 그런 다음 보도에 쪼그리고 앉아 무거운 돌들을 갈고 또 갈아 공중으로 날릴 수 있는 가루로 만들었다. 나는 가톨릭교회의 축복을 가루에 내려달라고 말했다. 그리고 가루를 손에 모아 열심히 소원을 빌었다. 눈을 감은 뒤 오므려 모은 두 손을 얼굴에 가져다 대고서 마술 가루에 무언의 메시지를 불어넣었다.

어머니, 어머니, 어디 계세요? 제발 내게로 와주세요.

메시지가 가루에 단단히 달라붙자 등을 돌려 바람을 등지고서 후, 불었다. 내 모든 숨과 내 모든 생명력을 다해 어머니에게 메시지를 보냈다. 가루는 바람을 타고 아름다운 황금빛 천사처럼 한동안 떠올랐다가 잔디밭으로 내려앉았다.

그날 밤, 텔레비전에서는 〈투나잇 쇼〉의 단발성 웃음소리가 흘러나와 복도를 타고 꿈틀꿈틀 내 방으로 기어들어오고 있었다. 나는 어둠 속에 앉아 있었다. 쇼의 진행자 조니 카슨은 매일 밤 열 시면 우리 집을 자신의 영토로 점령해버렸다. 아빠는 깜박이는 텔레비전 불빛을 받아 푸른빛을 발하면서 그 속의 원숭이들과 연주자들과 영화배우들을 말없이 바라보고 있었다.

엄마는 옆방에서 재봉질을 하고 있었다. 문틈으로 스탠드 불빛이 새어나왔고, 재봉틀이 쉬지 않고 윙윙대며 돌아가는 동안 찰칵, 하는 가위질 소리나 옷핀이 접시에 닿아 딸그랑, 하는 소리만이 끼어들곤 했다.

내 옆 침대에는 캐럴 언니가 자고 있었다.

안경을 벗으면 눈앞 일 미터도 안 되는 곳에 위치한 사물들의 형체도 분간 못 하는 나였지만, 베들레헴의 별처럼 빛을 발하는 이웃집 차고의 전구 불빛은 알아볼 수 있었다. 나는 창문 밖으로 저 멀리 유일하게 보이는 그 불빛에 초점을 맞추었다. 그리고 침대에 반듯이 앉아 두 팔을 머리 위로 높이 들어 올렸다.

텔레비전에서는 쇼의 공동 진행자 에드 맥마흔이 크게 웃어댔고, 엄마는 옷단 끝을 뒤집어 박고 있었다.

내가 잠에서 깨어나기 전에 죽으면, 주께서 내 영혼을 거두어 가기를 기도합니다!

그렇게 손을 들어 올린 채, 나는 이야기 속의 소녀로 변하거나 기쁜 듯 슬픈 듯 아리송한 표정의 스테인드글라스 성자들 중 한 사람으로 변할지 모른다고 생각했다. 그러나 아무 일도 일어나지 않았다. 아마 루터파 교회에 다니는 아이에게는 그런 기도가 소용없는 모양이었다. 혹 하나님이 천장을 뚫고 날 볼 수 없었는지도 모르지만 말이다. 두 손이 활활 타올랐다. 더 이상 팔을 들고 있을 수 없는 순간, 나는 그만 피할 수 없는 잠에 쑥 빠져들고 말았다.

작은 고양이 발로 살금살금 잠이 걸어 나왔네.

———

모든 엄마들이 다 자기 아이를 사랑하는 건 아닌 걸까? 떡갈나무와 포플러 나뭇잎이 떨어지고, 봄에 다시 자라고, 빨갛고 노랗게 물들어 떨어지면 또 자라고 다시 떨어졌다가 자라는데도, 다섯 살 난 내가 던진 질문에 대해서는 그 어떤 설명도 대답도 돌아오지 않았다. 대신에 나는 다른 입양인들의 부모로부터 이런저런 설명을 듣게 되었다. "어머니는 널 무척 사랑했지만, 널 키울 처지가 아니었단다."라든가 "어머니는 네게 더 나은 삶을 주고 싶었던 거야. 네가 여기 있으면 더 많은 기회를 얻게 되리라는 걸 아셨던 거지."와 같은 대답이었다. 그게 아니면 "아무튼 어머니가 널 사랑하고 항상 널 생각하고 있다는 걸 믿으렴." 이라는 식의 얘기뿐이었다.

결국 나는 어린아이로서 납득할 만한 나만의 이야기를 꾸며냈다. 어머니는 아름다운 공주였다. 그런데 용과 관련된 뭔가 끔찍한 일이 일어나, 공주는 자기 아이들을 빼앗기고 말았다. 나는 머나먼 탑 속에 갇힌 공주의 그림을 수없이 그렸다. 물론 공주는 항상 나를 그리워하고 나를 생각했다.

훗날, 내 어린 시절의 이런 몽상이 얼마나 진실에 가까운지 알게 되었다. 어머니는 비록 공주는 아니었지만 양반 가문에서 태어났다고 했다. 내 조상은 한국의 계급사회에서 전략적 결혼, 재산 상속, 덕행, 과거시험 등을 적절히 이용하여 높은 사회적 지위에 오른 사람들이었다.

"당신의 외조부모님에게는 소가 아주 많았답니다." 라고 통역자들이 전해주었다. 내 조상은 중부지방에서 안락한 전원생활을 누렸다. 등이 휘는 고된 농사일은 소작인들에게 내주고, 문인 양반의 특권을 누리며 살았다. 시골에서 유유자적하는 삶, 자연 속에서 마음껏 사서삼경을 공부하고 시·서·화를 즐기며 사는 것이 당시 양반에게는 이상적인 삶의 형태였다고 한다.

외조부모님은 학문을 닦으며 양반계급의 생활 방식을 누린 마지막 세대였을 것이다. 여러 채의 건물과 우아한 기와지붕, 육중한 지주, 그리고 개방형 안뜰로 이루어진 그들의 기와 저택은, 지금은 버려지고 황폐한 채로 비어 있다.

외조부모님은 '암흑기'에 가족을 부양했다. 일본 식민통치의 첫 십 년간 한국인은 비인도적인 만행과 수모를 당했기 때문에 그 시절을 암흑기라 부른다.

암흑기의 잔재는 아직도 남아 있다. 텔레비전에서는 아무리 한일 양국 정치인들이 서로 친한 척을 해도, 나이 드신 어른들은 한 유교 문화가 다른 유교 문화에 가한 계획적 만행을 잊지 못한다. 그리고 지금 나는 한국 어머니의 딸로서—다시 한국인이 됨으로써—다원주의 사회에 살고 있는 미국인들에게는 용인될 수 없는 여러 가지 측면에서 내 조국 사람들과 같은 분노를 느낀다. 그러나 나는 또한 미국인으로서 종교의 자유, 표현의 자유, 의사(意思)의 자유를 빼앗는 자들, 동화하느냐 굶주리느냐의 두 가지 선택만을 명하는 자들을 경멸한다(물론 미국의 정책들이 지닌 수많은 모순을 편의상 무시하자면 말이다).

미국인들은 미국과 서부 유럽의 전쟁사, 특히 유대인 대학살을 큰 비중으로 다루기 때문에 한국이 겪은 고통의 역사에 대해서는 잘 모른다. 그리고 미국의 대중문화 속에는 일본이나 중국의 이국적 문물에 열광하는 풍조가 있는 반면, 그 두 나라 사이에 위치한 고유의 한국 문화에 대해서는 지극히 무지한 편이다.

미국인들은 한국인의 특징이라고 유일하게 알고 있는 '매운 김치' 외에도 한국 문화가 더 많은 것들로 이루어져 있음을 알고서 놀라곤 한다. 어쩌면 궁궐과 절, 이름과 가족, 그리고 사회제도를 일본이 빼앗거나 파괴하는 동안 한국인을 견딜 수 있게 한 것은 다름 아닌 전통음식과 같은 단순한 것들이었는지도 모른다. 나는 지금도 서울의 성장에 활기를 불어넣는 것은 바로 김치가 아닐까 생각한다. 남산 타워에 오르면 불타고 포격당하고 초토화된 지 반세기도 안 되어 완전히 재건된, 뉴욕에 버금가는 이 대도시 안에 빽빽이 들어찬 고층 건물들이 보인다. 일본이 앗아간 석굴암 본존불의 금강석 백호를 노란 수정으로 대체해 동짓날에 빛나게 하고 백여 년 전의 사진들을 참고하여 잿더미 속으로 사라진 궁궐을 충실히 재건할 수 있었던 것은, 바로 뱃속에 뜨거운 불을 활활 타오르게 하는 김치 때문이었는지도 모른다. 또한 김치는 위안부 여성들이 한을 풀고자 정의의 심판을 요구하도록 용기를 불러일으킨 원동력이었는지도 모른다.

일본 강점기의 혹독한 시절, 내 어머니는 여자로 성장했다. 가족의 막내로서 조카들과 동년배였던 어머니는, 자신의 어머니가 심장마비로 세상을 뜨자 아홉 살 때부터 오빠들 손에 길러졌다. 그러다 가난한 집으로 시집간 지 석 달 만에 아이가 들어섰지만 곧 전쟁이 터져 과부가 되어 굶주리게 되었다. 잘 사는 친정 오빠들에게 도움을 청하러 갔을 때에는, 이미 결혼한 여자이니 시가 쪽 식구라며 철저히 외면당했다. 그 후 어머니는 착한 며느리의 의무를 다하며 십 년간 시어머니를 봉양했다. 그러고 나자 시어머니는 며느리에게, 아들자식은 놔두고 홀로 상경하여 새 남편을 찾아보라고 했다.

내 아버지는 5대 독자였기 때문에 그를 북한에 남아 있게 할 친척도 그 무엇도 없었으므로, 전쟁 중에 남으로 내려와 새 삶을 시작했다. 첫째 부인이 딸 둘을 낳고서는 남편과 자식들을 버렸고, 그런 아버지와 재혼한 어머니는 삶을 다 바쳐 전처소생의 딸들을 친자식처럼 키웠다. 그 얼마나 지난한 세월이었던가. 풍족했던 어머니의 어린 시절 기억은 그렇게 아스라이 멀어져갔다.

선영, 선미, 은미, 미자, 경아. 딸만 너무 많았다. 아버지가 애타게 바라던 아들은 없었다. 하지만 어쩌란 말인가? 더욱이 아버지는 가장 어린 딸 둘을 버리라고 했다.

안타깝게도 한국의 수많은 가족이 이와 같은 일을 겪었다. 이야기는 한결같다. 굶주림, 이산가족, 혹한, 가난, 가족을 부양 못 하는 가장, 술주정, 낙심, 절망…….

한국에 있는 내 자매들은 슬픈 과거 이야기를 끄집어내는 걸 좋아하지 않는다. 그러니 아직도 내가 모르는 것이 많을 것이다. 혹시 우리는 유명한 시인이나 학자 집안이었을까? 철학자나 역사가 집안이었을까? 우리 집안의 가계는 역사 속 어디까지 거슬러 올라갈 수 있을까? 조부모님은 친절한 분들이었을까?

우리는 유교의 덕행을 실천하며 살았던 사람들에 관해서도 이야기하지 않는다. 하긴, 그들의 가부장적 전통은 우리 어머니가 임신한 상태로 굶주리고 있는데도 그런 여인을 버리라고 가르치지 않았던가? 한량인 사내들로 대를 이어 내려온, 우리의 그 자랑스런 혈

통에 대해 신경 써서 뭐하겠나? 우리의 왕후가 백여 년 전에 칼에
찔려 죽었고 현대의 한국은 징병제로 무장하고는 모두가 아이스크
림을 즐기는 민주주의 국가인 마당에, 몰락한 양반 가문과 우리가
얼마만큼 가까운 관계인지 논한들 무슨 의미가 있을까? 세 아이를
잃고 말았던 한 여인에 대해 세상은 얼마나 관심을 둘까? 과연 누
가 죽은 병사 한 사람을 기억할까? 대체 어느 미국인이, 진주만 공
격 이전에 일본이 다른 나라에서 일으킨 침략 전쟁 따위에 관심을
둘까? 심지어 일본군이 십오만여 명의 중국인을 살상한 난징 사건
조차 미국 대중의 의식 속에서 거의 잊혔는데 말이다.

그러나 나는 지금 여기 있다. 비록 산산조각이 나긴 했지만 역사
에 살아남은 위대한 한가족, 그 가족의 작은 파편 하나로서 존재한
다. 미국에서 태어나 자라날 내 아이들은 머나먼 한 나라와 이름조
차 제대로 발음하지 못할 조상에 대해 관심을 가질 것 같지 않고,
그들이 한국과 맺을 관계는 나보다 훨씬 더 미비하리라. 그리하여
내가 늙어 할머니가 될 즈음, 내 가족의 이야기는 이미 생을 마감한
자들의 그 모든 이야기 속으로 사라지리라.

가족의 초상

행복한 마을

옛날 먼 옛날, 산속에 작은 마을이 하나 있었다. 그 마을에는 한국에서 가장 행복한 사람들이 살고 있었다. 강은 콸콸 웃으며 마을 한가운데로 흘러 그들에게 깨끗한 물을 공급해주었다. 그들은 그 강을 사랑했고, 강은 그들이 마시고 밥하고 농사짓고 흰 옷을 빨 수 있도록 물을 주었다. 콸콸 웃는 강물 소리는 마을 곳곳에 울려 퍼지며 모든 이에게 기쁨을 주었다.

이 행복한 마을의 어귀에는 무섭게 생긴 장승들이 지키고 서 있었다. 사람들은 마을 어귀를 지날 때마다 그 앞에 작은 돌을 하나씩 놓거나, 그들을 둘러친 밧줄에 형형색색의 헝겊 조각을 매었다. 그렇게 하면 신령한 세계로부터 행운과 복이 마을로 굴러들어 온다고 믿었기 때문이다.

행복한 마을의 명성은 서해에서 동해까지 한국의 방방곡곡에, 북쪽으로는 중국에까지 퍼져나갔다. 그러자 마을의 비밀을 알아보기 위해 멀리서 순례자들이 찾아왔다. 그들은 마을 안으로 안내되어 따뜻한 방 아랫목에서 풍성한 쌀밥과 신선한 강물로 영접을 받았다.

그러던 어느 날 밤이었다. 용 한 마리가 마을 어귀에 나타났다. 그는 장승들 옆에 멈춰 서서 키가 가장 큰 장승에게 말했다.

"저는 먼 곳에서 왔습니다. 그곳 사람들이 절 무서워해서 무척 슬펐어요. 이제는 저도 행복한 마을에서 살고 싶습니다. 이곳에는 사랑과 행복이 가득하다고 들었어요."

그러자 키 큰 장승이 소리쳤다.

"넌 여기서 살 수 없다! 너 같은 용을 비롯해 사악한 것들을 못 들어오게 막는 것이 내 일이지! 이곳 사람들이 행복한 이유는 바로 너 같은 것들을 내가 이렇게 막아주기 때문이야."

그 애길 들은 용의 눈에서는 은빛 눈물이 떨어졌다.

"하지만 전 사악하지 않아요. 생긴 게 좀 다를 뿐인걸요. 하룻밤만 머물게 해주시면 제가 얼마나 착한지 알게 되실 거예요."

장승은 그를 의심스러운 눈길로 바라보았지만 용이 우는 모습을 본 적이 없었기에 측은한 마음이 들었다.

"좋아, 그럼 여기서 머물도록 해라. 대신, 마을 안으로 들어가서는 안 된다. 마을 밖에서 자도록 해."

용의 눈에서 눈물이 그쳤다.

"고맙습니다, 정말 고맙습니다." 용은 몇 미터 떨어진 대나무 숲속으로 달려가 옥반지처럼 몸을 동그랗게 말고 잠이 들었다.

다음날 밤, 그는 다시 키 큰 장승에게로 갔다.

"제발 마을 안으로 들어가게 해주세요. 제가 얼마나 착한 용인지 보여드렸잖아요. 갈 곳이 달리 없답니다."

"넌 하룻밤 동안 착한 용처럼 행동했을 뿐이야. 네가 정말 착한 용이라고 믿지는 않는다."

"전 정말 착한 용이에요!" 용은 다시 은빛 눈물을 뚝뚝 흘리기 시작했다.

"그럼 좋다. 하룻밤 더 있도록 해."

"고맙습니다, 정말 고맙습니다." 용은 감동하여 대답했다.

그리하여 용은 키 큰 장승에게 자신이 얼마나 착한지를 보여주며 서른 밤을 숲 속에서 숨어 지냈다. 그러는 동안 용은 점점 허기가 지고 살이 빠지기 시작했다.

그리고 서른한 번째 밤, 그는 다시 키 큰 장승을 찾아갔다.

"제발 부탁이에요. 이제는 기다리는 데 지쳤어요. 제발 좀 들어가게 해주세요."

"네가 서른 밤 동안은 착한 용이라는 걸 보여줬지만, 당장 오늘 밤에라도 나쁜 용으로 변하면 어떡할 테냐? 너를 들여보내 줄 수 없다."

그러자 용의 두 눈엔 은빛 눈물이 가득 고이더니 두 발 주위로 떨어지며 반짝이는 물웅덩이를 이루었다.

"난 결국 마을 어귀를 통과할 수 없는 거로구나." 용은 혼잣말로 한탄했다. 그러고는 발치의 은빛 눈물을 털어낸 다음, 행복한 마을을 뒤로한 채 천천히 걸어갔다.

용은 두 눈을 북극성에 고정시키고 차가운 돌길에 꼬리를 끌며 고향을 향해 북쪽으로 길을 떠났다. 여러 밤낮을 쉬지 않고 걸었다.

슬픔에 겨운 나머지, 지쳤음에도 쉴 생각조차 하지 못했다. 그러다 더 이상 갈증을 참지 못할 지경에 이르렀을 때 용은 비로소 논 너머로 방향을 틀었다. 움푹한 갈대밭을 헤치고 강가의 키 큰 풀들을 지나 강둑 아래로 내려가 마침내 미끄럽고 둥근 바위 위에 균형을 잡고 섰다. 그런데 코를 강물에 담그는 찰나, 지친 다리에 힘이 쏙 빠지면서 미끄러져 물속으로 곤두박질쳤다. 강은 용을 밑으로, 밑으로, 끌어내렸다. 잠자리와 백합, 잉어와 뱀장어를 차례로 스쳐가며 한없이 밑으로 끌어내려 용의 귀와 입을 물로 메워 숨을 앗아갔다. 용은 눈빛을 잃었고, 물속에서 죽음을 맞았다.

콸콸 웃는 강은 그를 품에 안고서 잘 익은 복숭아처럼 따뜻하고 달콤한 그의 슬픔을 맛보았다. 강은 그가 사악하지 않음을 알고 있었고, 밤새 그의 지친 몸을 가만히 흔들어주며 부드러운 자장가를 불러주었다.

다음날 아침, 행복한 마을의 여인들이 물지게와 물통을 들고 강가에 나왔다. 그러나 늘 콸콸 웃던 강이 그날따라 왜 그렇게 조용한지, 또 은빛 물방울은 왜 그렇게 넘쳐나는지 아무도 알 수 없었다.

———◞◟———

아빠는 식당에 서서 창밖을 바라보고 있다. 나는 복도에 숨어서 쪼그리고 앉아 있다. 오늘 할머니가 돌아가셨다.

바깥은 맑은 오월의 아침이다. 호수는 푸르고 잔잔한데, 아직 봄이 완연한 것은 아니다.

부두 밑에는 작은 민물고기 한 마리가 모래를 헤집고 꼬리를 이리저리 흔들며 집짓기에 한창이다. 맞은 편 호숫가에는 말들이 서로의 목에 주둥이를 기댄 채 쉬고 있다. 10번 고속도로의 갓길을 따라 한 소년이 자전거를 타고 가는 모습이 보인다. 페달을 밟을 때마다 소년의 야구모자가 오르락내리락한다. 탄산음료와 핫도그를 가득 채운 아이스박스를 들고 소풍을 나선 한 가족이 소년을 지나쳐 간다. 정육점에서는 존슨 씨네 아들이 갈고리에 걸린 쇠고기 덩어리에서 갈비 부위를 발라내고 있고, 그의 형은 푸줏간용 종이 위에 사슴 모양의 소시지를 올려놓으며 무게를 달고 있다.

그리고 팔십 킬로미터 떨어진 서쪽에서는 할머니의 시신이 병원 영안실로 내려가고 있다. 시신을 감싼 천이 살짝 흘러내려 앙상한 한쪽 손이 드러난다. 수일 전에 할머니는 그 손을 뻗어 아빠의 손을 꼭 잡으며 말했다. "소니, 아무에게도 말해서는 안 돼." 아빠는 고개를 끄덕였다. 할머니는 눈을 들어 타일 천장을 올려다보았다. "주여, 부디 저를 거두어주소서."

———

평원은 호수 지역이 끝나는 미네소타 주 서쪽 끝에서부터 시작된다. 여름 바람이 캐나다 서부로부터 불어와 레드 리버 밸리*를 가르며 씽씽 내달릴 때면, 목초지는 잔물결이 일렁이는 광활한 사막 같다. 목초지를 수십 킬로미터씩 사이에 두고 조그만 소읍들이 들어섰는데, 소읍마다 외딴 주유소와 시 관할 주류(酒類)점을 똑같이 갖추고 있다.

가도 가도 끝이 없는 목초지는 점차 사탕무밭으로 바뀌고, 설탕 제조공정에서 풍겨나는 냄새가 파고를 찾는 여행객들을 맞이한다. 무어헤드와 레드 리버 사이에 위치한 도시 파고. 조그만 소읍의 변두리에서 줄곧 살아온 여자아이에게 파고는 기적과도 같은 곳이었다. 그곳에는 쇼핑몰과 다리, 교통체증, 그리고 자동문으로 출입하는 병원이 있었다.

할머니가 심혈관 수술을 받고 나서 우리는 파고의 병원으로 자주 병문안을 갔다. 처음에는 기다리는 데 대부분의 시간을 보냈다. 중환자실의 할머니를 보려면 시간당 오 분만 허용되는 면회시간을 기다려야만 했다. 나중에 일반실로 옮겨진 할머니는 가슴을 묶어놓은 두 줄의 실밥 자국과 심장에 이식한 동맥을 떼어냈던 다리 부위를 보여주었다. 몸이 완전히 벌려졌다가 다시 꿰매졌는데도 조금씩 회복되고 있는 것처럼 보였다. 농담을 하고, 점심을 먹고, 아빠와 팔짱을 끼고 복도를 따라 걷기도 하고, 환자복의 뒤가 활짝 열려 늘어져 있는 걸 아빠가 놀려대도 잘 참았다.

그리고 나서 할머니는 감기에 걸렸고, 그동안 복용해온 약 때문

---

* 미국 노스다코타 주와 미네소타 주 경계 지역을 따라 캐나다 위니펙 호수까지 이르는 계곡. 그 중심을 따라 레드 리버 강이 북쪽으로 흐르고 있다.

에 백혈구가 파괴되어 바이러스에 저항하지 못했다. 코에 꽂힌 튜브가 갈색 체액을 뽑아내어 벽에 걸린 용기를 채우고 있었다. 혈관이 제대로 뚫리지 않자 팔은 멍투성이가 되어갔다. 병실은 환자의 냄새로 가득했다. 할머니는 금세 피곤해졌고, 꿈을 꾸고 있는 듯한 말을 내뱉곤 했다.

    백팔십 센티미터가 넘는 아빠의 윤곽이 창문을 통과한 빛에 뚜렷이 새겨져 나타난다. 랭글러 청바지에 레드 윙 부츠, 가죽 혁대, 그리고 결혼반지를 끼지 않은 차림새가 전형적인 공장 노동자의 복장이다.

    몇 분 전, 전화벨이 울렸다. 전화를 받은 엄마는 파란색 볼펜을 들고 촘촘한 글씨로 내용을 받아 적었다. 할머니는 그날 새벽 다섯 시에 운명했다. 엄마는 몇 차례 숨을 크게 몰아쉬고는 그것으로 끝이었다.

    아빠가 입고 있는 셔츠의 체크무늬가 환영처럼, 신기루처럼, 물결이 일더니 떨리기 시작한다. 그는 목이 멘다. "왜? 왜? 왜?" 안경을 벗고 노동자의 거친 두 손으로 눈물 젖은 얼굴을 가린다. 체크무늬는 부단히 떨리고 있다.

    엄마는 입술을 굳게 다문 채 그의 곁을 떠나 리놀륨 바닥 위로 또각, 또각, 단정한 발걸음 소리를 내며 부엌으로 간다. 개수대의 더

운물을 틀고 세제를 필요 이상으로 듬뿍 뿌린 다음 그릇을 씻는다. 달그락, 달그락. 이윽고 찬장을 휙 열었다 닫으며 쇼트닝과 밀가루와 설탕을 조리대 위에 쾅 하고 내려놓고선 계량컵과 주걱으로 조리에 사용할 양을 재기 시작한다.

나는 나만의 은신처에 숨어서 그들을 꼼짝 않고 지켜본다. 살얼음 같은 풍경. 초콜릿 브라우니의 끈끈한 냄새가 집 안 가득 풍겨온다. 아빠의 그림자가 그의 몸을 축으로 움직이며 점점 길어진다. 체크무늬는 여전히 떨리고 있다.

———

"넌 감정이 풍부한 아이로구나." 피아노 선생님이 내게 말했다.

피아노에서 휘휘 날아오르는 음표들이 때로는 거센 고드름처럼 반짝거리고 때로는 자기들끼리 서로 포옹하면서 각 하모니가 다음 하모니와 손을 맞잡는 순간, 나는 그 음표들과 함께라면 하고 싶은 말을 뭐든지 할 수 있었다. 쇼팽의 〈바다 연습곡〉이나 〈겨울바람〉 그리고 바르톡의 〈소우주〉 속에 존재하는 날카로운 시선, 혹은 가난한 요하네스 브람스의 철저한 갈망을 불러낼 수도 있었다. 내가 느끼는 모든 것들, 그러나 소리 내어 말해서는 안 되는 그 모든 것들을 나는 표현할 수 있었다.

음악이어야만 했다. 다른 예술 양식은 너무 위험했다. 시와 산문은 누군가의 수중에 붙들려버릴지도 몰랐다. 글자들은 나란히 연결하여 맞추면 어떤 사물을 지시하는 말이란 걸 알아차릴 수 있었다. 그림 또한 위험하다. 이미지나 색채는 직접적이고 가시적이어서 남의 감정을 해칠 수 있으니 지우거나 구겨서 쓰레기통에 버려야 한다.

그러나 음악은, 특히 피아노 음악은 언제나 사랑스럽다. 진정으로 귀 기울이지 않는 한 아무도 연주자의 속마음을 알아맞히지 못한다.

피아노 선생님은 내 피아노 소리에 귀를 기울이고 있었다. 그리고 다시 한 번 더 말했다. "넌 감정이 풍부한 아이야." 마치 내가 그 사실을 모르고 있으니 말해줄 필요가 있다는 듯이.

선생님은 두 가지 측면에서 다 옳았다. 나는 감정적인 아이였고, 누가 그 사실을 내게 말해줄 필요가 있었다.

엄마가 완벽하게 살균하고 청소하는 집에서는 분출되는 내 감정 역시 살균 처리될 지경이었다. 엄마의 소독제 부대원들인 리졸, 클로록스, 암모니아는 이렇게 말하는 듯했다. 세균 하나 남지 않도록 부엌과 욕실을 깨끗이 청소하자, 매일매일 먼지를 털고 주말에는 꼭 광택제 플레지로 닦아라, 의자를 치우고 반드시 그 밑을 닦아라, 손님들이 오기 전에 전기청소기로 반드시 천장을 청소해라, 수건은 항상 반을 접은 다음 삼등분으로 접어 개켜놓아라, 접시는 이렇게 쌓아라, 양파는 이렇게 썰어라, 감자는 껍질이 남지 않도록 말끔히 벗겨라, 정원의 잡초를 뽑아야지, 괭이질 대신 손으로 해라…….

훗날 내가 집에서 나와 대학에 진학하여 극적인 감정 표현을 업으로 삼는 예술가들에게 둘러싸인 환경에서 일 년을 보내고 또 심리치료사로부터 감정이라는 것을 어떻게 다루어야 하는지 도움을 받게 되었을 때, 나는 그런 엄마에게 감정의 세계가 어떤 것인지를 보여주고 싶었다. 그래서 엄마의 감정을 밖으로 끌어내려고도 해보았다.

"엄마, 그거 말이에요. 어떤 느낌이에요?"

"그것에 대해 뭘 생각해야 하는 거지?"

"뭘 생각하는지는 상관없어요. 어떻게 느끼느냐고요."

"내 앞에서 잘난 척하지 마라."

———◝———

할머니의 장례식 날, 작은 감리교회는 꽉 찼다. 맨 앞 두 줄의 의자에 우리 가족과 고모네 가족이 앉고, 그 뒤로 조문객이 줄줄이 앉았다. 마지막 찬송가를 부르는 내내 같은 줄 끝에 앉은 사촌들이 흐느끼는 소리가 들렸지만, 나는 소리 내어 우는 게 적절한 행동이 아니라고 알고 있었다.

그래서 나는 울음을 참기 위해 숨을 멈추고 머릿속으로 숫자를 더한다. 이 방법은 묘지 매장식에서도 효력을 발휘했다. 사촌들 다섯 명이 꽃 한 송이씩을 관 위에 올려놓고 관의 옆면을 마지막으로 쓰다듬는 순간에 나는 숨을 멈추고 숫자를 더한다. 마지막 작별의 시간이 얼마 남지 않았을 때 여자 사촌들은 관 위로 쓰러지며 부끄러움도 잊은 채 울부짖고, 좀 더 성숙한 남자 사촌들은 관이 땅속에 안장되려 하자 쓰러지지 않고 애써 버티려고 서로를 부여잡는다.

아빠가 곁눈질로 슬쩍 자기 누이를 훔쳐보니 평소에 홀쭉하던 얼굴이 부어 있다. 그러자 그의 턱이 아래로 쳐지며 슬픔이 내려앉는다.

"자제해요." 엄마가 미리 다짐시킨다.

할머니가 돌아가신 그날의 기억으로 돌아가본다. "아빠, 여기 티슈 받으세요. 저도 마음이 아파요."라고 하며 옆에 놓인 쿠션을 톡톡 두드려 '여기 같이 앉아요'라는 뜻을 전하고선, 슬프고 아픈 감정을 달래며 두 손을 꼭 잡고 체크무늬의 부드러운 면 작업복 셔츠를 입은 아빠의 등을 쓰다듬어주고 싶다.

그러나 그때는 그렇게 하지 않았다. 열두 살의 나는 어떻게 해야 할지 몰랐다. 또 그럴 때 취해야 할 바른 행동이란—엄마가 보여주듯이—아무 일도 일어나지 않은 척하는 것이며, 아빠를 위해 스스로 마음을 단단히 먹고 조용히 있는 것이라고 생각했다.

그래서 나는 은신처에 숨은 채 아빠의 체크무늬가 떨리는 모습을 지켜보고 있었고, 엄마가 싱크대에서 달가닥거리며 설거지하는 소리에 귀를 기울이고 있었다. 그러면서 나는 외로움이 커지는 것을 느꼈다.

흰 카우보이모자를 쓴 뚱뚱한 경매인과 체크무늬 셔츠를 입은 조수는 이 일대에서 가장 멋진 경매를 진행한다. 옥수수 핫도그를 너무 많이 먹으면 허리가 어떻게 되는지를 보여주는 경매인이 공중에 나무 지팡이를 휘두르며 최면적인 문구를 읊조리고, 그사이 체크무늬 셔츠의 사내는 입찰자들이 마닐라 삼지(紙)에 적힌 각자의 입찰 번호를 엄숙히 들어 올릴 때마다 손가락으로 가리키며 소리친다. 그 외의 사람들은 입찰자로 오해받지 않도록 바위처럼 묵묵히 지켜보고 있다.

"오 달러, 오 달러, 오 달러! 누가 오 달러 부르겠습니까!"

"여기!"

"자, 그럼 육 달러, 육 달러, 육 달러 없어요?"

"예!"

"저기 여자분이 육 달러! 칠 달러 있어요? 칠 달러, 칠 달러 좀 들어 봅시다! 칠 달러, 하나, 둘, 네에 팔렸습니다! 이십 번 분에게 돌아갑니다."

저마다 가축사료와 농작물 종자 판매소에서 공짜로 얻은 모자를 쓰고 나온 할로우의 남자들은, 헝겊 장식을 덧댄 스웨트셔츠 차림의 부인들을 대동하고서 파산한 농장에 몰려와 남아 있는 자투리 물건들에 입찰한다. 그런 건 할머니가 돌아가셨을 때 아무도 가지려고 하지 않았던 유품들처럼, 양로원의 다인용 침실에조차 어울리지 않을 잡동사니들이다. 그들은 전리품을 차지하려고 한 손에는 비닐 지갑을, 다른 손에는 미니 도넛이 담긴 기름진 흰 봉투를 들고 줄을 선다.

경매인들은 지난밤 이곳에 자리를 마련했다. 그들은 스낵 차량과 파란색 간이 화장실을 설치하고, 뒤죽박죽으로 쌓아 둔 물건들을 꺼내놓았다. 그리고 건초 트럭 주위에 상자들을 쭉 늘어놓고 오늘 아침 일곱 시에 개시하여 입찰자들이 물건들을 뒤적거리며 구매 목표를 결정할 수 있도록 했다.

흰 손수건으로 안경 밑을 닦고 있는 경매인에게 체크무늬 셔츠의 사내가 다음 상자를 가져다준다.

"신사 숙녀 여러분, 이 상자에는 갖가지 부엌 용품과 집안 장식품이 있습니다. 여기 맨 위에는 진품 유화 한 점이 있고, 바로 여기에는 최상급 밀폐용기인 타파웨어 세트가 있군요. 숙녀 여러분, 여러분이 정말로 갖고 싶어 하는 것들이죠. 젤리 용기랑 피클 용기도 있고, 샌드위치 박스는 눈에 보이는 것보다 더 많아요. 자, 물건들이 너무 많아 지금 다 말씀드릴 수가 없군요. 이봐, 얼, 상자째 팔아 버리자고. 숙녀 여러분, 자, 깡그리 상자째 팔겠습니다."

엄마는 적어온 목록을 슬쩍 쳐다본다. 그래, 이게 저기 있구나. 엄마는 샌드위치 박스 때문에 이 상자를 사고 싶다. 오 달러까지라면 사겠노라고 스스로 일러두었던 품목으로, 지금 기대에 차서 마닐라 삼지 번호판을 만지작거린다.

"자, 입찰 시작합니다, 입찰 시작이요. 자, 가요, 갑니다. 이 달러 어때요, 이 달러-"

엄마의 손이 쏜살같이 올라간다.

"예!"

"좋아요, 여기 또 갑니다. 삼 달러 부르실 분, 삼 달러 삼 달러-"

멀지 않은 곳에서 또 다른 여자의 손이 번쩍 올라간다. 엄마는 즉각 여자를 알아본다. 바로 알코올 중독자, 이혼녀 베티이다. 이 여자는 앙심을 품고서 그 누구보다 비싸게 값을 매기려 하는 인간이다. 이번에는 베티에게 지지 않으리라 마음먹는다.

"예-!"

"사 달러, 사 달러, 자, 사 달러 갑니다. 사 달러-"

엄마가 고개를 끄덕인다.

"예, 여기요!"

"오 달러, 오 달러 갑니다-"

베티가 고개를 끄덕인다.

"예!"

"육 달러, 자, 육 달러-"

엄마.

"예, 여기!"

"칠 달러, 칠 달러 없어요? 칠 달러, 칠 달러로 갑시다-"

베티.

"예-!"

"저 여자분 칠 달럽니다. 팔 달러 없어요? 팔 달러, 팔 달러 어때요. 팔 달러-"

엄마는 목록을 흘긋 본다. 정해둔 한도는 오 달러. 타파웨어가 손

아귀에서 미끄러지는 듯 느껴지고 베티가 또다시 일 달러 차로 앞서 간다는 생각에 참을 수가 없다. 엄마는 고개를 끄덕이며 결정을 짓고 손을 들어 올린다.

"예-!"

"좋아요. 구 달러, 구 달러로 갑니다. 구 달러, 구 달러, 구 달러요-"

베티가 늘 그렇듯 밉살스럽게 번호판을 들어 올린다. 능력이 안 될 텐데도 원하는 만큼 높은 가격에 입찰할 준비를 하는 모양이다.

"예-!"

"자, 그럼 이제는-"

필사적이 된 엄마는 가장 위협적인 자신의 경매 전략을 불러낸다. 경매인의 안경을 똑바로 바라보며 단번에 서너 번 재빨리 고개를 끄덕이는 것이다. 빌어먹을 오 달러 한도라니. 다시는 그 여자에게 지지 않으리라.

"십이로 갑시다! 자-"

"예!"

"좋아요. 십사 어때요, 십사 달러, 베티, 십사로 해요, 십사-"

어서 베티, 한번 해보시지.

"십사로 갑니다, 베티, 십사요, 십사 달러, 십사 달러-"

자, 어디 해봐! 다시 나보다 높게 불러보시지!

"하나, 둘, 네에 팔렸습니다! 마거릿 브라우어에게 십이 달러에 돌아갑니다. 마거릿, 축하해요!"

엄마는 경매인에게 환한 승리의 미소를 보내며 베티 쪽은 일부러 쳐다보지도 않는데, 그 여자는 마거릿이 혹시 몇 달러에 젤리 용기를 팔려고 할까 궁금해하고 있다.

엄마는 목록에서 '타파웨어'를 지운다. 오늘은 사탕 담는 유리그릇과 수집용 작은 조각품, 사과 모양의 접시 열네 개를 구매했다. 앤티크 스타일의 여행 가방은 못 샀지만, 트윈시티스* 같은 대도시에서 이런 시골까지 찾아와 모든 입찰 가격을 올려버리는 골동품 중개상들을 누군들 이길 수 있으랴.

엄마는 현금으로 상자값을 치른 뒤 아빠에게 우리의 소형 트럭까지 운반해 달라고 한다. 아빠는 주차해 둔 트럭으로 돌아오는 길에 스낵 차량에서 초코칩 쿠키와 탄산음료 몇 개를 산다.

트럭 내부는 햇볕이 뜨겁지만, 캐럴 언니와 나는 책을 읽다가 졸거나 때로는 십자수를 놓으며 엄마 아빠를 기다리고 있다.

아빠가 캔 음료와 쿠키를 우리에게 하나씩 건네준다.

"고마워요, 아빠! 뭘 샀어요?"

"응, 난 아무것도 안 샀는데, 네 엄마는 잡동사니를 한 상자 잔뜩 샀구나." 아빠는 상자를 트럭의 짐칸으로 올려 다른 두 개의 상자 옆에 내려놓는다.

나는 구경하려고 짐칸으로 뛰어오른다.

"뭐 쓸 만한 게 있나 찾아봐라, 막내야." 아빠가 환한 웃음을 짓

---

* 미네소타 주 미시시피 강의 양 기슭에 있는 두 도시 세인트폴과 미니애폴리스를 함께 이르는 말. 주의 수도는 세인트폴이다.

는다.

"이건 뭐죠?" 나는 한 면은 유리이고 나머지는 나무로 된 상자를 끄집어낸다.

"어디 좀 봐." 캐럴 언니가 운전석 밖으로 머리를 쑥 내밀더니 손을 뻗어 얼른 훑어본다. "이거, 새도 박스*네 뭐." 딱 부러지는 대답이다.

"뭐, 무슨 박스라고?" 아빠가 묻는다.

"새도 박스요. 생물 시간에 봤어요." 언니는 새도 박스를 내 손에 밀어 넣고서 구부러진 빨대로 탄산음료를 빨아 마시며 읽고 있던 『바람과 함께 사라지다』로 되돌아간다.

"그것참 물거이네." 아빠가 트럭 바퀴의 돌출부 위에 흡족하니 앉아 있는 내 쪽을 돌아보며 말한다.

"물! 건!" 오랫동안 엄마는 아빠에게 'ㄴ' 받침으로 끝나는 단어의 발음을 바르게 고쳐주려고 애써왔지만 헛수고였다. 엄마가 창설한 '문법 및 발음 게슈타포'의 일원이 되어 아빠의 말투를 서슴없이 저격하여 고쳐주는 것은 내가 맡은 가사 의무 중 하나이다.

"거 참, 뭐---라고?" 아빠의 '뭐'는 네 음절로 길게 늘어나 장식적인 멜리스마 성가 풍으로 변한다.

"미안해요." 나는 사과의 말을 건네지만, 사과하는 태도가 전혀 아니다. 아빠는 발끈 화를 내며 걸어가 버린다.

---

* 보석이나 동전, 곤충 같은 작은 물건들을 보호하고 전시하기 위해 보통 앞면에 유리판을 끼운, 직사각형의 납작한 박스.

이 섀도 박스는 누군가가 집에서 손수 만든 것인데, 사포로 닦아 착색해놓은 실력이 아마추어 같다. 앞면 유리는 철물점에서 구할 수 있는 것으로, 흔히 차고 문에 쓰이는 종류이다. 섀도 박스 안에는 나비들이 줄줄이 핀에 꽂혀 있고, 나비마다 그 밑에 이름이 붙어 있다. 털조장나무 호랑나비, 팽나무 황제나비, 작은멋쟁이나비, 그리고 제왕나비.

나는 나비들이 무척 좋아 그 박스를 가져도 되는지 엄마에게 물어본다. 엄마는 그럼, 물론이지, 하고 허락한다. 우리는 나비들이 떨어지지 않도록 조심하면서 박스를 청소하고 뒷면에 새 고리를 달아 준 뒤, 내 방 명예의 전당에 자리를 내준다. 그리하여 섀도 박스는 태엽으로 감는 진공청소기와 믹서, 재봉틀 등의 미니어처 수집품이 진열된 장식품 선반의 옆쪽 벽에 걸리게 된다. 매주 토요일에는 광택제 플레지로 장식품들과 섀도 박스의 먼지를 닦아내고 나비 날개들의 무늬 모양을 기억해두면서, 오늘 운이 좋으면 나비를 잡아 병에 넣을 수 있을지도 몰라, 하고 생각한다.

섀도 박스 안에서, 나비들은 날아가다 멈춘 듯 가지런히 펼친 날개들을 핀에 꽂힌 채 부동의 대열로 매달려 있다. 그들은 애벌레가 되고 번데기가 되는 것이 무엇이었는지 잊어버렸고 변태(變態)를 위한 분투와 치명적인 병 속 질식의 공포도 잊어버린 채 망각의 상태로 전시되어 있다. 이제는 어느 파산한 농장, 한 야생초 군락지의 기억 속에서 희미하게 깜박거리는 부재(不在)의 영상에 지나지 않는다.

아시아 어린이 : 중국 인형, 신동(神童), 행복한 표정, 협조
　　적이고 순종적인 태도
아시아 여자 : 이국적 매력, 아담한 몸집, 만개한 연꽃, 창
　　백한 얼굴, 연약하고 유순한 기질, 게이샤의 이미지.
아시아 남자 : 누르스름하고 지저분한 모습, 뻐드렁니, 위
　　협적이고 수상쩍은 태도, 무기력한 거세의 이미지.

　딸들에 관한 한 최상의 것만을 바라는 부모들이 자기 딸의 데이
트 상대로 오리지널 미국인들만 선호하는 이유를 이해하기란 그리
어려운 일이 아니다.

　고등학교 시절, 내게는 남자친구가 두어 명 있었다. 그들은 둘 다
몽족이었다. 첫 남자친구는 우리 교회가 추진한 이민 프로젝트를
통해 가족과 함께 라오스에서 이주해 왔다. 루터파 교회의 헌금으
로 이곳까지 오는 경비 일체가 지급되었고, 거주할 곳이 제공되었
으며, 전 가족이 교회의 건물관리 일을 맡게 되었다.

　가족의 큰아들인 그는 자라서 우리 학교 미식축구팀 호니츠의 스
타 공격수로, 또 그런대로 쓸 만한 농구선수로 (빠르긴 하지만 키가
그리 크지 않았다) 활약했고, 어느 정도 인기 있는 무리와 어울렸
다. 나는 그가 좋았고, 그는 내게 친절했다. 함께 볼링을 치러가거
나 방과 후에 길모퉁이 가게에서 산 주스를 홀짝거리며 산책하는

것이 우리에게는 자연스러운 데이트 코스였다. 나는 제이 시 페니 잡화점에서 파란색 스웨터를 그에게 사주었고, 그는 자기 삼촌한 테서 받은 귀중한 소지품인 조그만 부처상 열쇠고리를 내게 선물로 주었다. 호주머니에 부처상을 넣어 둔 죄로 내가 틀림없이 지옥에 가리라 생각했기 때문에 나는 그를 성경공부 반에 데리고 다니며 개종시키려고 애썼다. 내가 노트에 낱말 퍼즐을 만들어 풀어보게 하면 그는 항상 다 맞추었다. 우리는 키스를 하기는커녕 손조차 잡은 적이 없었지만, 진심으로 상대를 좋아했다. 나는 부처상을 상자에 넣고 방수 포장 테이프로 꽁꽁 두 겹을 싸서 봉한 다음 옷장 속 안전한 곳에 넣어두었다.

그다음에 만난 남자친구는 나를 예쁘다고 생각했던 모양이다. 나를 한 번 보고는, 굉장히 인기가 많았던 백인 여자친구를 버리고 나와 데이트하기 시작했다. 그는 태국에서 온 청년으로, 육십여 킬로미터 가량 떨어진 곳에 있는 직업전문대학에 다니고 있었다. 주말이면 우리 집에 와서 나를 태우고는 온 길을 되돌아 자기 집으로 갔다. 우리는 함께 텔레비전을 보거나 그의 여동생이 창의성이라곤 손톱만큼도 없이 맹목적으로 요리한 음식들을 뭐든지 먹어치웠다. 신문지 위에 놓인 생선구이가 나올 때도 있었고, 국수나 야채로 만든 음식이 나올 때도 있었다. 그 집에는 이상한 냄새가 났고 가구나 장식이 거의 없었다. 아이스크림 가게 데어리 퀸이 내려다보이는, 가난한 이주민의 집이었다.

그는 키가 백팔십 센티미터쯤 되는, 근육질의 모델 같은 남자였다. 앞머리는 요리조리 모양을 내며 멋을 부렸다. 표백제로 가공한 청재킷을 걸치고(그는 나중에 그 재킷을 내게 주었다), 광택 나는 가죽 구두를 신고, 구릿빛 피부의 아름다움을 강조해주는 흰색 버튼다운 셔츠를 즐겨 입었다. 고등학교 구내식당에서 열린 댄스파티가 끝난 뒤 차 안에서 내게 첫 키스를 해준 사람이 그였다.

그 후로 다시는 아시아 남자와 데이트하지 않았다.
"그럼 난 뭐죠?" 내가 아빠에게 소리쳤다. 아빠는 아시아 남자들이 인간이 아니라 시커멓고 어리석은 원숭이라도 되는 듯 그들의 얼굴을 조롱했다. 길고 이국적인 그들의 이름을 싹둑 절단해놓고, 사실상 정확하게 발음할 수도 없었지만 하려고도 하지 않았다.
"그의 이름은-" 나는 남자친구의 이름 다섯 음절을 일제 사격하듯 내뱉었다. 마치 아빠의 입과 그 입에서 흘러나와 내 남자친구를 등 뒤에서 모욕하고 앞에서는 날 모욕하는 냉랭한 말을 공격하듯이 말이다. 나는 데이트 전에 늘 마음이 안절부절못했는데, 그것은 사랑으로 말미암은 번민이 아니라 자기혐오였다. 자신이 아빠에게 두 가지 중 하나, 즉 눈에 보이지 않거나 아니면 우스꽝스럽게 보인다는 사실을 알게 될 때 느끼는 기분. 남자친구 얼굴과 너무나 비슷하고 또 그토록 쉽게 조롱당하는 자기 얼굴을 스스로 증오할 때 느끼는 기분. 아빠를 사랑하고 싶지만, 오히려 증오하게 될 때 느끼는 그런 기분.
내 방에 걸린 게시판을 들어내고서 오래전 약삭빠르게 기억해두었던 내 한국 이름을 벽의 페인트 속까지 압정으로 긁어 새긴 뒤, 들키지 않도록 게시판을 제자리에 다시 걸어놓았던 때가 바로 그 시절이었다.

사람들이 날 알아보지 못할 정도로 머리카락을 파마해대던 때 역시 그 시절이었다. 거대하게 부풀린, 구불구불한 컬 무더기의 헤어스타일을 엄마는 무척이나 반겼다. 수직으로 쭉 뻗어 내린 내 머리카락이 바닥과 수평으로 말려 올라가면 더 좋았다. 그 점에서는 성공이었다. 그러나 고집 센 검은 머리카락은 아무리 과산화수소나 레몬주스를 들이부어도, 아무리 햇볕에 오랜 시간 나가 앉아 있어도 밝아지지 않았다. 상한 머리카락이 한 움큼씩 부서져 나갈 때까지 나는 줄기차게 파마를 하고 표백을 했다.

『틴』, 『글래머』, 『영 미스』, 『세븐틴』과 같은 잡지에는 자신을 아름답게 가꾸도록 추천해주는 온갖 종류의 정보들이 있었다. 그러나 내 얼굴은 더 갸름하게 다듬어지지 않았고, 눈썹은 여전히 아래로 뻗치며 자랐으며, 속눈썹에 컬을 만들면 꼭 부서진 거미 다리처럼 되어버렸다.

훗날 한국 어머니가 내게 한국 남자들과 데이트를 하느냐고 물은 적이 있다. 그것은 질문이라기보다는 부탁이었다. 어머니의 소망이자 모든 구세대 어른의 소망, 즉 백 퍼센트 한국인 혈통의 손자를 보고 싶은 것이었다. 나는 이렇게 대답했다. "아뇨, 엄마. 내가 사는 곳엔 아시아 사람들이 없어요."

엄마 아빠에게 완벽한 아이가 되기를 스스로 맹세했던 것을, 십대 시절의 나는 잊어버릴 때가 종종 있었다.

"어쨌든 엄마는 진짜 엄마가 아니잖아요!"

결국 말해버렸다. 아니, 큰 소리로 외쳐버렸다. 그 사실을 입 밖에 내는 것을 극도로 경계해왔던 내가 말이다. 그것이 무례한 말, 해서는 안 되는 말이고, 처음 쓸 때 최고의 효력이 있으며, 또 진정 내 행동이 정당하고 정말 화가 났을 때만 이 으뜸 패를 써야 한다는 걸 잘 알고 있던 내가 말이다.

그런 내가 엄마를 쳐다보면서 나 역시 진짜 딸이 아니라고 말해보라며 도전하고 있었다. 그러나 엄마는 그렇게 하지 않았다. 표정 하나 바뀌지 않았다. 전혀 반응이 없었다.

나는 복도를 쿵쿵 울리며 내 방으로 걸어가 문을 쾅 닫고 말았다.

물론 '진짜' 엄마는 내 곁에 있으면서 안 된다, 라고도 말하지 않았다. 피아노 레슨이 있는 날이니까 친구들과 스키 타러 가면 안 된다, 록 콘서트라는 이유로 크리스천 록 가수 에이미 그랜트의 콘서트에는 가면 안 된다(뭔가 안 좋은 소동이 그곳에서 일어날 조짐이 보였기에), 라면서 내가 원하는 것은 뭐든지 일단 안 된다는 말부터 꺼내지 않았다.

악역은 늘 엄마 마거릿의 차지였다.

엄마는 또 내가 외출해야 할 때나 단 한 시간이라도 '집에서 벗어나기 위해' 산책하러 가고 싶을 때도 못 나가게 한 사람이었다. 엄마는 내가 집 '밖'이 아니라 집 '안'에 있기를 원했기 때문이다. 언젠가 밖으로 나가려던 나를 무작정 저지하려고 눈밭에서 내게 달려들었고, 벗어나려는 내가 다리를 버둥거리며 걷어차자 심하게 찬 것도 아닌데 나 때문에 악성 종양이 생길 거라고 바락바락 소리치며 끝끝내 나를 붙든 사람이었다. 내가 스쿨버스를 타기 위해 동이 트기 전에 일어나는 일로 힘들었을 때, 엄마는 침대 난간을 붙들고 있는 내 손가락들을 하나씩 벗겨 내며 기어코 침대 바닥으로부터 나를 끌어낸 사람이었다.

나는 의무적으로 학교에 다녔고, 의무적으로 졸업식에 참석했다. 졸업식 날 내가 견뎌내야 했던 고난의 십자가는, 할로우 사람들이 모두 지켜보는 앞에서 채드 피터슨과 나란히 통로를 걸어나가는 것이었다. 다른 학생들은 모두 멋진 친구나 애인과 함께 걸어나가는데 말이다. 오 학년 때 나나 그의 옆에는 아무도 앉지 않으려는 바람에 어쩔 수 없이 둘이 짝을 지어 앉아야만 했는데, 식장에서도 함께 걸어야 한다니. 채드 피터슨, 그는 졸업할 당시 이미 스물다섯 살가량의 어른이었다. 늘 피클 냄새를 풍겼고, 안에서나 밖에서나 스키두 상표의 모자를 썼으며, 텔레비전 시트콤 캐릭터인 폰지를 흉내 내고 다녔다. 비뚤비뚤 뒤틀린 이빨에 뻣뻣한 수염까지 삐쳐 나온 그는 엄지손가락 두 개를 쭉 내밀고 몸을 뒤로 휙 젖힌 뒤 "아이이이–" 하고 지껄이던 인물이었다.

졸업식 날 나는 이 지경에까지 이르렀다. 그날 어쩌면 우리 십대 졸업생 대부분은 각자 나름의 비애를 느꼈으리라. 금발의 후광으로 둘러싸인 운동선수와 치어리더 타입의 학생들은 제외하고서 말이다. 이들은 평범한 우리가 몸에 데오도란트를 막 바르기 시작하던 청춘의 발아기부터 일찌감치 미모와 인기를 드날리다가, 졸업 후에는 고등학교 시절의 애인들과 결혼하여 결코 할로우를 떠나지 않았다. 그럴 이유가 없었으니까. 그들에게 할로우에서의 삶은 충분히 만족스러운 것이었다.

나는 가출에 대한 공상의 날개를 펼쳤다. 그건 대학에 다니는 언니를 염두에 둔 것이었다. 자전거를 타고 시내로 나간 다음, 리어워스 주유소에서 그레이하운드 버스를 타고 미니애폴리스로 갈 수 있겠지. 그러면 언니네 기숙사에서 기거할 수 있을지도 몰라. 하지만 나는 단 한 번도 계획대로 실행하기는커녕 짐조차 싸보지 못했다. 언니가 어렸을 때 한번 집을 나가려고 가방을 싼 적이 있는데, 놀랍게도 그때 엄마는 울지도 말리지도 않고서 오히려 언니가 짐 챙기는 걸 도와주었기 때문이다. 그래서 나는 가출을 하더라도 나 이외에는 아무도 마음 아파하지 않으리라는 걸 알고 있었다. 소심했던 나는 결국 그대로 집에 머물러 견진성사를 받고, 졸업을 하고, 할로우를 떠나 다시는 돌아오지 않아도 될 그날을 손꼽아 기다릴 뿐이었다.

훗날 처음 한국을 방문하여 한국 가족을 만났을 때, 여동생을 일주일간이나 만나지 못한 적이 있다. 그 시절의 내가 그랬듯 여동생도 어머니로부터 달아나기에 바빴을 것이다.

한국 어머니의 불간섭 방침은 내가 미국에서 보낸 첫 크리스마스부터 고등학교 이 학년의 겨울까지 계속되었다. 입양기관이 어머니를 말린 건지, 내가 충분히 클 때까지 어머니가 기다린 건지, 혹은 어머니 자신의 삶이 남에게 보여도 될 만큼 행복해질 때까지 기다린 건지, 아무튼 어머니가 내 인생에 끼어들지 않은 이유는 모르겠다.

스쿨버스가 커브 길을 돌아 사라지고 내가 진입로의 끝, 우편함 옆에 서 있던 때는 온통 흰 눈으로 뒤덮인 세상이 한순간 파르르 깨져버릴 것 같은 날들 가운데 하루였다. 우편함에서 꺼내어 벙어리장갑에 쥔 편지봉투는 두툼했고, 내 양 볼은 흥분으로 발갛게 달아올랐으며, 청명한 하늘은 할로우와 서울 그리고 그 두 곳을 잇는 지구의 일부를 광활한 활꼴의 창공 아래로 감싸고 있었다.

나는 진입로를 내달리며 편지봉투를 찢고, 숨겨둔 열쇠로 문을 열고, 바닥에 가방을 내려놓고, 외투와 부츠를 벗고는, 동봉된 사진들을 먼저 유심히 살펴본 뒤 편지를 읽고 또 읽었다. 그리고 이 사건에 관심이 있으리라 여긴 단 한 사람, 데런에게 전화를 걸었다. 그는 핑크색과 초록색으로 번갈아가며 머리카락을 염색하고 음악에 열광하며 패션 감각이 있는, 내 친구이자 이웃이었다.

웬일인지 그가 편지의 중요성을 알아채지 못하는 것에 나는 놀랐다. 그가 우리 집으로 건너와 직접 편지를 확인한 뒤 편지지를 경건하게 만져보고 사진 속 얼굴들을 관찰하며 나와 한국 가족을 비교해보고 싶어 하리라 생각했기 때문이다. 그는 방금 일어난 사건의 중요성을 이해하지 못하는 듯했다. 하지만 그의 잘못이라고는 할 수 없었다. 나의 내면에는 늘 한국 가족에 대한 생각이 끓어오르고 있었지만 입 밖에 내어 얘기한 적은 없었으니, 그들이 내게 얼마나 중요한 존재인지 어느 누가 알 수 있었으랴.

그날 밤, 편지 하단에 적힌 전화번호로 전화를 걸어도 좋다는 허락을 받았다. 나는 바짝 긴장했다. 무슨 말을 할까, 어머니가 아닌 다른 사람이 받으면 어쩌지, 또 아무도 받지 않으면 어떻게 해야 할까, 하면서 마구 떠벌리고 싶은 욕구가 치밀어 오르는 걸 느꼈다. 마침내 용기를 내어 내 평생 가장 긴 번호로 다이얼을 돌렸다. 그러나 나 이외에는 아무도 이 일을 중대한 대사건으로 보지 않았다. 부모님은 전화 통화를 엿들으려고 모여드는 대신, 텔레비전을 보고 식품 목록을 정리하는 등 각자 자기 일에 열중하고 있었다.

한국 어머니의 목소리를 들은 그 밤의 기억은, 자기 몸을 이탈한 자의 시점으로 기록된다. 마치 내가 이 세계의 천장에 핀으로 꽂힌 채 우리 집 지붕을 통해 나 자신을 내려다보는 것 같았다. 나는 어두운 구석방 안에서 찬란하게 빛나고 있었다. 의식할 수 있는 건 오직 나 자신과 희미한 램프 그리고 나를 세상 저편의 어머니와 연결해주는 기적의 전화뿐이었다. 어머니는 그저 내 이름만을 불렀다. 부서지는 목소리로 부르고 또 불렀다.

"경아, 경아야……."

이야기는 보통 이런 식으로 전개되지 않는 법이다. 한국의 생모가 자식을 찾는 이야기는 달리 들어본 적이 없다. 오히려 주위에는 그 반대의 상황, 즉 자식이 생모를 찾는 이야기뿐이다. 내 어머니 말고 또 누가 그렇게 할 수 있었을까? 사람들을 매수할 돈도 없고 든든한 남편도 없고 영어도 못하고 교육도 제대로 못 받은 어머니. 그녀에게는 오로지 의지만이 있었다. 한 무리의 남자들과도 맞먹을 강한 의지였다.

그 편지가 도착한 지 육 년 만에 드디어 우리가 만나게 되었을 때, 어머니는 그 옛날 자신이 입양기관에 가서 담당자가 내 주소를 줄 때까지 기다린 끝에 결국 받아냈다고 말해주었다. 어떤 경우에도 얻을 수 없는 것을 얻기 위해서는 얼마나 오래 기다려야 할까? 이런 종류의 일에는 규칙과 규정이 있게 마련이고, 게다가 거기에는 입양기관이나 사회복지회의 중개인을 통해 조금씩 유출된 '미확인' 정보가 포함되어 있다. 그러나 어머니는 정확히 확인된 정보를 얻을 수 있었다. 미국 부모의 이름, 주소, 나이, 사진 등 입양기관이 수집해놓은 온갖 정보들이었다. 어머니는 입양기관의 사무실에 임시 거처를 마련하여 비닐봉지에 싸온 음식으로 끼니를 때우고 벤치 위에서 자는 둥 마는 둥하며 여러 날 죽치고 앉아 기다렸음이 틀림없다. 그들은 어쩌면 수도 없이 소리치며 어머니를 밖으로 끌어내기도 했을 텐데, 결국 진저리가 난 담당자가 그저 귀찮은 일을 피하려는 심산에 마지못해 정보를 건네주었을 것이다. 그토록 오랜 세월 동안 우리를 미약하게나마 함께 이어놓은 것은 어머니의 순전한 의지력이었다. 그리고 만약 그날 내가 발견한 편지가 진정 어머니가 첫 크리스마스 때 한복을 선물로 보내준 뒤로 처음 보낸 것이라면, 그토록 힘들게 얻은 정보를 십칠 년 동안이나 기다렸다가 사용했다는 사실은 그야말로 어머니의 놀라운 자제력을 보여주는 것이기도 했다.

첫 편지를 받은 뒤부터 직접 만날 때까지, 육 년 동안 우리는 편지를 주고받았다. 미국 어머니는 내게 온 편지들을 숨기지 않고 전해주었고, 대학에 다닐 때에는 그곳으로 보내주기까지 했다. 어머니의 편지는 모두 한국의 산과 날씨와 나무 등을 묘사해놓은, 별 의미 없는 글로 채워져 있었다(그건 한국다운 혹은 미네소타답기도 한 상투적인 방식이었다). 하지만 어떤 식으로든 상호 소통이 이루어져야 한다면, 그것은 어쨌거나 반드시 필요한 의례적 태도였는지도 모른다. 게다가 한국의 자매들이 영어 문구를 그럴 듯하게 베끼기 위해 사용한 회화책 속에, 오랫동안 버려져 있던 캐럴과 제인이 그간의 속사정을 캐내려고 그들에게 던진 탐색적 질문에 대한 대답이 들어 있을 리 없었다.
언니는 편지에 이렇게 썼다. '책을 읽기에 무척 좋은 계절이야. 청명한 날씨, 맑은 하늘, 그리고 신선한 공기 덕분에 난 가끔 행복해져. 이제는 정말 가을이야. 잎이 떨어진다는 건 가을이 온다는

증거지. 서울은 매우 아름답구나. 가을은 내가 가장 좋아하는 계절이야.'

우리는 소풍, 휴가, 한국의 전통 등에 대해 쓰면서 삼 년을 보냈다. 그 세월 동안 감상을 나누고 사진을 교환했지만 왜 나는 여기 있고 그들은 거기 있는지, 그것에 관한 얘기는 아무것도 없었다.

마음이 답답하고 언짢아진 나는 끝내 내 식대로 밀어붙였다. '왜 우리를 버렸는지 마지막으로 물을게요. 왜죠? 대답해주지 않으면 다시는 편지를 쓰지 않겠어요.'

즉각 '사랑하는 딸 미자와 경아에게'로 시작하는 긴 답장이 왔다.

———◝

1992년 올 한 해도 미국의 아버지 어머니 모두 건강하시고 하시는 일 날로 번창하길 빈다.

너희를 그곳에 보낸 지 어언 이십 년 하고도 일 년이 지났구나. 너희가 겪은 불행에 이 엄마는 얼마나 가슴이 미어졌는지 모른다.

우리 가족의 슬픈 과거를 더듬어볼게. 너희를 떠나보내기 전에도 우리는 그리 행복한 가정이 아니었단다. ……

어머니의 편지는—정중하게 늘어놓은 글도 있고 감정이 분출되는 글도 있었는데, 어머니로서는 꿈도 꾸지 못할 종류의 교육을 받거나 경험을 쌓은 누군가의 도움이 있었기에 영어로 쓰일 수 있었다—일종의 연금술 반응을 일으켰다. 얇은 항공우편 봉투, 완벽하고 반듯하게 쓰였지만 비영어권 말투가 묻어나는 영어, 그리고 새, 거북이, 청자, 한국의 위인, 역사적 건물 등 신기한 그림들이 담긴 우표, 이 모든 것들이 서로 공모하여 단순한 유희로 시작한 내 세계를 재정돈해 버렸다. 사물을 인지하는 것은 파괴적인 행위이다.

내 몸이 낙하하고 있을 때는 나 스스로 움직일 때보다 더 빨리 움직인다. 추방자의 신분은 활꼴의 창공에 붙들려 정신과 몸과 장소 사이에(이쪽도 저쪽도 아닌, 양쪽 다이기도 하고 그 사이이기도 한 어느 곳에) 매달려 있는 상태이다. 존재한다고 할 수 있는 것의 본질은 (사랑처럼, 자기 눈처럼, 닫힌 실험실 안에서 희미한 증거만을 남길 뿐 좀처럼 포착되지 않는 원소처럼) 눈에 보이지 않는다. 인생은 연속적인 순간들로 이루어진 발레와도 같다. 그러므로 희망의 예감은 가장자리에만 존재할 뿐이다.

내가 처음 트윈시티스로 이사했을 때, 위스콘신 주 출신의 백인 룸메이트와 나는 대형 할인점 '타깃'에 갈 때마다 선호하는 게임이 있었다. (타깃은 미네소타 사람들을 통합하는 위대한 만남의 장소이다. 신분, 나이, 인종과 관계없이 모든 사람이 화장지나 치약, 가정용품, 그리고 자동차 부품을 사러 그곳으로 몰려든다.) 몇 번 타깃을 들락거리면서 점차 진화해간 그 게임은 '아시아인 명명하기'라고 이름 붙였는데, 중서부 시골 출신인 우리 두 사람에게 꽤 유용한 놀이였다. 나로 말하자면, 여태껏 무어헤드에서 열린 피아노 콩쿠르에서 아시아인들을 본 게 다였다. 따라서 아시아인을 멍하니 바라보는 일은 재미있었고 교육적으로도 유익했다.

우리는 문 옆에 앉아 사람들이 줄줄이 들어와 쇼핑카트를 하나씩 낚아채가는 모습을 지켜보면서, 아시아인들을 민족별로 정확하게 구별하기 위한 지침을 마련했다. 특히 아시아 여성을 구별하는 지침은 대략 이렇다.

1. 중국인: 비교적 둥글고 창백하다.
2. 몽족: 비교적 작고 거무스름하다. 선(線) 세공한 샛노란 금 장신구로 치장한다. 흔히 번쩍이는 스포츠카에서 걸어 나온다. 몽족끼리 무리지어 다닌다.
3. 일본인: 코에 뭔가 특징이 있다. 젊은 여성들은 몹시 예쁘게 다듬은 헤어스타일에, 파스텔 색상의 옷차림을 즐긴다.
4. 한국인: 갈색 머리카락. 영어를 구사할 때 특유의 어투가 묻어난다. 가짜 명품 구두와 핸드백으로 무장한다. 한국인 남편과 아이들이 있다.
5. 입양된 한국인: 갈색 머리카락. 완벽한 영어를 구사한다. 스웨

트셔츠와 청바지 차림이다. 백인들과 쇼핑이나 데이트를 한다.

아시아인들은 무서웠다. 그들은 우리와 아주 다른 부류, 검토해야 할 대상이었다. 우리가 이렇게 지침을 만들며 일반화시킨 결과들이 어느 정도 사실에 근접하는지 알아낼 방도는 없었지만, 우리는—적어도 나는—누가 누구인지, 또 민족별 구분법에 얼마만큼 내가 맞아 떨어지는지 궁금했다.

대학에 입학하자 갑자기 아시아인들이 보였다. 그것도 많이 보였다. 그러나 대학 시절 그 어떤 범아시아 학생 관련 행사에도 불참했던 데는 내 나름의 이유가 있었다. 한 예로, 음력 설 파티에 가는 것보다 더 불편한 것은 생각할 수도 없었다. 음력설이란 도대체 언제야? 어떻게 그런 달력을 생각해냈을까? 올해는 무슨 해지? 열두 띠에 관한 지식은 중국 레스토랑의 종이 식탁보에 그려진 것을 보고 얻은 것이었다. 학생회관 지하에서 음력설을 축하하는 파티가 열리던 날, 나는 어디 다른 곳에 가는 길인 척 고개를 숙이고 끼어볼까 말까 선택의 폭은 열어둔 채 파티장 앞을 걸어가고 있었다. 레크리에이션 센터 쪽을 잽싸게 곁눈질해 보았다. 그곳은 아시아 학생들로 넘쳐났다. 아시아 출신의 아시아인들. 내가 아는 사람이라곤 한 명도 없었다. 그곳에 들어가면 어찌해야 할까? 나를 '트윈키* 제인'이라고, '범아시아 모조품'이라고 소개해야 할까? 누군가 손에

---

* 속에 흰 크림이 든 노란색 케이크.

에그 롤을 든 채 다가와 알아들을 수 없을 만큼 억양이 강한 영어로, 아니 더 심한 경우에는 한국어로 내게 말을 걸 때까지 서서 기다려야 할까? 그건 고문이다. 나는 그곳에 멈추지 않고 계속 걸어갔다.

그러나 범아시아 학생회 같은 조직들이 있었기에 캠퍼스에는 관용의 분위기가 조성되어 있었다. 놀라울 정도였다. 아니, 그 말로는 충분치 않다. 진정 놀라 자빠질 정도였다. 나는 입학 후 일 년 동안 사적인 장소에서든 교수 앞에서든, 피할 수 없는 인종차별적 비하 발언들이 이제나저제나 나올까 하며 기다리는 심정이었다. 그런 일에 대비하여 정신을 바짝 차리고 마음을 모질게 먹었다. 처음에는 차별적 언사를 듣지 않고 보낸 날들을 개월 단위로 헤아렸다. 한 달, 두 달, 그리고 석 달. 그러다가 학기 단위로 헤아려 나갔다. 일학년이 끝나갈 무렵, 나는 지난 일 년 내내 학교에서 '칭크'라는 말을 한 번도 들어보지 못했다는 사실을 깨닫고 적잖이 놀랐다. 자신감이 커지고 그 어느 때보다 친구들이 많아졌다. 나 자신이 아름답게 느껴질 지경이었다. 방학을 맞아 할로우로 돌아갈 예정이던 그 전날 밤까지 나는 내가 칭크라는 사실을 거의 잊고 살았다.

나의 스토커

싱글 백인 남성, 29세, 아시아 여성 원함

복종적, 아담한 체구, 긴 머리 여성 선호
본인은 1m 92cm, 84kg, 갈색 머리, 갈색 눈
즐거운 만남을 원함
사진을 보내는 사람에게 답장함
사서함: #14520

너희 아버지는 감옥에서 풀려나자마자 주민등록상의 주소를 근거로 우리를 찾으러 다녔다. 그래서 우리는 십 년간이나 흔적도 없이 이곳저곳으로 이사를 다녀야만 했지.

이 세상의 질서에는 점성학적으로 완벽한 전형이 분명 있을 것이라는 생각이 들 때가 있다. 정치적·문화적·시간적 경계들을 초월하는 힘이 추진하는 계획 같은 것. 그 초월적인 힘은 아주 원대하여, 믿음을 상실한 사람들뿐 아니라 불교도들과 루터파 교인들의 마음까지 포용할 수 있는 것이다.

물속에 던져진 작은 조약돌 하나가 점점 더 큰 동심원의 물결을

일으키는 것처럼, 한국 어머니의 삶이 메아리치면서 내 삶의 주위를 감쌌다. 그런 메아리의 반향을 통해, 그 옛날 어머니가 나를 남에게 맡김으로써 피하려고 했던 불안감을 나도 경험할 수 있었다.

이 불안감은 내가 익히 잘 알고 있는 일련의 증상들로 나타난다. 불면증, 호흡곤란, 좌절감, 어떤 일에 집중하지 못하는 데서 오는 권태. 또 두 눈 밑에 생기는 검은 반달, 경련에 수반되어 찾아드는 오한, 이러한 일이 한바탕 몰아친 뒤에 벌컥벌컥 들이마시는 차가운 물 한 컵.

'미스터 정', 내가 수년간 겪은 정신질환을 나는 미스터 정이라고 불렀다. 그것은 내 한국 아버지가 지녔던 결함—내 안에서 우러나고 있는, 아버지의 중독성 강한 살인적 유전자—이라 생각하여 붙인 이름이었다. 나는 윗대의 사람들이 내게 이런저런 것들을 물려주었다고 믿고 있다. 그러나 단지 몸을 통해서만은 아니다. 감정의 맥박이라는 것은 보이지 않는 동맥을 따라 전달되어 사건들과 사람들 그리고 반복적인 일상에 나를 얽어맨다. 내가 이 세상의 어느 쪽을 집이라 부르건 상관없다. 한국에 있든 미국에 있든, 유전은 그대로 이어진다.

아침에 흔히 잠에서 깬 뒤 꿈의 잔재에서 빠져나올 때까지 그 삼사 초 동안은 혼미한 순간이 존재한다. 시간관념이 붕괴하고 세월은 함께 소용돌이치며, 그리하여 현재와 과거가 구별되지 않는 순간이다. 시간이 제아무리 순차적으로 흘러가는 것처럼 보일지라도, 이런 아침의 순간들은, 기억이 시간을 거슬러 나를 데려다 놓는 과거의 어느 곳에서나—또 어느 때나—내가 존재한다는 사실을 상기시켜주는 시금석이다.

———

나는 그 남자를 '나의 스토커'라 부른다. 나는 그의 정확한 이름도 알고, 그가 고소된 미네소타 주 법원의 문서 번호와 미합중국 법무부의 접수 번호도 알고 있다. 그렇지만 내가 타인들을 '나의 주치의', '나의 선생님' 혹은 '나의 미용사'라고 부르듯 내 삶 속에 개입한 그의 의도와 행위에 따라 그를 정의한다. 그는 나의 스토커. 그는 내 뒤를 밟고 다닌다.

그가 십이 년 가까이 투옥 중이라는 사실은 중요하지 않다. 내가 그와 겨우 세 번밖에 얘기해본 적이 없다는 사실도 중요치 않다. 내 의식 속에 존재하는 그는 물리적인 접근으로 논할 수 있는 성질의 것이 아니다. 그는 내 뇌리에서 이리저리 부유한다. 때로는 날 제압하기도 하고 때로는 감지하기조차 힘들다. 그러나 백색소음처럼 그는 결코 멈추지 않는다.

내가 공공장소로 나가면, 그는 거기 있다. 내 생각의 뒤쪽 어디쯤에서 웅얼거리고 있다. 그의 존재를 느끼는 순간 나는 방심하지 말라, 당당하게 걸어라, 자동차 키를 쥐어라, 하고 스스로 일깨우며 즉시 차 문을 열거나 방어할 태세를 갖춘다. 여성성을 감추기 위해 검은 머리카락을 완전히 삭발하고 화장을 지우고 후줄근한 남성용 옷차림에 야구 모자를 썼을 때, 그는 거기 있었다. 집 아래층에서 큰 소리가 들릴 때마다 직장에 있는 남편에게 전화를 걸어 제발 집에 와 달라고 애걸하고 싶은 걸 자제해야 할 때, 그는 거기 있다. 악몽에서 깨어난 오늘 아침, 내 삶 속에 웅크리고 앉아 떠나기를 거부하는 이 무단 침입자 때문에 내 심장이 분노로 가득 차고 미친 듯이 뛰고 있었을 때, 그는 거기 있었다.

굳이 융 같은 심층 심리학자의 말을 빌리지 않고도 내가 꾸는 악몽들이 뭘 얘기하는 것인지 알 수 있다. 오늘 아침의 꿈은 이렇다. 나는 완전히 나체의 몸으로 쫓기는 중이다. 차를 타고 있는 한 남자가 스토커를 떨쳐버릴 계획에 대해 말해준다. 내가 미끼가 되어 한 방향으로 길을 걸어가면서 스토커가 따라오도록 유인해야 한다. 마지막 순간에 차 안의 그 남자가 반대 방향으로부터 질주해 와서 나를 태우고, 스토커가 엉뚱한 방향으로 계속 가게 놔둔 채 우리끼리 도망갈 것이다. 계획은 그렇다. 그러나 마지막 순간 그 남자는 사라지고, 혼자 남겨진 나는 스토커를 피해 나체의 몸으로 달려간다. 깨진 유리조각으로 뒤덮인 길을 맨발로 디디며 달린다. 미친 듯이 무기를 찾아보지만 아무것도 못 찾고, 그러다가 꿈에서 깬다.

오랫동안 내가 토끼로 나오는 꿈도 자주 꾸었다. 꿈에서 나는 사냥꾼의 발치에 바짝 붙어 있었다. 꼼짝도 않고 가만히 있어야 했다. 그렇지 않으면 발각될 테니까. 감히 눈을 깜박이지도, 숨을 쉬지도 못한 채 사냥꾼이 앞으로 나아가기만을 기다렸다. 그러나 그는 움직이지 않았다.

되풀이된 꿈은 또 있다. 이 꿈은 다른 꿈들보다 더 일상적이고 더 현실적이다. 누군가가 집을 부수고 들어온다. 내가 잠든 곳에서 가까운 뒷문에 그가 있다. 그의 소리가 들린다. 그가 거기 있다는 걸 아는데도 공포에 질려 아무것도 할 수가 없다.

요즘 들어 나는 스토킹에 관한 것이라면 그 어떤 것도 보지 않는다. 사람들이 재미있는 텔레비전 프로그램이나 좋은 영화를 권해준다 해도 스토킹을 다루는 장면이 나온다면 드라마든 액션/서스펜스든 뉴스든 뭐든 간에, 심지어 코미디조차도, 서슴없이 외면해버린다. 스토커 이야기가 나에게는 오락거리가 아니다.

그렇다면 이건 어떨까? 한 젊은 여대생이 정신착란의 스토커에게 강간과 살해를 당할 뻔한 실제 이야기를 해줄까? 여기에는 총과 비디오테이프, 경찰과 법정이 등장한다. 이야기가 진행되면서 여대생은 점점 미쳐가고 끝내 정신병원에 들어가 약물에 취해, 주위에는 충격요법의 여파로 점심을 먹다 말고 고개를 떨어뜨린 채 잠에 빠진 환자들이 득실거리는 곳에 갇힌 처지로 추락한다. 여기 그 이야기가 있다. 듣는 것은 무료이다.

나는 미니애폴리스에 위치한 옥스버그 칼리지 일 학년생이었다. 학비 전액 장학금을 받았고, 피아노와 영문학을 전공하면서 상이란 상은 다 받고 있을 때였다. 하지만 사실 장학금은 거절해야만 했었다. 그런 건 장래에 도움이 안 되기 때문이다. 학교에서 똑똑한 인간이 사회에서 바보가 되는 법이니.

사건의 발단은 전화 한 통에서 시작했다.

"캠퍼스에서 봤어요." 남자가 말했다. "우리, 데이트하지 않을래요?"

옥스버그 대학생들의 사진이 담긴 인명록이 캠퍼스 내의 주요 데이트 주선책이라는 것은 알고 있었지만—달리 어떻게 내 전화번호를 입수했겠나?—뜻밖에 걸려온 그 전화에는 뭔가 수상쩍은 데가 있었다.

나는 예의 바르게 대답했다. "전 남자친구 있어요. 하지만 지금은 밴드에 가는 길이니까, 음, 로비에서 만나고 싶다면 길을 건너는 동안 함께 좀 걸을 수는 있겠는데요."

남자는 나를 만나러 왔다. 우리는 함께 고가도로를 건넜고, 그게 전부였다.

문제의 메시지들이 올 때까지는 그랬다.

길고도 왜곡된 사랑 노래들이 가득 녹음된 메시지 테이프들을, 나는 자동응답기에서 빼내어 교내 경비실장에게 가져갔다. 자동응답기에 소름 끼치는 메시지와 이상야릇한 노래들이 남겨져 있고 내 남자친구에 관해 들먹이는 협박전화가 걸려온다고 신고했다. 누가 전화를 해대는지 감은 있었다. 그날 경비실장은 테이프들을 받아놓더니 바로 잃어버리고 말았다.

다음 단계는 남자의 계략. 전모는 다음과 같다.

남자친구와 내가 진짜 공부벌레라는 사실 외에 그다지 공통점이 없다는 걸 알게 되면서—뭐하고 싶니? 모르겠어. 넌 뭐하고 싶니?

우리의 대화는 이런 식이다―나는 다른 남자들과 데이트해보려는 생각을 품기 시작했다.

새로운 데이트 상대는 키 크고 잘생긴 하키 선수로, 기숙사 여학생들과 잘 나가던 학생이었다. 그녀들은 그를 잘 알고 있었고 괜찮은 녀석이라고 말했다. 나는 그가 옆방 여학생들을 찾아왔을 때 몇 번 본 적이 있었다. 옆방의 발랄한 여학생들은 남학생들에게 인기가 많았고, 남학생 클럽회관의 지하 파티에도 서슴지 않고 드나들었다. 금요일 밤이면 숙제를 끝내놓고 경건하게 블라우스나 다림질하는 부류와는 확실히 다른 여자애들이었다. 그러니 그가 나 같은 여자애한테 데이트를 신청하자 그녀들은 다들 놀라워했다. 그는 정시에 나를 데리러 왔고, 우리는 리버사이드 대로를 가로질러 미네소타 주립대학으로 들어가 윌슨 도서관을 지나고 워싱턴 다리까지 산책했다.

두 번째 데이트 때(그것이 마지막 데이트였다) 그가 자기 기숙사로 오라고 했다. 그곳은 내가 기거하던 기숙사와 작은 로비 하나로 연결된 건물이었다. 그는 문간에서 나를 맞아주더니 이빨을 닦고 오겠다며 자리를 떴다. 그사이 나는 부엌에 서서 초조하게 기다리고 있었다.

그때 스토커가 나타났다. 그 후 몇 달에 걸쳐 예사로 그랬듯이 갑자기 모습을 드러냈다. 알고 보니 스토커는 내 데이트 상대의 룸메이트이자 가장 친한 친구였다. 나는 완전히 경악했다. 바로 그때의 내 상태를 심리학 용어로는 '동결 반응'이라 부른다. 사람이 위험에 처했을 때 보이는 심리상태인데, 그 느낌은 이렇다. 모든 것이 아주 생생하고, 나는 분명 살아 있는데 그 살아 있음이 뭔가 비현실적으로 다가오며, 정신을 차리고 생각해보려 애쓰지만 많은 것들이 바로 내 옆에서 미끄러지듯 움직인다. 매의 발톱이 토끼의 부드러운 목을 파고들기 직전에 토끼가 느끼는 기분이 이럴 것이다.

"넌 기껏 백인 사회에 기생하는 한국인일 뿐 아무것도 아냐. 구크, 칭크지."

스토커가 말한 다른 내용은 기억나지 않지만, 그의 입에서 얼마간 더 말이 쏟아져 나왔다는 것은 알고 있다. 내가 손바닥을 쫙 펴 있는 힘껏 그의 뺨을 때렸던 것도 기억한다. 얼마나 건장한 사내였는지, 꿈쩍도 하지 않고 일말의 동요도 없이 그저 내게 미소만 짓고 있었다. 나는 그의 옆을 지나쳐 뛰쳐나간 뒤 내처 계단을 달려 내려갔다. 십삼 층까지 꾸물꾸물 올라올 엘리베이터를 기다리고 싶지 않았기 때문이다. 반쯤을 내려와 멈춰 선 나는 커다란 숫자 8 밑에서 비로소 울음을 터뜨렸다.

이 사건이 녹화된 비디오테이프가 나중에 증거로 수집되었는데, 나는 보지 못했다. 내가 보호받고 있었기 때문인지, 형사사건의 원고는 피해자가 아니라 주 정부이기 때문인지, 아무튼 그걸 보여주지 않은 이유는 잘 모르겠다. 스토커가 내 모습을 찍은 다른 비디오테이프들 역시 보지 못했다. 내가 머리카락을 빗는 모습, 학교 갈 준비를 하는 모습, 창문 앞에서 일어나는 일상의 행위들을 찍은 것들이다. 그런 촬영이 가능했던 건, 내가 햇빛과 맑은 공기를 무척이나 좋아하여 늘 창문 곁에 머물렀던 데다 그는 십삼 층, 나는 옆 건물 칠 층에 살았기 때문이다.

학년 말이 다가오고 있었고, 어찌 됐든 여름방학은 고향 집에서 보낼 계획이었다. 엄마, 아빠, 나무와 호수가 그리웠다. 이미 기말고사도 다 치른 상태였다. 집에 전화를 걸었더니, 부모님은 부탁하지도 않았는데 그 즉시 포드 트럭에 올라타고 미니애폴리스까지 네 시간을 달려 나를 데리러 왔다. 나는 교내 경비실에 전화를 걸었고 그들이 보고를 했다.

돌이켜 생각해보니, 사태가 아주 심상치 않다는 걸 내가 어떻게 감지할 수 있었는지 모르겠다. 단순히 불쾌하게 끝난 데이트 사건으로 치부할 수도 있었다. 그러나 전체적인 정황으로 볼 때 뭔가가 아주 뒤틀려 있어서, 나 자신이 위험에 처해 있음을 직감적으로 알았던 것 같다.

여름은 아주 평범하게 출발했다. 나는 이웃 읍내의 슈퍼마켓 계산대에서 일하게 되었다. 그곳은 맥도널드 햄버거 가게가 있을 정도의 규모를 갖춘 마을이었다. 그러다가 좀 더 나은 일을 해보려는 계획을 세웠는데, 과감하게 밀어붙인 끝에 성과가 있었다. 레스토랑 두세 군데에 피아니스트로 고용되어 하루 두 차례의 해피 아우어*에 피아노를 쳐서 제법 상당한 금액을 벌 수 있었다. 수백 가지의 상품 코드를 기억해야 하는 슈퍼마켓의 지루한 고역을 견딜 필요가 없었다. 파란 체크무늬 작업복을 반납하고 구호 대상자용 식량 배급표와 할인 쿠폰에게도 작별을 고했다.

때는 팔월, 미네소타의 가장 더운 달이었다. 오후의 해피 아우어에 제리 비 레스토랑에서 연주하기 위해 76년식 말리부 클래식을 몰고 와 뒤편 주차장에 차를 댔다. 그때 갑자기, 열린 차창 앞에 그가 나타났다.

"지난봄 일을 사과하고 싶어."

그의 몸이 차창을 가득 메우며 햇빛을 막아버렸다. 그의 숨결이 내 얼굴 가까이 느껴졌다.

"그럼, 그래야지." 차에서 빠져나오면서 가장 먼저 그리고 유일하게 머리에 떠오른 말이었다. 공포는 그 자체의 즉각적인 논리를 불러내는 법이라서, "저기, 이봐, 여기서 뭘 하고 있는 거야?"라고 물어봄으로써 그가 왜 거기 있는지 알아보지도 못했고 그가 어떤 차를 몰고 왔는지 확인하기 위해 주차장을 살펴보지도 못했다. 내가 할 수 있는 일은 그저 있는 힘껏 레스토랑으로 내달리는 것뿐이었다.

많은 부분이 기억에서 사라졌다. 그때 아빠에게 전화를 걸었던 것은 기억한다. 공포에 질려 격렬하게 버튼을 누른 것으로 기억한다. 공중전화기의 네모난 은빛 숫자 버튼이 기억난다. 그리고 나서 집에 돌아왔는지 아니면 레스토랑에서 일을 했는지, 또 아빠가 뭐

---

* 늦은 오후나 이른 저녁, 음식점이나 술집에서 무료 또는 할인 가격으로 서비스를 하는 시간.

라고 했는지는 기억이 없다. 어쩌면 나는 그 사건을 견뎌내기 위해 기억을 지운 것일지도 모른다.

그다음으로 기억하는 부분은 어느 일요일 밤, 위스콘신 주로 가족 여행을 다녀오는 길에 이제 막 우리 집 지하 차고 앞에 다다른 장면이다. 나는 차를 타기만 하면 늘 잠을 잤다. 깨어 있으면 멀미를 했기 때문이다. 칠흑같이 캄캄한 밤, 아빠는 운전석, 엄마는 조수석에 앉아 있었고 나는 뒷자리에 일자로 뻗어 있었다.

"누가 집을 부수고 들어왔어요!"

엄마의 날카롭고 긴장된 목소리. 헤드라이트가 차고 문의 깨진 유리를 비추고 있었다.

우리는 보안관에게 전화를 걸었다. 이웃집에 가서 걸었나? 우리 집에서였나? 집 안으로 들어가도 안전하다는 건 어떻게 알았을까? 기억에서 사라진 것들이 너무 많다.

내가 기억하는 것은 모욕감이다.

오랜 자동차 여행에서 돌아와 화장실을 가야 하는데 갈 수 없는 상황에서 생겨난 모욕감. 집은 난장판으로 아무것도 건드릴 수 없었고 스토커가 사용한 화장실은 더럽혀져 있었다. 그래서 나는 집 근처 숲 속에 쪼그리고 앉아 일을 봐야 했는데 캄캄한 어둠 속에서 그만 옷을 더럽히고 말았다.

사십오 분이 지난 뒤 마침내 보안관서에서 파견된 두 사람이 나타났다. 누가 그랬는지 안다고 말해주었는데도 그들이 내 말을 믿지도, 나를 성인으로 대해주지도 않았을 때 느낀 그 모욕감.

"누가 그랬는지 알아요."

"네 남자친구니?"

"아뇨, 남자친구는 아니에요. 저랑 같은 대학교의 남학생인데, 잘 알지는 못해요."

"저 여학생의 남자친구인 것 같은데요."

당시에 나는 반듯이 드러누워 경계를 게을리하지 않도록 눈을 감고도 안경을 쓴 채 자기 시작했다. 그러나 안경은 어둠 속을 보는 데는 도움이 되지 않았다.

그러던 어느 한밤중, 리듬에 맞추듯 삐걱거리는 소리에 잠에서 깼다. 삐걱, 삐걱, 삐걱. 잠에 취한 나는 순간 부모님이 밤일을 하고 있으려니 생각했다. 그러다 문득, 저건 첨 듣는 소린데, 하는 생각이 들었다. 들어본 적이 없는 소리야. 내 방은 부모님 방과 복도를 사이에 두고 맞은편 끝에 있었으므로 밤에는 그들이 코 고는 소리하며 웬만한 소리는 다 들릴 만큼 가까운 거리였다. 재빨리 추리에 들어갔다. 부모님은 더 이상 밤일 같은 건 하지 않는다.

"엄마, 무슨 소리가 나요!" 두려움에 휩싸인 내가 복도 너머로 숨죽여 말했다. 어둠 속에서 바보 같은 안경을 쓰고 움직이지도 못한 채 침대에 꼭 달라붙어 있었다.

"나도 들었다!" 엄마는 완고하고 강경한 목소리로 대답했다.

집안의 가장은 깊은 잠에 빠져 있었고, 보수적인 구식 여자들 둘은 그가 얼른 일어나 일을 처리해주기만을 간절히 바랐다.

아빠, 일어나요.

마침내 그가 일어나 집 안의 불을 다 켰다. 집 안이 환하게 밝혀지는 순간, 일은 끝나버렸다. 스토커가 우리 집 잔디밭 언덕 아래로 도망가는 것을 아빠가 보았다고 했다.

집은 수리해야 했다. 첫 번째 침입 때 엉망이 되었던 것이다. 엄마가 청소를 하고 나는 내 방을 정돈했다. 스토커가 옹벽 너머로 차를 몰고 올라온 탓에 잔디밭이 훼손되었다. 지하실 창문과 차고 문 유리창도 부서졌다. 이제는 방충망까지 고쳐야 했다. 스토커는 두 번째 침입 때 우리가 자는 동안 방충망을 잘라내려던 모양이었다.

그는 스토커이다. 스토커는 우리가 언제 집에 있고 언제 없는지 알고 있다. 그는 점점 대담해져 우리가 집에 있을 때도 쳐들어왔다. 대체 뭘 원하는가? 그 당시 우리는 추측만 할 수 있을 뿐 그가 원하는 게 뭔지 정확히 알게 된 것은 시간이 흐른 뒤였다. 1991년에 이루어진 그의 정신감정 결과는 이렇다.

피고는 제인을 납치, 강간한 뒤 살해할 목적으로 범행 당시 삼팔구경 권총을 소지하고 있었다. 사실상 피고는 피해자를 강간하고 죽이는 범행 장면을 의도적으로 녹화하여 이후에도 똑같은 경험을 반복해서 즐기기 위해 비디오카메라 장비를 구입했음을 솔직하게 털어놓았다. ……

그즈음 우리는 여름에 발생한 수상한 사건에 대해 가까운 이웃들에게 일러두었다.

새벽 네 시에 전화가 울렸다. 이웃에 사는 로스가 우리 집 앞으로 차가 한 대 왔다 갔다 한다고 알려주었다. 아빠는 즉각 문밖으로 뛰쳐나가 잔디밭을 건너 이웃집 차고로 달려간 뒤 로스와 함께 차에 올라타고 진입로 끝으로 내달렸다. 아빠의 특별 임무는 차량 번호를 알아내는 것이었다.

펜과 노트를 준비한 아빠와 로스는 진입로의 막다른 곳에 앉아 문제의 차가 다시 지나가길 기다렸다. 그사이 엄마는 911로 긴급 전화를 걸어 거듭 반복해서 상황을 설명했다. 교환원에게 심각한 사건이라는 것을 납득시키려고 안간힘을 쓰는 엄마의 목소리에는 좌절감이 끓어오르고 있었다. 시골길에는 가로등이 없어 밖은 칠흑같이 어두웠다. 나는 엄마로부터 몇 발자국 떨어진 곳에 서서 완전한 무력감과 마비 상태로 곤두박질치며 아무것도 볼 수 없었다.

그때였다. 총성이 울렸다.

몇 번이었을까? 나중에 보니 사람들의 의견은 저마다 분분했다. 세 번? 여섯 번? 누가 그 시간에 총알 수를 세고 있었겠나?

내가 분명히 기억하는 것은 총성 그 자체였다. 마치 증오에 찬 거대한 풍선들이 펑, 펑, 터지는 소리 같았고 총성과 총성 사이의 침묵, 불확실함—아빠는 살았을까 죽었을까?—으로 가득 찬 그 침묵은 깊이를 헤아릴 수 없이 무시무시했다.

　그때 엄마는 전화에 대고 "총소리가 나요! 총소리가 나요!" 하며 악을 쓰고 있었다. 그 옆에서 다시금 완전한 침묵과 마비 상태에 빠진 나는 그저 무용지물로 서 있었다.

1991년 8월 12일 자 심문:

문) 그 사람을 죽일 수도 있었다는 뜻입니까?

답) 글쎄, 제가 그럴 만한 사람이라면 그렇게 할 수도 있었다는 말입니다. 그렇지만 제가 원한 건 다만, 그 사람한테 짜증이 나고 기분이 언짢아서 겁을 주고 싶었던 것뿐이에요. 그래서 그냥 세 방을 쐈습니다. 헤드라이트 방향으로요.

문) 그 사람은 거기 있었습니까? 당신이 일을 저지른 순간 그들은 차 안에 있었나요?

답) 그 남자는, 네, 그 사람은 차 안에 있었습니다.

문) 그렇군요. 그럼 그 사람을 맞히게 될지도 모른다는 생각은 안 했습니까?

답) 오, 이런. 그들은 사정권 안에 있었다고요. 그 사람을 맞히고 싶었다면 얼마든지 맞힐 수 있었다는 말입니다. 제 사격 솜씨가 그 정도로 나쁘진 않다는 뜻이죠.

그 후로 총소리는 다시 돌아와 내 주위를 떠돌았다. 수업시간에도, 식품점에서도, 한밤중에도. 나는 아주 작은 소리에도 놀라 펄쩍 뛰어오르며 울부짖었다. 풍선 터지는 소리, 그건 끔찍했다. 시끄러운 오토바이 소리는 또 다른 불안감을 일으켰고, 7월 4일 독립기념일의 불꽃놀이는 생각조차 할 수 없었다. 총격 사건의 시나리오를 그때 이후로 수백 번 수천 번 상상해보았다. 만약에 말이다. 만약에 내가 그 자리에서 마비되지 않았다면 어떻게 됐을까? 만약에 또다시 그를 만나면 어떻게 될까? 어떻게 해야 할까?

스토커를 극복하지 못하고 짓눌려 살았던 시절이 있었다. 사 년 뒤 대학을 졸업할 때쯤 마음은 녹초가 되어 있었고 간헐적으로 자살 충동을 느꼈으며 그리 오래 살 거라고 생각하지 않았기 때문에 더 이상 어떠한 계획도 세우지 않았다. 나 자신을 증오했다. 가족에게 물의를 일으킨 데다 아무짝에도 쓸모없고 아무도 진지하게 대해주지 않는 존재였다. 루터파 교회의 하나님은 내 기도를 듣고 어떤 대답도 내려주지 않았기 때문에 여러 종파를 통합하고 초월하려는 의도로 세워진 지역합동교회에 다녀보기로 했다. 그곳에서는 우리네 영혼들이 다시 환생하기 전에 창공을 떠돌다가 다른 영혼들과 계약을 맺기도 한다고 가르쳤다. "그렇게 해서 당신은 인생의 경험들부터 배우게 되는 거죠." 영적 지도자가 말했다. "스토커가 당신한테 이런 짓을 하도록 그 사람과 당신은 합의를 본 겁니다." 해석하자면, 사건은 내가 원해서 일어났다는 것이고, 따라서 '내 잘못'이었다.

———◀———

총격이 발생한 지 사십오 분쯤 지나자 그제야 보안관서에서 사람이 나왔다. 실제로 피격당한 사람이 없어 다행이었다. 누군가 총에 맞았더라면 앰뷸런스가 도착할 때쯤 이미 사망해버렸을 것이다.

여하튼 마침내 우리는 가정폭력 및 성폭력 전문 여성단체인 레이크 위기관리센터로부터 실질적인 도움을 받게 되었다. 담당자 신디는 사건의 처리를 두고 '새장을 덜컥 흔들다*'라고 표현했다. "법원에 가서 그 사람들 새장을 덜컥 흔들어버리겠어요."

신디 덕분에 일이 진전되기 시작했다. 그녀는 단 하루 동안 우리가 평생 상상할 수 있는 것보다 더 많은 더러운 꼴을 접하며 사는 사람이었다. 나는 그녀의 사무실, 그 '안전한 곳'에서 어슬렁거리며 며칠을 보내는 동안 이곳을 들락날락하는 여자들을 지켜볼 수 있었다. 남편에게 학대당했음이 분명한 여자들이 맨발의 아이들과

---

* 'rattle one's cages(새장을 덜컥 흔들다)'는 '화나게 하다', '초조하게 하다', '소동이나 분쟁을 일으키다'라는 뜻의 속어.

함께 있었고 마치 세상과 격리된 곳에서 온 것 같은 여자들도 있었는데, 그들은 아직도 엘리자베스 여왕 시대의 영어를 사용하는 애팔래치아 산간 오지를 다룬 『내셔널 지오그래픽』에서 막 빠져나온 듯한 모습이었다. 신디는 그들에게 옷과 음식과 장난감을 나누어주고 충고도 아끼지 않았다.

그녀는 문제 해결을 위한 일단의 조치를 이끌어내려면 구십 킬로그램에 달하는 자신의 축복받은 몸을 어떻게 던져야 하는지 잘 알고 있었다. 우유부단한 비서들을 피해 가는 법도, 남자들이 자기 말에 귀 기울이도록 효과적으로 말하는 법도 알고 있었다. 나는 그녀가 좋았다.

그녀는 구속영장을 어떻게 받아내는지 보여주며 그 문제에 대해 다분히 현실적인 자세를 취했다. 그녀의 말에 따르면, 구속영장은 상대가 법을 따르지 않겠다고 나온다면 효력이 없으나 우리의 경우에는 그것을 받아 내는 편이 나았다. 왜냐하면 구속영장에는 주소가 노출되는데 스토커는 이미 우리가 어디 사는지 알고 있었으므로 그 문제는 신경 쓸 필요가 없었고, 그가 체포된다면 적어도 그의 전과 기록상에 범죄기록이 하나 더 추가되는 셈이었기 때문이다.

그러자 스토커를 제지하기 위한 수단으로서 텅 빈 보안순찰차 한 대가 우리 집 앞에 세워졌고, 우리는 집에서 나왔다. 우리의 새 거처는 길에서는 보이지 않는 오두막이었는데, 작은 부엌과 침대 그리고 텔레비전 한 대가 갖춰져 있었다. 나는 오두막에만 머물러야 하며 길에서 가까운 곳이나 모습이 탄로 날 만한 곳에는 가지 말라는 지시를 받았다.

엄마 아빠는 직장 이외의 다른 곳에는 갈 수 없었다. 그래서 신디가 포장된 델리 식품―플라스틱 용기에 담긴 젤리, 샌드위치 재료, 감자 칩 등―을 가져다주었고 우리는 그저 기다릴 뿐이었다. 나는 잠을 자고, 손톱을 물어뜯고, 친구들에게 편지를 쓰고, 자작나무 껍질을 벗기며 소일로 하루하루를 보냈다.

―――⌒―――

실험실에 갇힌 쥐를 미치게 하는 방법은 무작위로 쇼크를 가하는 것이라고 한다. 그들이 통제할 수 있는 모든 것을 제거하고, 전기 자극의 배후에 숨은 근거가 무엇인지 알 수 없게 한다면―음식물 알약을 넣어주는 작은 막대조차도 쇼크와는 아무런 관련이 없게 한다면―쥐들은 스트레스를 받아 죽을 것이다.

―――⌒―――

스토커의 어머니도 조사를 받았다. 벡커 카운티 보안관서에서 기록된 진술은 다음과 같다.

어머니는 아들이 매우 의기소침해졌고 어떤 젊은 여성에게 사로잡혀 있었다고 진술했다. 어머니는 이 여성의 이름은 모르지만 이민족 출신임이 틀림없다는 생각이 들었다고 진술했다. …… 아들이 이곳까지 온 의도는 이 여성을 살해한 뒤 자살을 시도하는 것이었는지도 모르겠다고 어머니는 생각했다. ……

⌒

아빠는 직장에서 전단을 돌렸다. 이웃들로부터 모은 정보를 바탕으로 스토커의 것이라고 의심되는 차의 제작사와 모델명 '흰색 줄무늬의 파란색 닷지 로드러너'도 적어 넣었다. 공교롭게도 우리 집 뒤에 사는, 아빠의 직장 동료가 스토커를 체포하는 데 결정적인 정보를 제공했다.

결국 스토커는 체포되고 차는 수색당했으며 증거물은 보안관서에서 문서화되었다. 지도 여러 장, 베어리 베어스 과일 캔디, 진주만에 관한 책 한 권 등 일상적인 물건들 사이로 보안 당국에서 소위 '강간 및 살인 도구 세트'라고 부르는 것들이 있었다. 면장갑, 샤워캡, 생가죽 채찍, 바셀린, 텐트 말뚝 네 개, 밧줄, 도관 테이프, 비디오카메라와 삼각대, 사냥용 칼, 실탄 다섯 발이 장전된 삼팔구경 로시 권총 한 자루, 여분의 탄약 열일곱 발, 그리고 삽 한 자루.

스토커는 보석금 백만 달러를 내지 못해 투옥되어 일월 말에 있을 재판을 기다렸다.

재판은 공교롭게도 내게 편한 날로 잡혔다. 마침 이 학기가 시작되기 전의 짧은 방학 때여서 집으로 돌아와 증언할 계획이었다. 그러나 최종 순간에 유죄답변교섭, 즉 스토커가 유죄를 시인하는 대가로 형량을 감해주는 협상이 이루어져 그는 살인 무기를 이용한 폭행, 주거 침입, 불법 무기 소지의 죄목으로 감금되었다. 그 당시 미네소타 주에는 스토킹에 관한 법이 없었던 것이다. 그리하여 재판은 취소되었고 나는 법정에서 증언하지 못했다. 내 이야기를 해볼 기회는 주어지지 않았다.

엄마와 아빠는 사건 이후, 도와주지는 못할망정 쑥덕거리기나 좋아하는 교회 사람들의 태도에 정나미가 떨어져 십일조와 찜 냄비와 머피스 오일 비누를 챙겨 다른 교회로 옮겨버렸다. 무려 이십 년이 넘는 세월을 오직 한 교회에서 보냈는데, 바로 그곳에서 자신들의 두 딸이 세례와 견진성사까지 받은 다음 폐기처분 되고 말았던 것이다. 부모님은 자신들이 겪고 있는 악몽을 남에게 떠벌리지 않았고 집 처마에 보안용 동작 감지등을 설치했다. 그러나 등은 얼마 지나지 않아 떼버렸다. 나뭇가지가 하나라도 흔들릴 때마다 불빛이 뜰을 가득 비추는 게 여간 성가신 게 아니었던 것이다.

———◝———

여름이 지나고 가을이 왔을 때 비로소 나는 무너져내렸고, 대학 구내의 심리치료사에게 가보기로 마음먹었다. 왜냐하면, 아, 그저 행복하지 않았다. 왜 그런지 알 수 없었다. 우리는 내 어린 시절에 관한 이야기인지 뭔지를 나누고 있었고 그러다가 내가 울기 시작했는데, 그다음으로 기억나는 것은 신발 끈이랑 소지품은 온데간데없고 품위를 잃은 채 성 요셉 병원의 정신병동에 있었다는 사실이다.

바야흐로 사 년간의 우울증이 시작되었다. 나는 그 세월을 병원에 드나들며 치료사들의 상담을 받았다. 그들은 주로 부모님과의 문제점이나 스토킹 사건에 대한 느낌을 이야기해보라고 했다. 그러나 빈 의자를 앞에 놓고 감정을 풀어내는 일은 여전히 안전의 위협을 느끼는 사람에게는 실제로 큰 도움이 안 된다. 약물치료로 말할 것 같으면 프로잭, 데파코트, 리튬, 할돌, 웰부트린, 졸로프트 등 약이란 약은 다 복용해보았다. 충격요법도 받을 뻔했지만 생명줄과도 같은 피아노를 못 치게 될까 봐 그것만은 제외했다. 결국에는 이런 저런 치료법들을 다 집어치우고 회복을 위한 다른 길을 찾았다.

다른 환자들에 관한 이야기나 즐기며 상담시간 중에 가끔 울기도 하는 치료사와는 그만 작별해야겠으며 모든 약물 복용도 중단해야겠다고 결심했을 즈음, 나는 괜찮은 책 한 권을 만나게 되었다. 주디스 루이스 허먼이 쓴 『정신적 외상(外傷)과 회복』이다. 이 책을 통해 처음으로 내가 미치지 않았다는 것을, 내가 겪었던 일은 테러리즘과 맞먹는 심리현상이며 그 모든 불안 발작, 그 모든 악몽과 우울증이 '외상 후 스트레스 장애'라는 이름으로 불린다는 사실을 알게되었다. 그것은 끔찍한 경험을 한 뒤 나타나는 우울증, 초조감, 죄의식, 공포감, 성격 변화 등의 증상을 겪는 정신장애이다.

그때까지 나는 경계선 인격 장애에서 분열형 인격 장애까지, 주요 우울증에서 조울증까지, 온갖 종류의 다른 병명으로 진단받아왔다. 그러나 여기 내 손에서 빛나는 파란색 책 한 권이야말로 진정 무엇이 잘못되었는지 말해주었던 것이다. 이름을 붙일 수 있는 대상이라면 직시하고 정복할 수 있는 법. 아, '그건 내 잘못이 아니었다.'

스토커는 감옥에 있는 동안 길고 검은 머리카락에 나처럼 체구가 작은 여자 교도관에게 집착하게 되었다. 나는 그녀를 '린'이라 부르겠다. 그는 린을 향해 성적인 표현을 일삼고 자신의 침상에서 그녀를 바라보며 수음을 했다. 결국 그녀는 일을 그만두었고 자신을 보호해주지 못한 교도소를 상대로 손해배상 소송을 제기해서 승소했다. 형기를 다 마친 스토커는 보호관찰 서약의 조건으로 풀려났으나, 이 주 후 서약을 어기고 말았다. 그는 자신이 살해하려고 계획한 사람들의 이름이 적힌 종이 한 장과 함께 산탄총을 소지한 죄로 체포되었다. 판사들과 변호사들의 이름이 리스트에 올라 있었고 린의 이름은 제일 앞에 적혀 있었다. 다행히도 그는 린의 집이나 그녀의 아이들을 찾아내지 못했다.

나와 부모님은 그 리스트에 없었다. 어쩌면 이것이 진짜 병이겠지만, 스토커가 언젠가는 나를 잊게 되리라는 사실이 믿어지지 않는다. 정말로 나를 잊어주길 바라지만 가능한 일이라고는 여겨지지 않는 것이, 탄원서가 제출되고 증인 심리가 열리고 그리하여 변론이 진행되는 동안 법정에서 내내 그는 내 이름과 자신이 내게 저지른 일들을 거듭 반복해서 듣게 될 것이니까.

민사상의 구속 절차는 그가 받은 형사 처분보다 길어 거의 일 년 가까이 더 걸렸다. 그 기간 동안 그는 주립 보호병원이나 감옥에 갇혀 있었다. 지금까지 십이 년에 걸쳐 수감 중이다. 그사이 또 다른 법적 소송을 통해 투옥 기간을 연장하기도 전에 이전 소송에서 받은 형기가 끝나가는 바람에 그가 석방될 뻔한 적이 수없이 많았으며, 때로는 석방되기 몇 시간 전에 간신히 승소한 적도 있었다. 나는 스토커 때문에 공휴일과 기념일을 비롯한 내 삶의 주요한 날들이, 계속되는 증인 심리와 반복되는 공포의 경험, 연방보호관찰관과 나누는 우호적인 대화 등으로 얼룩져버리는 생활에 익숙해졌다.

서로의 고통을 잘 알고 있는 린과 나는 이메일을 주고받는다. 즐거운 추수 감사절입니다, 우리에게 좋은 소식 있기를 바라요. 메리 크리스마스, 즐겁게 지내도록 해봐요. 휴가 잘 보내세요, 이런 일 때문에 망치지는 마세요. 그녀는 내게 기도하라고 권하지만 차마 그녀에게 이런 말은 할 수 없다. 교회와 가족과 학교를 통해 오랜 세월 갈고닦은 하나님에 대한 믿음이 이제는 갈가리 찢겨, 한때는 화려했던 의상의 넝마 조각들처럼 바닥에 나뒹군다는 말은.

때로는 스토커에게 측은한 마음이 들어 고통스럽다. 그는 자기 인생의 삼 분의 일 이상을 감옥에서 보내고 있다. 그가 완전히 갱생하여 사회에 복귀한 뒤 어머니를 만나고 안정된 일자리를 구하고 친구들을 사귀며 정상적인 삶을 살아가길 바라는 희망을 품어본다. 그를 생각하면 무척 슬프다가도 언젠가 그가 석방되면 어떻게 될지 생각해본다.

그런 날이 왔을 때 더 이상 하나님께 내 기도를 들어달라고 빌지 않을 것이다. 약물을 복용하지도, 누군가가 도와주기를 기다리지도, 또 심리치료사 앞에 앉아 내 감정을 얘기하지도 않을 것이다. 그런 방법에 기대는 대신 나는 스스로 무장하기로 결심했다. 그리하여 개 한 마리와 휴대전화를 사고 총 사용법을 배웠다.

미 법무부가 주관하는 '피해자와 증인 프로그램' 당국이 최근에 찍은 스토커의 폴라로이드 사진을 보내왔다. 살이 빠졌고 예전보다 덜 무서워 보인다. 그 사진을 복사하여, 왜 그를 조심해야 하는지 간단한 설명을 곁들여 이웃들에게 보낼 생각이다. 또 경찰서에 미리 얘기해서, 내가 911로 전화할 경우 다른 허튼소리를 하지 않도록 조처할 것이다.

호신술 강습에도 등록했다. 그곳의 관리자는 이 수업이 다소 격렬한 데다 참가자들이 직접 참여해야 한다고 말한다. 패딩 방호복을 입고 헬멧을 쓴 남자들이 공격자로 행세하는데, 교관들은 그들을 혼쭐나게 발로 차는 법과 여성의 몸이 지닌 능력을 교묘하게 사용하는 법을 보여준다. 이 수업의 최대 장점은 참가자 본인이 시나

리오─각자 자신에게 일어날 수 있다고 생각되는 상황─를 만들어보는 것이다.

나는 머리카락을 묶지 않고 길게 늘어뜨린 채 강습에 참여할 생각이다. 불을 다 꺼달라고 부탁하고 안경도 벗을 것이다. 어둠 속에서 볼 수 없는 상태로 연습할 작정이다. 내 주변 공기의 떨림을 감지하는 것으로 그가 어디 있는지 알아낼 것이다. 다른 사람들이 뭐라 하던 결국 내 직감을 믿을 것이다. 그가 감히 날 다시 덮치러 온다면 내가 얼마나 변했는지 보고 놀라리라.

그에게 말해주고 싶다. 내가 얼마나 컸는지 봐. 네 덕분에 내가 어떻게 되었는지 봐. 알겠니? 난 더 이상 두렵지 않아.

───

걱정하지 마세요, 편안하게 해드릴게요*
제인의 스탠딩 코미디

제인 : 아시아계 여성, 20대 초반

전형적인 스탠딩 코미디. 검은색 커튼, 스포트라이트, 마이크, 물 한 잔, 등받이 없는 의자, 피아노가 배치된 무대. 제

---

* 한국을 비롯한 아시아의 문화와 정서에 대해 백인들이 갖는 무지·편견·고정관념을 소재로 삼아, 백인 사회에 만연한 인종차별적 정서를 비꼬며 냉소적인 웃음을 자아내는 블랙 코미디.

인의 머리 뒤쪽 '박수' 표시등에 때맞춰 불이 들어오면, 객석의 잡다한 백인들 무리가 웃으며 큰 박수를 보낸다. 제인은 새하얀 얼굴 분장, 헐렁한 흰색 점프슈트, 그리고 뾰족 모자까지 갖춘 슬픈 광대 차림이다. 이런 차림새에도 불구하고 그녀의 표정은 행복하고 활기에 넘친다. 조명은 무대 위의 제인만을 비춘다.

제인: (강한 한국식 어투의 영어로) 오늘 밤 이 자리에 와주셔서 감사합니다! (한국말로) 감사합니다! 궂은 날씨에도 불구하고 이렇게 와주시다니 정말 대단합니다! 이곳 미네소타 주에는 계절이 둘 있지요. 네, 도로 공사 시즌과 겨울입니다. 열대의 나라 한국에도 두 계절이 있답니다. 우기와 건기지요!* (박수)

말이 나와서 말인데요, 비가 와서 집 안에 있을 땐 전늘 미적분과 공학을 공부한답니다. (한국말로) 아이고! 저기요, 여러분, 한국 여자아이가 여러분의 집에 침입해 들어왔다면, 그걸 어떻게 알 수 있을까요? 음, 여러분의 숙제가 말끔히 다 되어있거나, 여러분이 키우시는 개가 없어졌다면 알 수 있겠지요!** (박수)

그래요, 거짓말 아니에요! 우린 개를 먹는답니다! 우

---

* 미국을 제외한 세계 지리에 무지한 미국인들을 풍자한 표현.
** 한국인이 모범생이고 개고기를 먹는다는 고정관념을 풍자한 표현.

리네 국민요리를 '불도기*'라 부르지요. (박수) 하지만
아무 개나 먹는 건 아니에요. 우리 자신을 잡아먹진 않
거든요. 비록 우리 얼굴이 불도그처럼 납작하긴 하지만
요. 마치 주차해놓은 차를 쫓아가 쾅 부딪친 것처럼 말
이죠! (박수) 아니면 세워놓은 인력거에 부딪혔다고 해
야 할까요? 어쨌든 말이죠. (한국말로) 감사합니다!

여기 계신 남성분 중 아시아 여자를 좋아하시는 분이
몇이나 될까요? 저기 저분, 비디오 가게에서 뵌 분이로
군요. 한국 딸기, 한국 치킨, 한국 사람들, 다들 작지만
맛은 좋답니다! (박수) 제 룸메이트는 아시아 여자들한
테서 복숭아 맛이 나고 재스민 냄새가 난대요. 여러분
은 운도 좋으셔라, 이곳 미네소타 주에는 한국에서 입
양된 사람이 만 명에 이르거든요. 호수 하나당 한 명꼴
이네요. (박수) 우리는 이나 촌충이 없는 상태로 입양되
어 훨씬 상등품이죠. 거의 백인 딸로 통한답니다! 저는
명예 백인이에요! (박수) 쉿, 고대 중국의 비밀 하나 알
려 드릴게요. 통신판매로 주문한 신부나 어린아이 등
모든 동양 여자는 여러분을 오래도록 사랑한답니다!**
(한국말로) 감사합니다!

---

* 불도기(bulldoggy)는 불고기와 영어단어 dog(개)/bulldog(불독)을 장난스럽게 합성한
말. 한국인(아시아인)의 납작한 얼굴을 불독에 비유함.
** 아시아 여성을 남성에게 순종적인 성적 대상으로 취급하는 백인 남성들의 왜곡된 시
선을 풍자한 표현.

오늘 무대는 포터리 반 상점에서 구입한 젠 스타일의 초와 풍수사상을 가미해서 꾸며봤는데, 어때요, 맘에 드시나요?

감사합니다. 다들 멋진 분들이세요. 제가 여러분께 노래 한 곡 선사할게요.

(제인은 피아노에 앉아 물을 한 모금 마신 후 〈신식 소장(A Modern Major General)〉의 선율을 반주하며 노래를 시작한다.)

나는 성취도 높은 소수민족 출신의 모범 국민이랍니다. 올 A 학점에 모두 백인 친구들, 난 여학생 클럽의 멤버였죠. 권리 따위를 불평한 적도, 내 문제를 백인들 탓으로 돌린 적도 없어요. 그저 열심히 일하고 내 가게를 빗질하며 조용히 학식을 쌓을 뿐. 뭔가 불만이 있어도 당신들은 결코 눈치채지 못할걸요.

대학원 입학시험, 토플, 교리문답, 뭐든 우수한 성적이었죠. 나 같은 모범생! 교육부는 여분의 돈을 들일 필요가 없어요. 문화적으로 편파적인 대학입학 자격시험을 불평하지 않으니까요.*

---

* 대학입학 자격시험(SAT: Scholastic Aptitude Test)을 비롯한 미국의 교육 시스템은 백인 문화 중심이므로, 이런 교육제도의 상대적 불이익에 대해 불만을 표하는 소수민족들이 있다. 그래서 미국 정부는 문화적 차이에 상관없이 평등한 교육의 질을 제공하려는 연구에 많은 비용을 쏟고 있는 실정이다.

(걷잡을 수 없이 박수갈채가 터져 나오고, 피아노의 즉석 반주는 계속된다.) 이봐요, 거기 앉아 계신 여러분을 다 볼 수가 없네요! (손가락으로 눈을 치켜들며) 곧 쌍꺼풀 수술을 받도록 스케줄을 잡겠어요! (박수) 종아리 지방도 좀 깎을까 봐요! 이제 제가 가장 좋아하는 묘기 하나 보여 드릴게요! 바흐의 모든 전주곡과 푸가를 동시에 뒤죽박죽 거꾸로도 치면서, 다른 한 손으로는 탁구를 쳐서 여러분을 박살내드립니다! 뭔가 또 옆으로 누운 것도 있네요—제 버자이너*랄까나! 아이고, 농담입니다! 전 이만 들어갑니다.

박수갈채가 쏟아진다. 반주는 다시 〈신식 소장〉으로 돌아가고 조명은 점점 어두워진다.

———⌣———

www.seeasiangirls.com
음성 녹음된 수천 개의 하드코어 비디오와 무비 클립 있음.
아시아 소녀들이 비명을 내지르는 첫 경험의 순간을 보러 오세요.

---

* 여성 음부의 질. 아시아 여성의 이 부분은 가로로 누운 모양이라는, 백인 남성들 사이의 속설이 있다.

미네소타 주에 겨울이 오면 미의 각축장은 갑자기 평등해진다. 뷰익이든 BMW든 차들은 모두 제설제 염분을 뒤집어쓴 채 한 분자씩 녹슬어간다. 인간들은 남녀노소 할 것 없이 둘둘 껴입은 외투로 뚱뚱해지고 머리에 정전기가 한껏 피어오른다. 여자들 다리는 면도를 하지 못한 상태로 보온 내의에 덮이고, 그 아래 파충류 같은 두 발은 부츠 속에 파묻혀 양말을 쓱쓱 긁어댄다.

대학 기숙사를 떠나 캠퍼스 밖으로 이사를 나온 학기부터 나는 학생 융자금 대신 진짜 돈으로 월세를 내야 했고 구내식당의 음식 대신 진짜 식품을 장 봐서 먹어야 했다. 일과를 마치면 귀갓길에 이십사 시간 문을 여는 레인보우 식품점에 들러 비엔나소시지와 콩과 쌀을 샀다.

그날도 옷을 잔뜩 껴입은 나는 정전기에 다리털에 파충류 발까지, 어느 미네소타 사람들과 다름없는 모습이었다. 확실히 섹시한 모습과는 거리가 멀었으며, 확실히 얼굴 이외의 그 어떤 피부도 내놓고 자랑할 데라고는 없었다. 그래서 식품점의 채소 및 통조림 코너 쪽 통로에서 일어난 일은 정말 놀라울 따름이었다.

"일자리 필요해요?" 한 남자가 내게 다가와 물었다.

그때 내가 극도로 피곤한 나머지 거의 환각상태에 빠져들 지경이 아니었다면, 또 식품점의 형광등 불빛이 수술실 분위기를 자아내지 않았다면, 더군다나 오늘 데프 릴레이에서 농아들이 컴퓨터로 입력한 피자 주문 사항들을 주의 깊게 해독해서 피자 가게로 전해야 하는 판국에, 시험을 앞둔 단테의 『신곡』 중 「지옥 편」을 벼락치기로 훑어보느라 진을 다 빼지 않았다면, 그 남자는 내 눈에 훨씬 더 이상한 사람으로 비쳤을 것이다. 그런 상태로 나는 그의 질문에 대답하고 있었다.

"아뇨, 전 일하고 있어요." 그 남자의 옷차림을 보니 외투를 입고 있지 않은 것이 그가 매장 관리인이며 지금 식품 재고 담당자를 찾고 있다는 인상을 주었다.

"시간당 오십 달러면 어떻겠어요?"

상자들을 풀어 식품을 꺼내고 진열대에 재어놓는 일을 해서 어떻게 돈을 그만큼이나 벌 수 있는지 의아해하면서 나는 그를 쳐다보았다.

"저도 꽤 바쁘거든요. 어쨌든 고마워요."

"그냥 한 번이면 되는데…… 매로 때리는 거 알아요?"

"글쎄요, 뉴스에서 들어본 적은 있어요."

"당신네 나라 사람들 매질 자주 해요?"

나는 여전히 멍한 정신으로 "아뇨"라고 대답하면서, 아시아인들과 솔직담백하게 어울리지 못하는 백인 남자가 여기 한 사람 더 있다는 생각에 짜증이 났다.

"집으로 오면 돈을 주겠어요……. 자신이 정말로 나쁜 인간이란 기분이 들 때가 있어요? 당신이 날 벌주면 난 기분이 훨씬 나아질 것 같은데."

그제야 내 머릿속 형광등이 반짝 켜졌다. 나는 "관심 없어요!" 하고 쏘아붙인 뒤, 쇼핑 카트를 밀고 냉동 디저트 판매대 쪽으로 갔다. 뒤를 돌아봤을 때 그는 사라지고 없었다.

그 일이 있고 나서 수년 동안 내 안에는 고도로 민감한 '첩보원 레이더'가 조금씩 발달해갔다. 좀 더 빨리 걸어! 지금 길을 건너야 해! 친구를 돌려세우고 다른 방향으로 걸어가! 레이더는 경계해야 할 순간들을 그 즉시 일러준다. 누가 날 쫓아오는지 아닌지 고개를 돌려보지 않고도 알아내는 능력, 이런 레이더 묘기는 심리학자들이 '과다 경계'라고 부르는 정신질환에 해당한다. 정신적 외상으로 인해 나타나는 증상이다. 그러나 내게는 그것이 미국 여성으로 존재하는 삶의 부작용일지도 모른다는 생각이 든다.

첫 만남

가사 규칙

첫째, 낭비하지 말 것. 둘째, 쓸모 있는 것을 만들 것. 솜씨 좋은 아내는 두 가지 규칙을 다 지킨다. 낭비하지 않고 쓸모 있는 것을 만들 작정이라면 퀼트가 제격이다. 낡아서 못 입게 된 바지와 재킷과 스커트 등의 자투리 조각들이 모이면 별들의 무리, 결혼반지, 오두막, 바둑판, 거위, 아기 발, 혹은 마구잡이로 구성된 별의별 희한한 모양으로 탈바꿈한다.

이 조각들이 만약 저마다 자기 이름이 메아리쳐 오는 소리를 듣는다면 어떻게 될까? 한때는 아기 담요나 솜을 채워 넣은 토끼 인형 혹은 다른 그 무엇이었던 저마다의 과거로 되돌아가기 위해, 새롭게 이어붙인 퀼트 작품에서 탈출을 시도할까? 이 부분 저 부분 없어지고 가장자리는 들쭉날쭉, 한때 솜씨 좋게 바느질해놓았던 실들이 상처의 딱지처럼 너덜너덜한데도, 우리는 그들의 원래 모습을 알아볼 수 있을까?

이기는 그에게는 내가 감추었던 만나를 주고 또 흰 돌을
줄 터인데, 그 돌 위에 새 이름을 기록한 것이 있나니 받는
자밖에는 그 이름을 알 사람이 없느니라.
　　　　　　　　　　　　　　　　　— 미국 아동복지연맹

두근-두근, 두근-두근.

아직 세상에 태어나지 않은 아기는 어머니의 심장이 규칙적으로
힘차게 고동치는 소리를 듣고 자란다. 아기가 태어나면 어머니는
자신의 심장 소리를 그대로 들려주는 작은 플라스틱 기계를 사 와
외로이 놓인 아기 침대의 난간에 걸어줌으로써, 어머니로부터 이
탈의 차가움에 처한 아기를 진정시켜준다. 두근-두근, 두근-두근.
울던 아기가 스르르 잠이 든다.

기이한 일이다. 우리는 아무도 그 소리를 기억하지 못한다. 모체
의 태아에서 독립된 인간으로 변해가는 시기에 들었던 배경음악
이, 이렇다 할 특별한 기억도 없는 유년기의 어느 평범한 날에 기억
상실의 저 깊은 우물 속으로 사라져버리다니. 그리하여 이제는 플
라스틱 심장박동 기계 소리가 이질적이고 무시무시한 기분까지 들
게 하다니. 정말 기이하다.

내가 알래스카 상공 어디에선가 잠든 사이, 비행기 엔진의 굉음
은 백색 소음으로 잦아들어 지속적이고도 단조롭게 퉁기는 소리로
들린다. 활기에 넘치던 모국 방문단 사람들이 이제는 어둠 속에서
휴식하는 일에 의견 일치를 본 모양이다. 부모들과 아이들은 좌석

에 기대어 얇은 파란색 담요를 덮고 창의 블라인드를 내린 뒤 머리 위의 전등을 끈다.

긴 여정이다.

두근-두근, 두근-두근.

> 어른 한 사람이 아이들을 다섯 명씩 인솔하여 홍콩, 한국, 일본에서 미국과 캐나다로 데리고 온다. 아이들은 갈아입을 옷이 없을지도 모르니, 새 부모를 만날 때 가급적 깔끔하게 보이도록 신경을 써줘야 한다.
>
> ─국제사회복지협회

틱틱거리는 인터폰 소리에 얕은 잠에서 깨어나니 기장이 쾌활한 목소리로 김포공항 착륙을 알린다. 승객들은 서서히 담요를 털어내고 블라인드를 하나 둘 밀어 올린다. 창밖은 하늘과 땅이 반반이다. 어깨너머로 푸른 계단식 논들이 펼쳐진다. 마치 영화 속 풍경 같다. 미지의 사람들이 사는 풍경.

기내에 불이 환히 켜지고, SF 시리즈물 〈스타게이트〉가 상영 중이던 텔레비전 화면이 한 여성의 스트레칭 장면으로 바뀐다. 내가 좋아하게 될 만한 타입의 한국 여성이다. 숨이 새는 듯한 높은 톤의 목소리로 "감사합니다!"라고 말하며 무용수처럼 우아하게 고개 숙여 인사하는 타입이다. 나로서는 온화하다고밖에 표현할 수 없는 고전적인 한국인의 얼굴인데, 광대뼈가 솟은 곳에는 뭔가 독특한 멋이 감돌고 두 눈은 꼭 알맞은 모양새이며 우아한 반달형 눈썹은 단단하면서도 부서지기 쉬운 듯한 인상을 넌지시 비친다.

그녀가 발목을 돌리고 팔을 좌석 위로 들어 올려 혈액순환을 시키도록 승객들을 유도하고 있는 사이, 나는 좌석 밑에서 화장품 가방을 꺼내는 한편 원기를 회복하려고 최선을 다한다. 어머니를 처음 만나는데 어떻게 보여야 할까? 덥고 혼잡한 비행기를 열네 시간이나 타고 온 뒤 산뜻하게 꾸미는 건 불가능할 것 같지만, 적어도 건강하게는 보여야 한다. 립글로스와 볼 터치로 정성껏 혈색을 돋우고 어두운 아이섀도는 건너뛴다.

창밖은 땅이 하늘을 밀어내며 비행기를 가까이 받아들이고 있다. 논들이 펼쳐지던 지상의 풍경이 고속도로로 바뀌자 나는 가방을 다시 정돈하여 꾸린다. 잠시 후 비행기의 불가피하게 긴 지상 이동과 기내 복도에서 대기하는 시간이 이어지는 동안 머리 위의 선반으로부터 가방들이 내려진다.

이후로 나는 수차례 이런 여행을 하게 되는데, 몸뚱이들이 한꺼번에 밀려들고 시간과 공간의 관념이 사라지는 특성—영원한 현재의 시간 속에 육체가 갇힌 기분—때문에 이런 여행이라면 딱 질색하게 된다.

───⌄───

대학 시절의 남자친구 숀이 없었다면 나는 이 첫 여행을 떠나지 못했을지도 모른다. 숀은 나와는 전혀 다른 타입이었다. 가죽 잠바와 군화로 무장하고 오토바이를 몰았으며 자연스러운 곱슬머리를 마치 코르크 마개 뽑는 기구처럼 뱅뱅 꼬아 다녔고 한 번도 자기 아버지를 만나려 하지 않았던 친구이다.

그는 또한 여행광이었다. 고등학교 시절에는 일 년간 인도에 머물면서 음식을 손으로 멋있게 먹는 요령과 이방인들이 베푸는 친절을 받아들이는 법을 배웠다. 그 기간 동안 카트만두를 여행하고 히말라야 산맥을 보았으며, 예로부터 내려오는 방식대로 바늘과 실로 문신을 새기는 시술도 견뎌냈다. 그렇게 새긴 음양 부호의 문신은 꼭 인도의 루피 동전 크기만 했다. 그곳에서 그는 점차 대마초 흡연을 좋아하게 되었고 사원 원숭이들의 교활함도 존중하게 되었다. 대학 시절에는 거의 한 학기를 멕시코에서 보낸 적이 있는데, 아스텍 유적지를 구경한 지 얼마 되지 않아 장 질환에 걸리는 바람에 집으로 돌아와야 했다. 그리고 졸업 후에는 미네소타를 훌쩍 떠났다. 정치적 차원에서 레즈비언으로 행세하는 새 여자친구와 함께 고양이를 데리고 뉴욕으로 이사한 뒤 전위예술 아트클럽으로 알려진 니팅 팩토리에서 조명 예술을 해보기도 하고, 환각제 엑스터시에 미치듯이 탐닉하기도 하고, 그러면서 이전보다 훨씬 더 매혹적으로 변했다. 그에게는 그처럼 갈망하는 예술가의 모습, 삶을 더욱 더 불태우려는 욕망, 나 자신은 가까이할 수조차 없는 격렬함이 있었다.

아빠는 군 복무 시절 하와이와 플로리다를 여행한 적이 있었고, 신혼 때는 엄마와 함께 플로리다에서 휴가를 보내기도 했다. 아빠는 이후에도 여행을 하고 싶어 했지만 엄마의 건강이 허락하지 않았다. 엄마는 비행기를 타면 멀미가 났고, 차를 오래 타면 민감한 결장(結腸) 때문에 몸이 불편해지고 위급 상황이 닥치지나 않을까 불안해하며 식은땀이 주렁주렁 맺혔다. 비상시를 대비해 트렁크에는 폴저스 커피 용기와 두루마리 화장지가 항시 대기하고 있었다.

내가 부모님의 삶에 합류할 때까지—생후 육 개월의 내 몸이 서울에서 밴쿠버로, 그리고 시애틀, 로스앤젤레스, 시카고를 거쳐 미니애폴리스까지 세상을 훨훨 날아온 다음 차에 태워져 할로우로 달려온 그때까지—그들은 자신들이 갈 수 있는 가장 먼 곳이 미니애폴리스이며, 그것도 절대적으로 필요한 경우에만 갈 것이라고 정해놓고 있었다.

내가 대학 진학 계획을 세우고 있을 때였다. 나는 상상할 수 있는 데까지 시야를 넓혀보았다. "이 점수라면 넌 어느 대학이나 갈 수 있는데……." 진학 지도 교사의 제안은 끝까지 듣지도 않았다. 그런 말은 내게 의미가 없었기 때문이다. 말하자면 내게는 동쪽 저 멀리 있는 학교들, 아니 미시시피 강 동쪽에 있는 것들은 뭐든지 한낱 추상적 관념에 지나지 않았다. 그렇지만 미니애폴리스에 대해서는 알고 있었다. 그곳은 잼의 대명사 '지미 잼'과 팝 그룹 '프린스 앤 더 레볼루션'의 본거지이며, 노르웨이인들이 세운 루터파 학교 '옥스버그 칼리지'가 있는 곳이다. 캐럴 언니는 나보다 사 년 먼저 그 대학에 입학하여 우리 친척 중 처음으로 사 년제 대학 졸업장을 받았다.

고등학교 동창들 대다수는 졸업 후 네 가지 진로 중 하나를 선택했다. 할로우의 직업학교, 팔십 킬로미터 서쪽에 위치한 파고나 무어헤드의 주립대학, 군대, 그리고 가족이 경영하는 농장. 그런데 교양학부 중심의 도회지 사립대학, 그것도 미국 복음주의 루터파 교회 회의에 소속된 대학에 다닌다는 것은 보통의 기준에서 벗어난 명백한 일탈이자 용기와 도전의 행위였다. 물론 나는 내가 알고 있는 세계의 맨 끝에 있는 학교, I-94번 고속도로 리버사이드 출구를 빠져나간 곳에 위치한 그 학교를 선택했다.

숀은 미니애폴리스의 교외에서 태어났고, 그래서 그의 세계는 내 세계보다 언제나 더 넓었다. 그의 친구들은 모두 여행 전문가들이며 진정한 유레일 베테랑들이었다. 가장 친한 친구는 어느 대학 교수의 아들인데, 반은 브라질 혈통이고 포르투갈어를 유창하게 구사하며 독일 출신의 터키 여성과 결혼했다. 우리는 아프리카에서 유학을 하고 돌아온 학생들이나 멕시코, 네덜란드, 티베트, 프랑스 등지에서 미국 대학으로 유학 온 외국 학생들과도 사귀었다.

나는 그 모든 친구들의 격려에 힘입어, 대학을 졸업하는 나 자신에게 선물을 주었다. 아동가정협회에서 주관하는 모국 방문단에 등록한 것이다. 그들은 소심한 사람들의 손을 잡아준다고 약속했다.

"어떤 사람들은 외적인 여행으로 내적인 여행을 대신한다."

손의 어머니가, 내가 좋아하는 손의 눈과 똑 닮은 눈으로 날 그윽이 바라보며 말했다. 그녀는 내가 대체로 모든 일에, 그리고 특히 몇 가지 일에 열등감을 느낀다는 것을 알아챘다. 나는 친구들 사이에서 외국여행을 떠나보지 못한 유일한 사람이었던 것이다. 그녀의 말이 내게 힘을 주었다. 내가 한국에 가는 것으로 외적인 여행과 내적인 여행을 동시에 경험하리라는 것을 그녀는 나보다 먼저 알고 있었다.

국외 직원이 제공하는 진정제에는 복용법에 관한 의사의 설명서가 들어 있을 것이다.
— 국제사회복지협회

한국 여행에 필요한 물건을 모두 챙겼다. 이런저런 날씨에 대비한 옷가지와 어머니에게 보여줄 어린 시절 사진이 담긴 앨범, 빌린 카메라 한 대, 노트 한 권, 그리고 신경 안정제 데파코트까지. 외상후 스트레스 장애는 여전히 골칫거리였는데, 대화요법은 거부했다. 심리치료사가 미술 치료법으로 고치지 못한 것은 정신과 의사가 처방해주는 약을 꾸준히 복용함으로써 완화되었다. 데파코트는 맹렬히 오르내리는 감정의 기복을 고르게 만들어주는 역할을 하지만, 내 경우에는 단순히 감정을 지워버렸을 뿐이다. 약물은 모든 경험들 위로 일종의 초현실적인 커튼을, 마치 자신이 제3자처럼 느껴지는, 물이 스며들지 않는 벨벳 같은 막을 드리웠다.

입국 시, 출입국 관리소는 영주권을 취득한 이민자들에게 발급되는 외국인등록증(흔히 '그린카드'라고 불린다)을 보관상의 안전을 위해 인솔자에게 맡기는 경우가 있다.
　　　　　　　　　　　　　　　　　　　　— 국제사회복지협회

　비행기에서 한 걸음 나오자 한국의 냄새가 훅 끼쳐왔다. 미네소타 사람들처럼 깨끗하게 마른 표면과 살균 소독제에 집착하지 않고 김치를 주식으로 먹는 사람들이 살고 있는 나라의 냄새였다.
　두 줄이 있었다. 한국인 줄과 외국인 줄. 나는 한국인들이 꼭 쥐고 있는 여권을 곁눈질해보았다. 앞면에 'Republic of Korea'라고 찍힌 인장을 제외하면 내 여권과 별 차이가 없었다. 내 이름이 정경아에서 제인 브라우어로 바뀌기 전에는 내게도 저렇게 생긴 여권이 있었다. 어느 줄에 서야 할까 생각하며 잠시 입국 심사실 뒤쪽에 서 있었다. 그러다가 함께 온 모국 방문단의 모습을 지켜본 뒤 미국인들을 따라 외국인 줄에 제대로 합류했고, 육십일짜리 한국 관광 비자를 받은 미국 여권에 한국 심사원이 스탬프를 찍어주자 "땡큐!"라고 말했다.
　우리 방문단은 세관을 통과한 뒤 달러를 한국 돈으로 바꾸었다. 천 원이 일 달러에 조금 못 미치는 환율에 특히 미국 부모들은 환호했다. 친척들에게 줄 크리스마스 선물을 싼값에 장만할 기회라고 잔뜩 고대하고 있었다.
　모국 방문단에는 한국인보다 '진짜' 미국인이 더 많았다. 그들 대부분은 초등학교에 다닐 만한 나이의 아이들을 데리고 온, 열의에 넘치는 부모들이었다. 해외입양 관련 책자라면 빠뜨리지 않고 다 읽고, 한국 입양아들에게 문화적 소양을 길러주기 위해 김치 캠프에도 열성적으로 보낸 부모들이었다. 그토록 사고가 깨인 양부모를 둔 아이들이 방문 기간 내내 무척이나 부러웠다. 그들 중 다수는 내 경우처럼 '대용품 아이' —친자식을 대신하는— 가 아니라 양부모가 그들의 존재 자체를 진정으로 원하여 입양된 아이였다. 그런 부모들은 이미 친자식이 하나둘씩 있는데도 종교적 혹은 사회적 신념 때문에 아이를 하나 더 받아들일 여지를 마련하여 한국 아이를 맞아들였다. 나 역시 그와 같은 부모를 얼마나 원했던가? 내가 자신들이 낳지 못한 백인 아이처럼 행동하고 그 아이처럼 보이기를 원하는 부모가 아니라, 있는 그대로의 내 존재 자체를 원하는 부모 말이다.

나는 한국에 혼자 왔다. 그 후 오 년에 걸쳐 두 번 더 한국을 다녀갔고, 그때마다 미국 부모님에게 함께 가서 한국 가족을 만나자고 부탁했다. 한국 어머니가 미국 부모님에게 얼마나 감사하고 싶어 하는지, 자기 자식들을 돌봐준 것에 대해 얼마나 고마워하는지, 그 뜻을 전하고 싶어하는 마음을 나는 잘 알고 있었다. 그러나 대답은 늘 "안 돼." 였다.

"해마다 이 주간의 휴가가 있잖아요."

"우린 시간을 낼 수 없구나."

나는 더 이상 밀어붙이지 않았다. 그들이 집 앞 베란다에 앉아 휴식을 취하기 위해 휴가를 얻고 시간을 내는 것은 상관할 바 아니었다. 그 어디에도 가지 않으면서 그랬던 것이다.

모국 방문단에 참가한 아이들 중 다수는 친부모를 찾고 있었다. 일주일 동안 관광지를 둘러보는 한편 최대한 빨리 친부모를 찾는 것이 그들의 계획이었다. 그러나 나는 이미 지난 수년간 친가족과 연락을 취해 온 터라, 몇 주 전부터 언니와 한바탕 팩스 교신을 주고받은 끝에 공항에서 만나기로 약속을 한 상태였다. 공항에서 가족을 만난 후, 내 스케줄대로 다른 미국인들과 함께 관광버스에 올라 일주일을 관광하고 그다음 일주일을 서울에서 가족과 함께 보낼 계획이었다.

벽을 쭉 따라갔다가, 사람들 무리를 헤쳐 보았다가, 수화물 컨베이어를 나란히 쫓았다가…… 가족을 찾는 내 눈길이 공항을 한바탕 휩쓸었다. 알아볼 직한 사람이 아무도 보이지 않자 마음이 쿵 내려앉았다. 어쩌면 내 메시지를 제대로 이해하지 못해 시간을 잘못 알고 있는지도 모를 일이었다. 나는 가방을 어깨에 둘러메고 방문단과 함께 다음 장소로 이동했다.

입국장의 이중문이 로비 쪽으로 활짝 열렸을 때, 그 놀라운 광경이라니. 플래카드와 풍선, 카메라 플래시, 꽃다발. 우리는 집에 온 것이다. 환영합니다!

사람들 무리에서 흰색 정장 차림의 아름다운 여자가―입이 딱 벌어질 만큼 아름다웠다―나를 향해 달려왔다.

"내가 은미야!" 언니는 내 팔을 붙잡고 상체를 끌어당기며 가족에게 데리고 갔다. 이 한국 도시 여성은 시종일관 발을 끌며 활기차게 걸었는데, 서울 사람 특유의 질질 끄는 발걸음은 최신 유행하는 아주 멋들어진 하이힐을 신은 결과였다.

도착할 때쯤 아이들은—먹고 마시고 잠자는 데 문제가 없던 아이들조차—완전히 지친다. 어떤 아이들은 정신이 멍하고 무감각해져 새 부모를 거의 무시할 정도이다.
— 미국 아동복지연맹

그때로부터 육여 년이 흐른 지금, 이곳 미니애폴리스에서 컴퓨터 모니터에 쓴 글만으로 어머니를 만난 그 순간을 떠올리려는 나는 그날 어머니가 느낀 감정을 고스란히 느낄 수 있다. 그분이 죽어가는 동안 그분을 알게 되었고, 그분을 간병했으며, 그분의 목소리를 들었으므로—영혼의 세계에서는 '목소리'가 나와 그분을 이어주리라—이제는 언어의 힘을 빌리지 않고도 그분의 감정을 느낄 수 있다. 이런 느낌은 말로는 표현할 수 없는 것이다.

그러나 그 순간에는 아무것도 느끼지 못했다. 나 자신의 감정도, 어머니의 감정도. 어머니는 울음을 멈추지 못했다. 붉은 장미 한 다발을 내 손에 꼭 쥐여준 어머니는 백오십 센티미터쯤 되는 체구보다 더 작고 연약해 보였다.

그 극적인 순간에 하늘은 열리지 않았고 천사들은 내려오지 않았으며 영화 〈로미오와 줄리엣〉의 가슴 절절한 주제곡 역시 울려 나오지 않았다. 이복형제인 선미 언니가 나와 있었다. 나중에 여동생 명회가 나타날 때까지 적어도 일주일 동안 선미 언니가 명회인 줄 알았다. 어머니의 친구분도 거기 있었는데, 가족 중 한 사람이려니 생각했지만 알고 보니 아니었다. 파란색 양복 차림의 통역자도 있었지만, 어디서 온 누구인지 알 수 없었다. 카메라마다 펑− 펑− 플래시를 터뜨리고, 세상은 눈 위의 잔상으로 가득하고, 사람들은 울고, 알아들을 수 없는 말들이 혼돈을 더하고······. 그러다가 어찌 된 일인지 나는 어머니와 함께 버스로 밀려들어 갔다.

어머니는 헐렁한 검은색 폴리에스테르 바지와 금속성 자수가 놓인 감청색 상의를 입고 있었다. 어머니가 가진 최고의 정장 외출복이었다. 호텔로 향하는 한 시간가량 어머니는 어둠 속에서 내 손을 꼭 잡고 놓지 않았다. 나는 한국어를 못하고 어머니는 영어를 못하니 서로 나눌 수 있는 얘기라곤 아무것도 없었다. 그래서 어머니는 내 손만 잡고 있었고, 나는 내 손이 얼마나 뜨거운지, 어머니가 얼마나 작으며 또 그 손은 얼마나 뼈만 앙상한지 따위의 물리적 감각만을 생각할 수 있을 뿐이었다.

그래, 이분이 내 어머니구나.

버스 안에는 다른 사람들도 있었을 텐데 아무도 기억나지 않는다. 기억 속에는 우리 두 사람만이 어둠 속에 떠 있다. 할 말은 아무것도 없고 표현할 수 있는 언어도 없는 채로.

방문단 인솔자 중 한 사람에게 선견지명이 있었는지, 그가 우리의 첫 만남 때 카메라를 대기하고 있다가 찍어준 사진 속에는 미국을 떠날 때와는 다른 얼굴이 들어 있다. 이상하게도 첫 여행에서 찍은 사진들 속의 나는 해명하기 힘들 만큼 확연히 변해 있다. 커다란 앨범을 꺼내 보여줄 때마다 친구들은 "이게 너니?" 하고 묻는다. 내 얼굴은 미국을 떠나기 전 미니애폴리스 공항에서 찍은 사진에서보다 더 둥글다. 표정도 다르다. 나는 딴사람이 된 것이다.

⸺◠⸺

다음날 호텔방 문을 열었더니 어머니가 복도에 서 있었다. 전날 입었던 청색 상의와 검은색 바지 차림에 낯익은 표정을 지은 채 초록과 노랑 줄무늬의 참외가 가득 담긴 비닐봉지를 작은 손에 들고 있는 어머니를 보자, 나는 기분이 상했다.

내가 먼저 방문단과 일주일을 보내고 그다음에 어머니와 일주일을 보내려 한다는 것을 이해하고 있는 줄 알았다. 나는 어머니와 적절한 경계를 두고 싶었다. 그러나 이십 년이 넘는 세월이 흘러 비로소 자기 자식과, 그것도 애초에 정작 자신은 떠나보내고 싶지 않았던 자식과 마침내 재회한 (사실 '재회하다', '재결합하다'라는 말은 입양인들에게 적절치 못한 표현이다. '연락을 취하다', '접촉하다'라는 표현이 바람직하다) 어머니에게 적당한 경계 따위는 중요하지 않았다. 그리하여 어머니는 계속 뜻밖의 시간에, 종종 밤늦게, 내가 먹을 수 있는 양보다 훨씬 많은 토마토와 수박을 한가득 담아 튼튼하게 꼭꼭 묶은 비닐봉지들을 들고 호텔로 찾아왔다.

어머니의 출현에 방문단의 여자아이들은 기뻐했다. 중고등학생 쯤 되는 몇몇 여자애들은 우리 방문단을 위해 특별히 차려진 한국 음식에 치를 떨었다. 너무 맵거나 도대체가 정체불명이고, 참새우의 경우는 그저 메스꺼웠던 것이다. 그들은 점심 도시락을 보고 "아―악, 새우 머리가 아직도 붙어 있어!"라며 비명을 질러댔다. 그러다 보니 그나마 무난한 채소 음식을 환영했고, 어머니가 가져온 과일들 또한 열심히 먹어치웠다.

한국은 어머니가 예고 없이 찾아온 첫날부터 중요한 교훈을 가르쳐주기 시작했다. 내가 일을 처리하는 방식은 세부사항을 포함한 모든 일정을 분 단위까지 계획하는 것이었다. 약속 장소에는 십 분전에 나간다. 식품점에 갈 때는 단 몇 가지 물건을 사더라도 반드시 구매 리스트를 적어 간다. 모든 것을 적어놓고서 내가 언제 어디에 있을지 다른 사람들이 알 수 있도록 한다. 천국에 가면 독일인들이 기차를 운행한다는 말이 있다. 그런데 독일인들이 부족할 경우라면 독일계 후손의 미네소타 사람들이 기차를 운행하지 않을까?

미국인 방문단과 함께 한국을 여행하는 것도 똑같을 거라고 생각했다. 계획대로 움직이고 예측 가능하다는 점에서 말이다. 물론 대부분은 그랬다. 우리는 관광 안내서에 나와 있는 코스대로 돌았다. 한국 민속촌에서 전통 미술품과 공예품 들을 보고, 연못 가득 잉어 들이 노니는 왕궁을 구경하고, 고아원에 들러 걸음마 아기들과 갓 난아이들을 둘씩 짝지어 눕혀놓은 아기 침대로 가득한 방들과 지적 장애인들이 플라스틱 베틀에서 헝겊 냄비 집게를 짜고 있는 또 다른 방들을 견학하고, 미혼모의 집, 자수정 광산과 보석 가게, 불교 사원, 북한의 선전 방송이 스피커를 통해 국경 너머로 울려 퍼지는 비무장지대를 차례로 방문했다. 미국인들과 함께 있는 한, 한국에서조차 모든 것이 안전하고 계획적이고 예측 가능했다.

그런데 한국 어머니의 계획은 늘 예측 불가능한 뭔가가 더해진 것이었다. 어머니는 미국인들과 정해진 스케줄대로 일주일을 보낸 다음 한국 가족에게 가기로 되어 있는 내 일정을 전혀 개의치 않았다. 그럴 수밖에. 자식이 한국에 있는데. 어머니는 내 일정에 아랑곳없이, 내가 서울에 있는 동안 매일 찾아왔다.

어머니의 방문이 내 하루 일정의 끝이었다. 통역을 부탁하기 위해 유일하게 한국어를 할 줄 아는 여행 가이드 미시즈 한에게 미안해하며 전화를 걸면, 그녀는 몇 분 뒤 내 호텔방으로 와주었다. 우리는 모두 침대 가장자리에 걸터앉았다. 어머니는 손수건을 초조하게 쥐어짜며 우는 동시에 말을 이어갔고, 미시즈 한이 간간이 위로의 말을 끼워 넣으며 조용히 고개를 끄덕였다. 한국어가 영어보다 더 길고 음절도 많았다. 영원과도 같은 시간이 흐르고 마침내 미시즈 한이 어머니의 말을 요약해줄 때까지 나는 참고 기다려야 했다. 하지만 그렇게 기다리고 나면 돌아오는 건 별로 없었다. 미시즈 한은 간단히 전해주곤 했다.

"어머니는 자신이 정말 나쁜 엄마이고, 용서를 부탁한다고 말씀하십니다."

"엄마, 엄마가 왜 우릴 떠나보내야 했는지 다 이해해요. 잘하셨어요. 당신은 좋은 어머니예요. 용서를 구하실 필요 없어요."

미시즈 한이 내 말을 엄마에게 통역해주었고, 그러고 나면 엄마는 내가 알아들을 수 없는 말들을 또다시 철철 쏟아내기 시작했다. 나는 조바심이 났다. 엄마가 하는 말을 모두 알아듣고 싶었지만 미시즈 한이 통역해주는 말은 너무나 짧았다. 지금 생각해보니, 그때 엄마는 같은 말들을 수없이 반복했던 것 같고, 그 이야기를 알아들을 수 없는 딸자식 대신 미시즈 한이 아주 공손하면서도 인내심 있게 들어주고 있었던 것 같다.

그런 밤들의 만남을 통해 나는 내 어머니의 신산한 삶을 이해하기 시작했다. 그 후 이 주 동안 나는 다른 통역자들을 통해 같은 이야기를 계속 들었는데, 나와 의사소통하려는 엄마의 의지로 인해 그들은 엄마의 대변자로 바뀌고 있었다. 한국어를 모르는 내게 엄마는 자신의 이야기를 몸짓으로 보여주었다. 한국어가 숨을 색색거리는 것처럼 들리는 된소리 자음이 많아 연극조의 화법이 되기 쉬운 까닭에 엄마는 열변을 토하고 있었다. 엄마는 된소리들을 그 누구보다도 길게 늘여 발음했다. 훗날 통역해줄 사람이 생길 때마다 엄마가 똑같은 몸짓을 섞어가며 그 모든 이야기를 하고 또 하는 바람에, 나는 이런 몸짓을 통해 지금 엄마가 무슨 얘기를 하고 있는지 정확히 알 수 있게 되었다. 그런 엄마는 키 백오십 센티미터 몸무게 사십오 킬로그램에 불꽃과 매운 고추장의 뜨거운 기운으로 이글거리는 '한 편의 일인 여인극'이었다.

엄마는 자신의 이야기를 내게 들려주었듯이 이미 수년을 들어온

친구들은 물론이거니와 생전 처음 만난 사람들에게도 들려주곤 했다. 이렇게 이야기하는 행위를 통해 엄마는 스스로 속죄하는 한편, 현실의 자기 모습이 아니라 자기가 진정 꿈꾸는 자화상을 사람들에게 보여주고 싶었던 게 아닐까? 이야기를 들려주던 어느 날, 마술처럼 자신이 꿈꾸던 모습으로 변해 있기를, 그리하여 이야기하는 행위를 통해 삶을 스스로 정복한 사람이 되기를 희망한 건 아닐까?

엄마의 이야기들은 반복되면서 내 마음속에 켜켜이 쌓였다. 그한 마디 한 마디에는 내가 우리 가족을 알아가기를 바라는 엄마의 소망이 담겨 있었다. 아버지가 나를 자기 자식이라고 믿지 않고 창밖으로 내던지며 소리쳤던 일이며, 고아원에 맡긴 나를 보러 갔을 때 내가 지저분하고 아픈 채로 있었던 일, 그리고 쌀쌀했던 구월의 어느 날, 나와 언니를 미국으로 떠나보내던 날, 얼마나 가슴이 아픈지 신발 신는 것도 잊어버려 맨발로 공항을 걸어 다녔던 일, 우리가 떠난 뒤 슬픔으로 찢어지는 마음에 마치 딸을 업은 듯 개 한 마리를 등에 업고 다녔던 일, 그런데 그만 누가 그 개를 훔쳐가 버린 일…….

엄마는 나를 사랑한다고, 또 젖을 먹여 나를 키웠다고 말하기 위해 젖가슴을 내보였다. 나는 엄마의 부탁으로 나이 들어 홀쭉해진 여인의 가슴을 만져보았다. '여길 만져봐. 이걸로 널 키운 거야. 내이 몸으로 널 낳았단다'라고 말하는 듯했다. 아버지한테 맞아서 생긴 두터운 상처도 보여주었고, 그가 자기 코를 물어뜯는 바람에 아름다웠던 얼굴이 망가졌다고도 했다.

남은 딸들과 수레 밑에서 잠을 자고, 집집마다 돌아다니며 음식을 팔고, 은미 언니가 낯선 사람들에게 "제발, 아저씨, 호떡 좀 사세요." 하며 애원하던 시절의 이야기, 아버지가 공포의 대상이었으며 가족에게 폭력을 행사하는 그를 피해 십오 년간 서울의 이곳저곳을 떠돌아다닌 이야기, 양반집 자손이라 그런 사람과 이혼할 수도 없었던 이야기…….

자매들은 더 많은 이야기를 들려주었다. 그 옛날 엄마가 미국 부모님과 미자 언니와 나에게 보낸 선물들은 자신들이 먹을 음식조차 충분치 못했던 시절에 보낸 것이라 했다. 손수 짠 아름다운 스웨터와 한복, 대나무 돗자리, 보석 장신구 이 모두를 엄마는 정성 어린 마음으로 장만했었다고 언니가 말했다. 엄마가 극심한 경제적 위기에 처했을 때 친구들이 등을 돌리고 의붓딸들이 배신한 일도 있었다. 큰언니가 결혼한 뒤 형편이 나아지자 비로소 자신들이 세상에서 더 이상 외톨이가 되지 않을 수 있었단다.

이 여인, 내 어머니, 나를 낳았고 내 목숨을 살렸으며 지금도 모질게 나를 사랑하는 엄마가 내게 용서를 구하고 있었다. 편하게 살아온 내 삶이, 좀스럽고 속물적인 내 투덜거림이 부끄러웠다. 적어도 내게는 먹을 것이 충분했고 따뜻한 집도 있었다.

엄마의 이야기들은 내 피부를 뚫고 핏속으로 파고들었다. 그로부터 엄마의 용기가 스며 나와 (엄마를 살게 한 것은 용기였을까, 고집이었을까? 아니면 순전히 고된 일상이었을까?) 먼 이국에서 살

아온 나 자신의 이야기들 속으로 배어들고 녹아들면서 내가 엄마의
딸로 바뀌어가는 느낌이 들었다.

나는 내 어머니가 몸담고 살아온 아름답고도 끔찍한 문화를 이해
하게 되고 어머니가 겪은 일들이 이 나라에서는 그다지 특별한 것
이 아님을 알게 되었다. 아들이 딸보다 귀중한 나라, 여자들이 어린
자식들을 업고 다니듯 무거운 의무의 짐을 업고 다니다가 나이가
들면 영원히 허리가 굽어 눈을 땅에다 박고 사는 이 나라에서는.

엄마, 이제야 당신을 알겠어요.

"앗, 징그러워!" 도시락이 탁 열리면 외침 소리부터 났다. 어제도
그저께도 똑같은 상황이었다. 검은 눈의 참새우 한 마리가 집게발
을 보란 듯이 김치와 떡 사이에 아늑하게 쑤셔 넣고 있는 것을 여자
아이들이 또 발견한 것이다.

나는 혼자만의 시간에 더욱 집착하기 시작했다. 버스에 올라타면
방해받지 않을 만한 곳에 자리를 잡고 자는 척했다. 그렇게 방문단
사람들로부터 거리를 두었다. 한국 고아들을 쳐다보는 그들의 모습
을 볼 때 '동물학적 관찰'이라는 표현이 떠올랐다. 미혼모의 집을
방문했을 때도 그랬다. 미국 양부모들은 고아들과 미혼모들을 사람
으로 보기보다는 흥미로운 표본으로, 인간적인 비애를 품은 서커
스단의 동물들로 보는 듯했다.

그런 기관들을 방문한 뒤에는 그룹 토론이 이어졌다. 내게 질문하는 양부모들이 그토록 대단한 성실함과 책임감을 보여주었음에도 불구하고, 나는 그들이 꼬치꼬치 캐묻는 질문으로 인해 불쾌해지기 시작했다. 방문단에서 가장 나이 많은 입양인인 내가 자신들과 아이들에게 필요한 대답을 다 갖고 있으리라 여긴 모양이었다. 집단 심리치료 시간에 나는 그들에게 소리치고 싶었다. 이것 보세요, 나는 여기 혼자 왔지만 당신들은 아이들과 함께 있잖아요. 어떤 이유로 내가 다 알고 있다고 생각하죠? 당신들에게 해줄 말은 아무것도 없어요. 참여 의식이 높고 박식한 부모에게 맡겨진 운 좋은 아이들에 대한 질투심이 커질수록 소외감도 커졌다.

한국인들의 나라에서 미국인들은 달라 보이기 시작했다. 정상적인 미네소타 사람들이 갑자기 너무 크고 너저분하고 창백해 보였다. 옷은 지나치게 편하고 신발은 더럽고 나지막한 밥상머리에 앉은 모습은 천박해 보였다. 그런 그들과 그들의 탐욕에서 벗어나고 싶었다. 이태원의 기념품 가게에서 값을 깎느라 옥신각신하며 매번 미국 달러로 할인된 가격을 계산해보는 그들에게서 달아나고 싶었다. 이번 여행을 휴가처럼 생각하는 태도며, 한국 방문을 마치 집단 심리치료와 쇼핑 사이를 번갈아 오가는 것으로 구분 지어 놓은 듯한 태도를 나는 참을 수가 없었다.

그러다 마침 남대문 시장에서 나는 검은 머리카락의 군중 속으로 슬쩍 빠져나갈 기회를 잡았다. 내가 있는 곳을 주의 깊게 관찰해둔 뒤, 나는 일직선으로 난 길을 따라 방문단 무리에서 잽싸게 빠져나왔다. 오렌지를 파는 상인들, 웅크리고 앉아 오징어를 정돈하는 아주머니들, 높이 올린 밧줄에 갖가지 가죽 핸드백을 매달아 놓은 가게를 지나갔다. 걷고, 걷고, 또 걸어라. 아무도 나를 낯설어하지 않았다. 아무 말도 하지 않은 채 '진짜' 한국인이 된 기분을 즐기며 적어도 한 시간을 들키지 않고 한국인들 사이에 섞여 있었다. 어깨와 어깨가 부딪칠 만큼 빽빽이 들어찬 사람들이 내게 길을 터주고 또 이내 나를 삼켜버리면서 인파 속으로 나를 맞아들였다. 비로소 나는 '동질성' 속에 두드러지지 않는 존재로 사라질 수 있었다.

갑자기 모든 것이 더욱 사실적으로 보였다. 가장자리는 더 선명하고, 초점은 더 또렷했다. 색채는 더 밝고, 소리는 더 맑고, 냄새는 더 자극적이었다. 자신이 제3자처럼 느껴지게 하는, 물이 스며들지 않는 벨벳 같은 막—방문단과 함께 있을 때 나를 덮고 있던—이 떨어져 나갔다. 나는 더 이상 '미국 사람'이 아니라 '한국 사람'이었다.

아주머니들이 돼지고기를 썰고 있었다. 돼지의 주둥이와 볼때기를 횡단으로 잘라놓은 부위들이 투명한 비닐봉지 안에서 김을 모락모락 피워 올렸으며, 그 냄새는 다리 없는 한 걸인의 음악 소리와 뒤섞였다. 걸인은 스쿠터에 의지해 사람들의 무릎 사이로 자기 몸을 이끌며 미끄러지듯 나아가고 있었는데, 두 손에 가죽 싸개를 감고 등에는 소리가 요란한 라디오와 동냥 그릇을 가죽끈으로 묶어놓은 모양새가 이른바 인간 갑각류처럼 보였다. 검은 점퍼 차림의 사내아이들이 잽싸게 기어가는 검은 지네들을 보고 소리를 지르고, 아주머니들이 우거지상의 생선을 풍선껌 색깔의 플라스틱 통에 넣어 팔고, 폴로 채가 말의 반대편 위치에 놓인 가짜 랄프 로렌 상표의 옷가지들 하며 그 위로 걸린 갖가지 형태의 가죽 핸드백들, 백화점에 진열된 동그란 통의 파스텔 색조 화장품만큼이나 다채롭게 진열된 떡과, 정원의 호스처럼 동그랗게 말린 검고 윤기 나는 김밥, 데쳐서 참기름에 발라먹는 마른 버섯이 담긴 통들이 좁은 통행로에 죽 늘어서 있었다. 그곳에서 나는 수많은 몸뚱이와 맞닿아 있었고, 더 이상 바닥에 흐르는 허드렛물을 피하려고 조심스레 걸음을 떼지도 않았다. 손으로 잡다한 일을 하고 난 뒤 생기는 허드렛물은 한국의 노면과 골목길, 그리고 신발이 닿는 표면에는 그 어디에나 뱀처럼 꿈틀대며 기어 다니는 것 같았다.

"단체 행동을 해야 합니다." 나중에 만난 인솔자는 나를 질책했다. 그녀에게는 여행객들이 흩어지지 않도록 관리해야 할 의무가 있으며, 혹 한 사람이라도 없어져 버스 출발을 지연시키는 일이 발생한다면 그녀가 곤경에 처하리라는 것은 이해할 수 있었다. 그러나 한국인들에게 둘러싸이는 기분은 매우 좋았고, 내 모국에서 혼자 처신할 수 있다는 기분도, 한 민족의 일원, 소수가 아닌 '다수'의 일원이 되는 기분도 좋았다. 그래서 나는 거듭 미국인들로부터 벗어날 기회를 노렸고, '존재의 탈바꿈'이라는 운명에 대한 예견으로 심장은 격하게 고동치고 있었다. 다시 한국인이 되어, 여느 사람들처럼, 내 모국의 뱃속에서 살아 있음을 느끼는, 가슴 떨리는 기분이었다.

나는 여행의 마감을 일기장에 기록했다. '곧 서울로 돌아간다. 내일 하루만 더 보내면 여행이 끝난다. 야호! 방문단 사람들과 함께 돌아가면 좋겠지만, 이곳에 더 머무르는 것도 즐겁다. …… 아직 한국에 대해 진정으로 감을 잡지 못했다. 서울까지는 버스로 다섯 시간이 걸린다. 어머니와 함께 지내는 게 얼마나 겁이 나는지 되새겨볼 시간은 충분하다.'

여행지의 이미지들이 기괴하게 나열되며 다가온 한 주였다. 수천 개의 황금 불상이 모셔진 절이며, 아이들이 줄을 서서 군인처럼 머리를 빡빡 미는 고아원 풍경이 그랬다. 또 고아원의 다섯 아이들은 뇌수종에 걸린 무거운 머리를 바닥에 뉘인 채 꼼짝도 하지 못했고, 북한이 국경 너머로 파놓은 땅굴은 곰팡이가 잔뜩 슨 채 이제는 관광 상품으로 전시되고 있었다. 그리고 백화점에서 노란 새끼줄로 엮어 말린 생선을 매달아 놓은 풍경과, 떨리는 작약 꽃을 들고 빙글빙글 춤추는 민속촌 무용수들을 보면서는 완전히 기진맥진하게 되었다.

나와 방을 함께 쓴 방문단 친구는 여덟 살에 입양되어 한글의 발음은 기억하지만 그 뜻을 파악하는 능력은 완전히 상실한 상태였다. 그런 그녀가 어느 날 내게 이렇게 털어놓았다. "내가 이곳 사람이라는 기분이 들지 않을 때가 종종 있어요." 나로서는 오히려 그런 감정이 기이하다고 생각했다. 그러다가 어느 산간 마을에서 방문단 일행과 떨어져 단둘이 저녁을 먹던 중 그 말에 공감할 수밖에 없는 상황에 처했다. 음식점에 있던 사람들이 모두 우리 주위에서 알게 모르게, 마치 수염 난 여자를 보듯 우리를 빤히 쳐다보고 있는 게 아닌가. 그날 밤 나는 일기장에 이렇게 썼다. '나는 한국보다 독일에 있는 것이 더 어울린다. 나는 적어도 독일어를 할 줄 모르는 사람으로 보일 테고, 따라서 사람들은 내가 독일어를 하리라 기대하지도 않을 것이다. 이곳 한국에 와서 가르치거나 공부하고 싶지는 않다. 나는 미국인이고, 바로 그것이 내 정체성이다.'

정말로 내가 한국을 사랑하게 되었을 때, 그것은 내 가족 때문이지 한국이나 서울 그 자체 때문은 아니었다.

———

어머니가 사는 동네. 달이 가로등에 숨었다. 켄터키프라이드치킨 냄새가 파란 바이올린 매장을 지나 모퉁이 근처를 떠돌다가 셀로판지로 감싼 젤리 롤빵과 팥빵 들로 구색을 갖춘 제과점의 달콤한 냄새와 뒤섞인다. 옆 골목으로 꺾어 들어가 아래쪽으로 인스턴트커피 자판기와 우동 포장마차를 지나면, 길 위로 올라선 노대와 안뜰 어디에나 장독들이 놓인 풍경을 볼 수 있다.

길들은 좁고 꼬불꼬불하여 차를 모는 데 상당한 기술이 필요하다. 자동차 두 대가 서로 반대 방향에서 온다면 글쎄, 어떻게 빠져나갈지 모를 일이다. 딸기와 참외를 파는 과일 노점상들이 간간이

길을 막고 양쪽으로 벽이 둘러쳐진 이런 구역에서는 오토바이나 자전거가 더 유용하다. 벽에는 일정한 간격을 두고 페인트나 매직펜으로 쓴 번호가 있는데, 각 철문 뒤편의 아파트 동수를 나타낸다.

아파트 1474호. 내 미국 테니스화가 굽을 단호히 세운 채 어머니와 자매들의 슬리퍼 가운데 놓여 있다. 좁은 지하 창문을 통해 오토바이가 붕붕거리다 멈추는 소리가 들리더니 이윽고 다른 아파트 쪽으로 걸어가는 한 남자가 보인다. 내 옷가지들은 빨래판에서 빡빡 문질러진 뒤, 나무 칸막이 화장실에서부터 가스레인지 조금 너머까지의 공간이라고 할 수 있는 부엌의 빨랫줄 위에 널려 있다.

엄마는 나를 위해 손수 목욕물을 준비하느라 분주하다. 분홍 고무신을 신고 벽 옆에 웅크리고 앉아 호스에서 찬물을 받은 다음 가스레인지 불에 데운다. 푸른 가스 불이 은빛 대야를 핥는 가운데, 찬송가를 부르는 농아들의 손처럼 김이 모락모락 오른다. 무더운 밤. 나는 엄마가 좀 전에 내 옷가지들을 비벼 빤 바로 그 나무 빨래판 위에 벌거벗은 채로 앉는다.

물이 데워지자, 나는 엄마가 어떻게 하려는지 알겠으니 이제부터는 내가 직접 하겠다는 뜻을 몸짓으로 전한다. 하지만 안 된단다. 엄마는 나를 씻겨 주고 싶어 한다.

푸른 가스 불을 끈다. 미국에서 냄비나 프라이팬을 닦을 때 사용하는 것과 거의 비슷하게 생긴 작은 초록색 때밀이 타월로 엄마가 비누를 문질러 거품을 내자, 나는 웅크린 몸을 펴 보인다. 엄마가 문지른다. 세게 문지른다. 세월이 흘러 이런 식의 목욕법을 제대로 익히게 되었을 때, 나는 아시아 식품점에서 그때와 똑같은 종류의 때밀이 타월을 사 가지고 와 샤워를 했다. 샤워하는 아침마다, 어머니가 나를 깨끗하게 씻겨주었던 그 밤을 떠올렸다.

———⌣———

목욕물은 양수처럼 따뜻하다. 양파를 수확하는 농부가 흙먼지 속으로 끈기 있게 팔을 뻗어 보드랍고 만족스러운 노동의 결실을 찾아내듯, 엄마는 다리를 벌린 채 웅크리고 앉아 그동안 잃었다고 믿어온 딸을 되찾는 중이다. 힘차게 훌훌 나를 씻긴다. 너무 열렬히 문질러 피부가 얼얼하다. 나는 어린아이로 돌아간다. 몸에 대한 미국인의 수치심을 버리고 엄마가 내 팔을 들어 올려 팔 아래와 등과 다리를 문지르도록 몸을 내맡긴다. 엄마는 오래전에 이렇게 해주고 싶었고, 그 옛날 고아원에서 굶주리고 지저분해진 나를 집으로 데리고 온 날에도 이렇게 해주었다. 엄마는 내 몸이 건강하다는 것을, 내가 좋은 음식을 먹고 건강하고 튼튼하게 자라났다는 것을 보아야 한다.

싱크대나 샤워 시설도 없는 지하 아파트, 부엌과 욕실 겸용인 이 공간에서, 오늘 하루 버려진 무 껍질과 치약과 빨랫물처럼, 몽글몽글한 비누거품들이 바닥의 배수구 속으로 소용돌이치며 빨려 들어간다.

나는 벌거벗고 있다. 본연의 모습으로. 우리 사이에는 가식이 없고 숨길 것도, 수치스러울 것도 없다.

엄마가 내 등의 문신을 본다. 그건 미국 부모님이 금지하는 것들 중 하나였다. 잉크가 너무 깊이 파고 들어간 탓에 새살이 돋은 흉터처럼 되었다. 그래서 나는 그것을 거울 없이는 볼 수 없지만 만질 수는 있고 어디에 있는지도 알고 있다.

엄마는 그것을 보고도 움찔하지 않는다. 딸에게 난 이 상처 자국이 감정의 연금술로 빚어진 것임을 이해하는 것이다. 내 손바닥만한 불사조 문신. 불사조는 날개를 활짝 펼친 채 노래하느라 입을 벌리고 있다. 날개 끝은 오렌지빛과 노란빛이고 몸체의 중앙으로 갈수록 검은빛으로 어두워진다. 검은 몸체의 중앙에 조그만 붉은 심장이 있다.

심장은 발갛게 뛰고 있다.

엄마가 주전자에서 누룽지 물을 따라준다. 밥솥을 온종일 켜놓으면 그 밑바닥에 남겨지는 물인 것 같다. 엄마가 마셔보라며 몸짓으로 부추기는 바람에 그릇을 입에 가져다 대고 맛을 본다. 순간 내가 눈을 가늘게 뜨면서 입을 꽉 다물어버리자 엄마와 친구분들이 웃음을 터뜨린다.

처음에 나는 엄마의 친구들이 나를 보러온 것으로 생각했다. 잃어버린 딸이라니, 좀 기이하고 놀라운 존재일 테니까. 그러나 늦은 아침이나 이른 오후에 찾아오는 방문객들은 내게 그다지 관심이 없어 보였다. 그렇지 않다면 대체 그들은 내 외모를 살피거나 나에 대해 삼인칭으로 이야기하는 것 외에, 한국말을 할 줄 모르는 나와 무엇을 할 수 있었겠나? 대부분의 손님은 엄마의 정기적인 방문객들이었고 엄마는 과실주와 배를 쟁반에 차려 대접했다.

한국 가족이 나에 대해 갖고 있을 것으로 생각했던 수치심은 모두 어디에 있을까? 아동가정협회는 모국 방문단의 일원으로 한국을 찾는 입양인들이 실망할 것에 대비해 신중하게 사전 교육을 시켰다. 협회는 우리에게, 한국의 많은 여성들은 미혼의 신분으로 원치 않게 임신한 사실을 가족에게 알리지 않는다고 경고했다. 그런 경우, 가족이 그녀들을 너무나 수치스럽게 여기기 때문이다. 결국 가족은 버려진 아이가 있다는 사실조차 알지 못하고, 버려진 아이는 여성 혼자만의 비밀에 부쳐진다. 따라서 아이의 어머니가 아이를 만나는 데 동의한다 하더라도 그 만남은 비밀리에, 짧게 이루어져야 한다.

엄마의 친구들은 이미 우리 모녀의 이야기를 알고 있었다. 그건 엄마가 수많은 사람에게 수없이 들려준 이야기였다. 엄마가 기억하는 한 나는 늘 그녀의 삶 속에서 유령 같은, 그러나 부인할 수 없는 존재였다. 그런 사실이 막내인 여동생 명희에게는 유감스러웠을지도 모른다. 그러나 명희는 설령 자신이 무시당한 기분이 들었다 해도 그런 감정을 내게 얘기하지 않았을 것이다. 한국의 예법상 그런 식으로 손윗사람을 무례하게 대하지는 않으니까.

엄마를 방문한 아주머니들은 서로의 일상과 집에서 마음 편히 느끼는 아주 오래된 친구들 같았다. 그들은 방문할 때 노크 대신 계단을 내려오면서 큰 소리로 자신들의 출현을 알리고, 현관에서 신발을 벗은 뒤 별다른 안내 없이 큰방으로 들어와 양반다리를 하고 앉은 채 오래도록 수다를 떨었다. 다들 말끔히 다린 바지와 화려한 블라우스 정장차림에 보석 장신구와 화장도 빼먹지 않았으며 수박과 얇은 아몬드 쿠키, 설탕에 찍어 먹을 떡을 가져오곤 했다.

엄마는 친구들 중 단연코 가장 활기 넘치는 사람으로, 작은 손을 잠시도 가만있지 않고 놀려대며 이런저런 몸짓을 취한다. 마치 엄청난 에너지를 그 작은 몸 안에 다 수용할 수 없다는 듯이 말이다. 또 이쑤시개로 배를 쿡 찔러 와작와작 먹고 나면 이빨을 깨끗이 핥고 바지 단추를 푼 다음 트림을 한다. 아주머니들은 한 시간 동안 줄기차게 웃고 떠든 뒤에야 각자의 집으로 돌아간다.

"엄마는 쾌활한 사람이야." 은미 언니와 명희가 한영사전을 뒤적이더니 말한다. 엄마가 다른 사람들과 다른 점은 이런 것일지도 모르겠다. 엄마는 외모에 신경을 쓰지 않았다. 화장과 보석 장신구로 치장하는 일이 없었고, 짙은 적갈색으로 머리카락을 염색하는 것만이 유일한 허영이었다. 엄마는 천성대로 사는 사람이라, 그걸 받아들이든지 아니면 가만 내버려두어야 했다. 남편에게서 도망쳐 나와 훗날 이혼하고, 자식 둘을 떠나보냈으며, 빌딩 청소로 생계를 꾸려온, 감정이 격한 여자. 그런 엄마를 그대로 받아들이지 않으려면 건들지도 말아야 했다. 엄마를 아는 사람들은 그녀를 존중했고, 그렇지 않은 사람들이 주위에 있다 하더라도 엄마는 신경 쓰지 않았을 것이다.

내 육촌형제인 기성 오빠도 정기적으로 찾아오는 손님들 중 한 사람이었다. 기온이 높든 낮든 경기가 좋든 나쁘든 간에, 그는 늘 비즈니스맨의 옷차림—양복저고리에 흰 셔츠, 빳빳하게 다린 바지 —이었다. 패턴 무늬의 양말 또한 넥타이만큼이나 그의 정장 차림에 중요한 요소였다.

기성 오빠는 엄마에게 펜과 종이를 빌려 우리 집안 가계도를 그린다. "남자들!" 하고 말하며 사각형을 줄지어 그리더니 그 사각형을 동그라미에 연결하며 "여자들!" 하고 말한다.

그는 자신이 내 외할아버지 형제분의 손자라고 설명한다. "뭐라고요?" 나는 언어의 난관에 부딪혀, 어떤 분이 나와 어떤 관계로 연결되는지 헷갈릴 때가 많다. 내가 느낄 수 있는 것은 오빠를 비롯한 어머니 쪽 친척들은 모두 우리와 친하게 지내는 가족이며, 반면 아버지 쪽 친척들은 어딘가 미심쩍다는 사실이다.

엄마 형제인 외삼촌 또한 사랑하는 가족이다. 그는 내 손을 잡고서 놀라움이 가득한 목소리로 엄마에게 말을 건넨다. 체구가 작고 가무잡잡하며 엄마를 판에 박은 백발의 노신사는 깨끗한 흰 셔츠와 회색 바지를 입고 가죽 혁대와 반짝이는 손목시계를 차고 있다. 금니가 금테 안경과 어울린다. 은퇴한 회사 중역처럼 보이지만 어떤 사업을 했는지는 모른다.

"네 어머님 형제분이 너를 미국에 보내도록 도와주셨어." 기성 오빠가 말해준다.

구월의 그날, 엄마가 마음이 너무 심란하여 맨발인 채로 자식들을 공항에 데려간 날, 엄마에게 신발을 사준 사람이 바로 이 외삼촌이 아닐까? 엄마는 그날의 유품으로 그 신발을 늘 간직하고 있다고 했다.

훗날, 엄마가 돌아가시고 난 뒤 한국 풍습에 대해 더 많이 알게 되었을 때, 나는 외삼촌이 왜 나를 입양하지 않았는지 의아했다. 나라를 황폐하게 만든 한국 전쟁과 뒤따른 산업화 이후로 그런 관습은 거의 불가능해졌지만, 순수한 가계 혈통을 유지하기 위해 가까운 친척의 아이를 입양하는 것이 한때는 보기 드문 일이 아니었다. 혹 외삼촌은 그러고 싶었으나 그럴 수 없었는지 모른다. 내 아버지가 두려웠거나 외숙모가 원하지 않았거나, 아니면 필시 한 입 더 먹여 살릴 여유가 없었기 때문이리라.

외삼촌은 엄마와 얘기를 나누던 중 목소리가 조금씩 떨리더니 안경을 젖히고 재빨리 눈물을 훔친다. 그가 나를 애틋하게 여기며 거의 어머니만큼이나 죄책감을 느낀다는 걸 알겠다. 떠나면서 그는 빳빳한 지폐 뭉치를 내 손에 꼭 쥐여준다. 그토록 나이 드신 분에게 돈을 받는 마음이 편치는 않지만 거절하기보다 받는 편이 낫겠다. 그것은 자신이 내게 마음을 쓰고 있다는 것과 가족이 오래전에 나를 잘 돌볼 수 있었다면 좋았을 것이라는 아쉬운 염원을 그가 내게 보여주는 방식이기 때문이다.

엄마는 소유하고 있는 게 거의 없다. 선택에 의해서든 필요에 의해서든 한 사람이 사용할 수 있는 것보다 더 많은 것을 소유하는 미국식 습관, 즉 언젠가 필요할지도 모를 때를 대비해 물건들을 사서 재어두는 습관 따위는 없다. 매일 사용하는 일용품 그리고 정서적 가치가 크기에 보관해두는 물건들만 있다. 촛불 옆에는 두 개의 묵주로 장식된 육십 센티미터 높이의 성모 마리아 상이 있는데, 엄마의 귀중한 소유물 가운데 하나이다.

"네 어머님은 가톨릭 신자야. 오 년 전에 불교에서 개종을 하셨어." 기성 오빠가 설명해준다.

엄마에게는 옷가지 몇 벌과 얇은 수건 몇 장, 침구와 그릇 몇 점이 있을 뿐이다. 내가 다닌 대학의 교기와 졸업 사진, 크리스털 촛대 등 내가 지난 수년에 걸쳐 엄마에게 보낸 물건들도 아파트 여기저기에서 눈에 띈다.

검은 칠기 장롱의 절반은 침구로 채워져 있고 나머지 반은 옷걸이 용 막대와 높은 선반이 놓여 있다. 엄마는 이 선반에서 커다란 상자 하나를 끄집어내어 바닥에 내려놓고 가족사진들을 꺼내기 시작한다.

그중에는 내가 유치원 발표시간에 친구들에게 보여주었던 것과 똑같은 사진이 있다. 나는 본 적이 없는, 미국 엄마 아빠의 옛날 사진도 있고 그들의 인적사항이 영어로 쓰여 있다. 입양아 배치담당 사무소에서 보내온 것이다. 내가 어렸을 때 가필드 편지지에 써서 보낸 편지도 있다. 아, 이것이야말로 엄마가 줄곧 거기 있었다는 증거이다. 엄마는 신화적 인물도, 가공의 인물도 아니었다. 그저 서류상에 기재된 이름만도 아니었다. 줄곧 실재해온 인물이었으며 자식들을 다시 만날 날을 위해 상자 속에 물건들을 모아둔 어머니였다.

엄마는 아버지 사진들과 자기 사진들도 보여준다. 어떤 사진은 가장자리가 불에 탄 흔적이 있다.

"네 아버지가……" 기성 오빠가 왠지 쭈뼛거린다. "이 사진들을 태웠어. 다 태워버리기 전에 어머님이 치워두셨던 거야."

엄마는 당시의 상황을 재연해 보인다. 사진들이 바닥으로 마구 떨어져 내리는 가운데, "아이고, 아이고!" 탄식하며 사진들을 줍고 상상의 불꽃을 밟아 끄느라 분주히 몸을 움직인다.

미국에 가져가라며 엄마가 아버지 사진 한 장을 내민다. 나는 아버지를 비틀거리는 주정뱅이로 상상해왔는데, 정상적인 남자의 모습이다. 그는 양철지붕 집 앞에 서 있고 은미 언니와 당시에는 미자였던 캐럴 언니가 그의 옆에 서 있다. 분홍빛 꽃들이 만개했다. 사진은 찬란한 봄 하늘의 일부분이던 한쪽 귀퉁이가 불에 타고 없다.

우리는 사진과 서로의 얼굴을 요리조리 뜯어본다.

놀랍도록 닮았다. 그 사실이 전혀 놀랄 일이 아니라는 게 아이러니이다. 가족끼리 성격이나 외모가 닮는 건 지극히 정상이니까. 가족은 서로 외모가 비슷하고 행동이 비슷한 경향이 있다. 그러나 우리에게는 그런 사실이 즐거움과 자부심의 대상이었다. 내가 우리 가족의 외모와 성향에 꼭 들어맞는 것을 보고 우리는 놀랐다. 나보다 몇 년 뒤 캐럴 언니가 왔을 때도 온통 똑같은 놀라움이었다. 마치 미국에서 살아온 세월이 마땅히 우리의 피를 묽게 만들었어야 했다는 듯이 말이다. 그러나 세월은 그런 힘이 없었고 우리의 피는 묽어지지 않았다. 우리는 고스란히 그대로였고 고스란히 유전적으로 한가족이었다.

"쎄임-쎄임(똑같네)." 영어 단어를 알고 있는 은미 언니가 똑같이 생긴 우리의 손부터 시작해 비슷한 머리카락 색깔, 귀, 코, 입을 차례로 가리키며 닮았음을 지적한다. 나는 성격상의 특징을 따져 "나, 은미 언니, 엄마!"라고 말하고는 과장되게 울고 웃는 흉내를 내는 것으로, 우리 세 사람이 다 같이 감정적 유형의 사람들임을 보여준다. 그런 다음 "명회, 캐럴 언니!"라고 말하며 입술을 일직선으로 꾹 다물어 가능한 한 무표정한 얼굴을 만들어 보인다. 이런 익살에 은미 언니는 미소를 지으며 고개를 끄덕이고 명회는 표정 없이 말없이 동의한다.

은미 언니는 공항에서 나를 처음 보자마자 바로 알아보았다고 한다. 걷는 모습 때문이었다. 우리 자매들은 여러모로 걸음걸이가 똑같은데, 구두 뒷굽이 높으면 높을수록 그 특징이 확연히 드러난다. "발을 들어!" 미국 엄마가 늘 내게 지적하곤 했다. 나는 최선을 다해 발을 들어 올리며 거위걸음을 시도해보았지만 발을 질질 끌며 정전기를 일으키고 다니는 내 타고난 걸음걸이로 늘 되돌아가고 마는 것이었다.

"위 아 쏘-리(우리가 미안하구나)." 은미 언니가 학교에서 배운 영어로 또박또박 조심스레 말한다. "널 멀리 미국으로 보내서 말이야. 힘들지? 한국 사람들도 없는데."

나는 순간, 놀라움을 감추기 위해 테니스화로 눈길을 돌리지만 두 눈썹은 본의 아니게 두 개의 산봉우리처럼 솟아오른다.

은미 언니의 진실은 본능에서 우러나온다. 이론이나 학문적 연구에서 나오는 것이 아니다. 나는 이렇게 꾸밈없는 날것의 진실에 익숙하지 않다.

내가 익숙한 진실은 미니애폴리스풍의 도시적이고 자유롭고 진보적인 것이다. 과거에 히피였던 자들이 오리지널 버켄스탁 샌들의 밑창을 열다섯 번이나 갈아 신으며 과시하는 그런 케케묵은 종류의 진실, 중년의 백인 정책입안자들—유기농 제품을 매일 먹을 수 있고 값비싼 친환경 제품(재활용이 가능하고 동물 실험을 거치지 않은 제품)을 소비하는 돈 많은 자들이면서도, 구슬 귀걸이에다 지상의 최빈국 에콰도르에서 만들어진 옷을 입고서 스스로 구세주의 이미지를 복제하고 인권운동이니 환경운동이니 부르짖으며 현시대의 가장 폼 나는 트렌드를 이끄는 자들—이 누리는 특권과 같은 그런 종류의 진실 말이다.

자유롭고 진보적인 미니애폴리스풍의 진실은 인종차별을 하지 않으며, 한마디로 자동차 범퍼에 붙여진 이런 선전광고 스티커로 요약될 수 있다. '가정을 이루는 데 필요한 조건은 바로 사랑이다!' 인종은 문제 되지 않는다. 결정권자들이 범법 행위라는 무거운 짐 앞에서 결국 자기 조직에 포함된 '유색인종'의 수를 헤아려보기 전까지는 그렇다는 말이다. '유색인종'은 조직이 자금을 제공받는다는 뜻이고 격려를 받는다는 뜻이며 더 힘 있는 결정권자들로부터의 처벌을 면한다는 뜻이다.*

나는 겉은 노랗고 속은 하얀 트윈키 케이크처럼 대학 시절 모든 서류에 '백인'이라고 써넣었다.

진짜 이유: 나는 한국인이 되고 싶지 않았다. 한국이라는 나라는 집에서는 말도 꺼낼 수 없는 곳이었고, 학교에서는 아이들이 나를 힐금힐금 흘겨보게 만들었다. 한국은 내 얼굴이 돌연변이로 보이게 한 이유였고, 안경이 내 콧등 위에 가만히 올라가 있지 못한 이유였으며, 내 체구에 맞는 옷을 찾기 어려운 이유였다. 몇몇 부모들이 자기 자식을 나와 놀지 못하게 한 이유, 몇몇 아이들이 나를 칭크혹은 쌀 줍는 아이라고 당당하게 놀릴 수 있던 이유, 그런데도 어른들이 나를 방어해줄 필요를 못 느낀 이유였다.

자기 기만적인 이유: 외적인 것(한국인의 몸)보다 내적인 것(미국인의 정신)이 중요하다. 나는 '문화적으로' 백인이기 때문에 '백인'으로 체크한 것이다.

그러나 매학기 내 수강신청서는 학적과에서 '아시아-태평양 군도인(人)'으로 정정되어 돌아왔다. 자유롭고 진보적이며 다양성을 갖춘 사립 루터파 대학은 모든 종류의 범아시아 관련 행사에 나를

---

* 미국에는 'Affirmative Action(적극적 우대정책)', 즉 상대적 약자인 여성과 유색인종이 교육과 고용에서 차별당하지 않도록 학교와 기업이 일정 비율 이상의 여성과 유색인종을 받아들일 것을 의무화한 정책이 있다. 기준 이상의 비율을 받아들이는 조직은 자금을 제공받기도 한다.

초대했을 뿐 아니라, 내가 입학시험 성적 우수자의 자격으로 대학 일 학년 작문 수업을 듣지 않아도 되는 몇 안 되는 학생들 중 한 명이자 전액 장학금을 받고 입학한 학생이라는 사실을 망각한 채 영어 개인지도 및 관련 학원 정보지들을 내 우편함에 가득 채워 넣곤 했다.

미네소타 시골 사람들과 도시의 진보적 자유주의자들 중 어느 쪽과 교제하느냐 하는 선택의 상황에 직면한다면, 어떠한 경우에도 나는 인종차별적이지 않은 공정한 길을 택할 것이다. 그러나 상황은 여전히 거북하다. 마치 늑대에게 양육되어 온 인간처럼.

나는 진실에 대한 내 공식적 입장을 말하리라 결심하고 테니스화로부터 눈길을 거두어 언니를 올려다본다.

"걱정 마. 엄마는 옳은 일을 한 거야. 난 행복하게 자랐어. 미국에서 한국인으로 사는 건 아무 문제 없어."

내 미소는 과장되어 있다.

우리는 시장에 옷감을 사러 가는 중이다. 어깨들이 서로 밀고 밀리는 빽빽한 인파를 뚫고서 우리는 종종걸음을 치고 있다. 김이 피어오르는 밥과 국이 얹힌 쟁반을 머리에 이고 가는 사람들에게 언제라도 떠밀릴 수 있는 형국이다. 칸칸이 들어선 점포들은 무엇을 파느냐에 따라 의류, 보석, 안경, 가죽 등의 제품군으로 구역이 나뉜다. 한복점들은 다 같은 층에 위치해 있다. 우리는 괜찮은 옷감을 찾을 때까지 손가락으로 이것저것 가리키며 쭉 걸어간다.

엄마는 내가 한국의 전통의상에 대해 아는 것을 중요하게 여겼다. 우리가 미국에서 보낸 첫 크리스마스 때 미국 엄마와 언니에게 한복을 선물로 보내면서 사진을 찍어 보내달라고 부탁하기도 했다. 미국 엄마 아빠의 앨범 어딘가에는 엄마가 십 개월 된 나를 안고 언니를 옆에 세우고 찍은 폴라로이드 사진이 있다. 사진 속의 그들은 한복을 입고 고양이 눈 모양의 안경을 쓰고 있다. 이 사진은 한국 가족에게 전해지지 못했는데, 미국 엄마의 말에 따르면 보낸 사진이 되돌아왔다고 한다.

엄마는 어느 한복점에서 가격을 확인하더니 이 점포에서 사기로 결정한다. 한복점 주인이 돌아서서 내게 뭔가를 물어본다. "미안해요. 몰라요." 내가 한국말로 더듬거리자 주인의 환한 얼굴에 당황하는 빛이 스치는데, 엄마가 나에 대해 설명을 해주니 주인이 그제야 친절하게 고개를 끄덕인다. 다른 한복점 주인들도 그 말을 듣고서 다들 우리 쪽으로 눈길을 돌려 나를 쳐다본다. 무례하게 느껴지지만 엄마는 신경 쓰지 않는다. 엄마는 남들이 어떻게 생각하든 상관하지 않는다. 오직 딸을 위해 옷을 사는 중이다.

이런 식으로 우리는 시장을 돌아다닌다. 내가 낯선 사람과 얘기를 해야 할 때마다 엄마나 은미 언니가 그 즉시 설명해준다. 그러면 그것으로 끝이다. 내게 더 이상의 질문은 없다.

사람들이 나를 일본인이나 지진아로 착각하지 않도록 엄마와 언니가 나를 대변해주고 나를 방어해주는 것이 기분 좋다. 그들은 있는 그대로의 내 모습을 감싸준다. 나를 부끄럽게 여기지 않는다. 한국말을 못하고 알아듣지도 못하며 매일 수만 가지 실수를 저질러도 나를 창피 주지 않는다. 가족이기에 무조건적으로 나를 돌봐주고 사랑해준다.

나는 적자색 옷감을 고른다. 선명하지만 야하지 않을 정도로 균형 잡힌 색상이라는 점에서 전형적인 한국의 옷감이다. 금빛 은빛 새들이 파랗고 푸르고 또 보랏빛을 띠는 소용돌이에 둘러싸여 있고 꼬리들은 날아가는 기쁨으로 반짝거린다.

뻣뻣한 옷감이 더 보드라운 촉감의 흰 안감 위에 덧대어 꿰매지면 겨드랑이에서 바닥까지 내려오는 긴 주름치마가 되고, 고리 끈이 달려 어깨에 걸쳐질 것이다. 소맷자락이 긴 저고리가 옷고름을 달고서 치마 위에 입혀질 것이다. 나는 당혜를 신어본다. 위로 살짝 들린 앞 코에 꽃 자수가 놓이고 공단으로 만들어진, 폭이 좁은 카누 모양의 신발이다.

"나비다—." 은미 언니가 천장에 걸려 있는 한복을 만진다. 어리둥절한 내 표정에 언니는 당장 사전을 찾아 '퍼—터—프라이'라고 일러주며 가벼운 한복 옷감을 앞뒤로 흔들어 보인다. 잔물결을 일으키는 주름치마와 넓은 소매 옆에서 옷고름이 덩실덩실 춤을 춘다.

그럼에도 내가 여전히 난감한 기색이자 언니가 사전을 건네며 손가락으로 영어 단어를 짚어준다.

"버터플라이." 단어를 보고서 내가 말한다.

"아, 버—터—프라이!" 언니가 따라 한다. "한복이 버터플라이 같아."

그 순간 우리를 둘러싼 선반 가득 한 무리 나비 떼가 차례로 날아오르려고 이제 막 날갯짓을 터뜨릴 것만 같다.

한복 재단사가 저고리를 만들기 위해 내 가슴둘레와 팔 길이를, 치마를 위해 어깨부터 발까지의 길이를 잰다. 이윽고 "가자!" 하며 손짓하는 엄마를 따라 우리는 다시 길을 나선다.

엄마를 따라잡으려면 달려야 할 지경이다. 다리를 휙휙 날리며 검은 머리카락의 인파를 가르고 나아가는 엄마.

우리는 계단을 총총히 올라가 보석상의 좁은 문간으로 들어선다. 깨끗한 유리 상자들 안에 금과 옥이 가득하다. 엄마가 점원에게 왜 내가 한국말을 못하는지 늘 하던 대로 설명해준다. 샤넬 머리핀을 꽂은, 예의 바른 젊은 점원이 "아―" 하는 콧소리를 내며 나를 쳐다보고는 연민의 눈인사를 보낸다.

"초이스-해(골라봐)." 은미 언니가 한국식 어투의 영어로 말한다. 높은 음색에 어린 소녀 같은 언니의 말투는 무한정 달콤하다. "마더 바이(엄마가 말이야)……" 언니가 멋쩍은 듯 웃는다. 영어를 자주 쓰지 않아 발음에 자신이 없는 것이다. "주얼리 포 아메리칸 마더(네 미국 어머니께 드릴 선물로 보석을 사려고 해)." 미국에서 온 내 귀에는 이렇게 들린다. '마―다 바이야 주―어―리 포 아메―리카―나 마―다.' 미소가 절로 나온다.

나는 작고 비싸지 않은 것들을 가리키며 고개를 끄덕여 보인다. 그러나 엄마가 미국 부모님께 자신의 고마운 마음을 보여주기에는 충분치 않은가 보다. 엄마와 언니는 지르콘 큐빅들이 가장자리를 따라 박힌, 엄청나게 큰 옥반지를 고른다. 보석상 주인이 보슬보슬한 분홍 상자에 반지를 넣어준다.

"초이스-해, 테일-로(테일러에게 줄 선물을 골라봐)." 언니가 또 고르라고 한다.

조카 이름을 말할 때 언니의 음조는 꼭 종이비행기의 비상 궤도 같다. 높고 빠르게 호(弧)를 그리며 날아가다가 둘째 음절에서 휙 떨어져 내린다. 우리는 테일러에게 줄 선물을 고르기 시작한다. 조카 테일러는 캐럴 언니의 두 살배기 아들로, 붉은 머리카락에 반은 한국계, 사 분의 일은 그리스계, 또 사 분의 일은 알 수 없을 만큼 섞여버린 유럽인종의 혼혈이다.

우리가 윗부분이 납작하고 둥글며 선(線) 세공이 된, 아주 조그만 금반지를 고르자 주인이 유리 상자에서 그것을 빼내어 상자에 넣어준다.

"초이스-해, 캐-롤(캐럴에게 줄 선물을 골라봐)." 언니가 또다시 고르란다.

엄마는 캐럴 언니와 나를 자신이 지어준 이름으로 부르지만 자매들은 영어를 연습하고 싶어서 종종 미국 이름으로 부른다. 내 이름의 경우는 훗날 내가 한국을 세 번째 방문해서 한 달간 머무는 동안 바뀌게 되었는데, 그때부터 그들은 나를 경아라고 부르게 되었다. 그러나 내가 대화 속에 거론된 내 이름조차 제대로 가려듣지 못하던 이때는 우리를 제인과 캐럴로 불렀다.

마지막으로 우리는 내 선물을 고른다. 나는 엄마가 쓰고 있는 돈의 액수에 아연실색할 지경이지만 선물을 거절하는 것이 오히려 무례할지도 모르기 때문에, 귀에 조그맣게 달라붙는 금귀걸이와 체인 목걸이를 고른다.

"아니야, 너무 작아!" 은미 언니가 소리친다.

"난 이게 좋아!" 내가 되받아친다. 나는 언니가 알아듣기 쉽게, 높은 음색에 콧소리 나는 서울식 억양을 잔뜩 곁들인 쉬운 영어로 말한다.

옥신각신하다 보니 좀 더 큰 것으로 골라야 한다는 쪽이 대세이다.

그리하여 이제 곧 자신이 전위적이고 쿨 하게 될 거라고 생각하는, 똑똑한 척하며 순진하기 그지없는 대학 졸업생처럼, 혹은 이국적인 토착 문화를 흉내 내보려 하지만 제대로 이해하지도 못한 채 형편없이 실패하고 마는 어리석은 미국인처럼, 나는 금으로 된 만(卍)자형을 고른다. 만자는 불교의 상징이기 때문에 미국에 가져가도 흥미로울 것이고, 그것을 착용하고 다니면 내가 굉장히 이국적으로 보이리라 생각했으며, 그것이 불교의 상징이라는 것을 알고 있는 나 자신에게 아주 만족스러울 거라는 이유로.

그러나 그걸 본 은미 언니가 눈이 빠질 만큼 헐떡이며 말한다.

"마-다 이-스 캇-토-릭(엄마는 가톨릭 신자야)!"

나는 무척이나 당황하여 어떻게 사과해야 할지 모르겠다. 혼자 마음속으로 지껄일 수밖에 없다. 바보, 바보, 이 바보야! 대체 뭘 생각하고 있었던 거야?

언니와 엄마가 지르콘 큐빅으로 덮인 금 십자가를 날렵하게 고르고, 엄마가 점원에게 돈을 한 뭉치 건네고, 목례와 인사말이 서로 오가는 와중에 우리는 벌써 문밖으로 돌진한다.

세 사람은 서둘러 길을 내려간다. 훌륭한 정장 차림인데도 두 딸보다 더 날랜 엄마, 짙은 남색 원피스 차림에 구두를 신고 서울 사람 특유의 질질 끄는 걸음으로 걷는 은미 언니, 그리고 나는 미국에서처럼 짧은 반바지 밑으로부터 테니스화까지 쑥 내놓은 맨다리로 그들을 뒤쫓는다. 끈으로 묶어야 하며 전혀 여성스럽지 않은 이 신발은 점점 불편해진다.

"빨리 빨리!" 엄마가 어깨너머로 소리친다. "어여 와!"

—◡—

그것은 다른 위대한 진리들이 오듯이 그렇게 내게로 왔다. 귀를 통하지 않고 들려온 어떤 목소리로부터.

거의 일주일을 엄마의 아파트에서 지내는 동안 잠에서 깨는 순간부터 잠자리에 들 때까지 온종일 한국말에 둘러싸여 있었다. 그런 나에게는 미국에서 가져온 존 해슬러의 소설이 정신 안정제와도 같았다. 매일 밤 잠자리에 들기 전 나는 그 책에 매달려 미네소타의 시골 마을과 그곳 영어 교사들과 목사들을 묘사한 문장들을 읽고 또 읽었다. 그러나 그 주가 끝날 무렵 한국말이 꿈속까지 스며들기 시작했다.

그 꿈은 줄거리가 있는 이야기가 아니라 그날 하루 동안 들은 소리들의 재탕이었다. 알아들을 수는 없었지만 거기, 한국말이 있었다. 한국 여인들이 얘기를 나누고 있었고 나는 그들이 무슨 말을 하는지는 알지 못했지만, 그것은 철저히 한국말로 된 꿈이었다. 그러고 나서 뭔가 정말 기이한 일이 일어났다. 잠에서 깨지 않았는데도 그 꿈은 흩어져버린 것 같았고, 남은 것은 일종의 고조된 현실이었으며, 그로부터 아주 우렁찬 목소리가 떠올라 이렇게 물었던 것이다. "네 이름은 무엇이냐?"

나는 그 목소리에 답했다. "내 이름은 경아입니다. 전에는 아니었지만, 지금은 그렇습니다. 내 이름은 경아입니다."

각 가정의 요리사는 현대판 연금술사다. 비금속(卑金屬) 대신 늙은 닭의 심장과 간, 부러진 등짝과 날지 못하는 날개를 가지고 요리를 시작한다. 이 재료들을 끓인 뒤 걸러낸다. 탐탁지 않은 부분들을 제거하고 바람직한 맛을 살린다. 맑은 콩소메 수프, 토스트와 애플링을 곁들인 닭의 간 파이, 그리고 호박(琥珀) 빛깔 속에 꽃 모양의 당근 조각들을 띄운 반구형의 고기 젤리를 차려낸다.

또 다른 요리법을 생각해보자. 한국에서 대대손손 이어 내려온 혈통, 유교와 무속신앙과 전쟁의 역사가 각인된 그 혈통을 이어받은 한 소녀를 재료로 삼는다. 소녀를 산이 많은 나라에서 떼어 낸다. 레드 리버와 미시시피 강 사이에 펼쳐진 밀밭에 심는다. 세례를

준다. 교육으로 세뇌시킨다. 그녀 자신이 누구인지 말해준다. 진실이 무엇인지 말해준다.

무슨 일이 생기는지 볼까?

기형(畸形)의 생명체에 열광하고, 자웅동체와 샴쌍둥이에게 매혹당하고, 쌍어궁(雙魚宮)을 비롯해 대립적인 쌍으로 존재하는 것들에게 병적으로 집착하는 모습을 보라. 소멸하지 않을 몽상의 뒤를 밟아보아라. 벤치 위에 한 늙은 여인의 환영이 있으리니, 죽은 육신은 허리에서 고부라져 벤치 위로 쓰러져 있지만 정신만은 등을 꼿꼿이 세운 채 똑바로 앉아 있을 것이다.

피의 언어

제인에게.

너는 용감한 여자야. 너로 인해 나는 이렇게 살아 있어. 나는 기생충 같은 존재. 네가 존재하기 때문에 나도 존재하는 거야. 네가 태어나지 않았다면 나는 죽었을 거야.

우리는 서로 심장과 얼굴, 마음과 몸을 공유하는 한 쌍이지만, 사람들이 나를 보지는 못해. 오직 너만이 보이는 존재로 살아가는 복을 얻었어. 나는 네 뒤에 숨어야 하지.

나를 보살펴줘. 알지? 이 몸은 진정 내 것이니 잘 부탁해. 네가 지금 보고 있는 얼굴, 그건 내 얼굴이야. 네가 먹고 일하기 위해 사용하는 손, 그건 내 손이야. 너는 내게 빌린 삶을 살고 있는 거야. 잊지 말아줘.

경아가.

내가 마음잡고 살아보려고 고군분투하는 동안 캐럴 언니는 미자의 몸을 빌려 우리 한국 어머니의 유전자를 아이에게 물려주었는데, 어머니는 살아생전에 그 외손자를 만나보지 못했다. 테일러는 미식축구 스타 선수였던 아빠와 수완 좋은 엄마 사이에서 태어난 아들이었다. 그 엄마 캐럴은 사춘기가 시작되면서부터 예쁘고 인기 많고 영리했다. 그건 미국 엄마와 나로서는 결코 다가갈 수 없는 영역이었다. "네가 그 선생하고 갈보처럼 놀아나지 않는다면 이렇게 좋은 점수는 못 얻겠지." 미국 엄마는 캐럴을 비꼬아대곤 했다.

미국 엄마는 입양을 통해 우리를 창녀가 될 운명으로부터 구한 셈이었다. 비록 우리의 자유분방한 성적 에너지가 본의 아니게 밖으로 새어나오긴 했지만 말이다. 어느 늦은 밤 네 살과 여덟 살 난 어린 두 딸이 자기들 방에서 수음하고 있는 장면을 목격했을 때, 엄마는 폴리에스테르 잠옷을 입은 상태로 광분했다. "거기 밑이 가렵니? 의사한테 데려가야겠어?" 엄마는 소름이 끼치고 분노가 치밀었다. 딸들이 이런 육신의 죄악에 빠졌으니 엄마로서의 역할은 실패였다. 훗날 캐럴이 남자아이들과 놀아난다는 생각만 들어도 엄마는 즉시 언니를 기도하게 하고 집 안 청소를 시켰다.

그러나 신이 아무리 중재하고 소독제를 아무리 써대도 큰딸을 사악함에서 구해내지는 못했다. 딸아이를 좁고 바른길로 인도하기 위해서는 루터파 교회 목사님의 가정 방문이 필요했다. 결국 인간이 천국에 들어가기란 낙타가 바늘귀 통과하는 것만큼 어려운 법이므로. 선한 목사님이 방문했으나 특별히 놀랄 만한 점은 없었다. 그래서 순교자 엄마는 제자리로 돌아가 배은망덕하고 도리를 벗어난 음탕한 죄인을 다시 떠맡게 되었고 의지할 데라고는 교회 도서관뿐이었다. 엄마는 유명한 보수주의자이자 의사인 제임스 돕슨 박사의 책을 최대한 많이 대출해왔고, 매일 새롭고 적절한 기도문을 제공해주는 『기도 입문』은 반드시 읽었다.

한국에 있을 때 어린 캐럴을 괜한 편견으로 보게 했던 특징들이 할로우에서는 오히려 이롭게 작용했다. 언니의 피부는 나보다 더 희고 눈은 더 크고 얼굴은 덜 넓적하며 속눈썹은 부드럽게 휘었다. 거의 갈색에 가까운 머리카락은 중력에 굴하지 않고 깃털처럼 나풀거렸다. 게다가 언니는 지나치게 괴짜도 아니고 지나치게 내성적이지도 않았다. 뭔가 하나에만 특출한 타입이 아니라 이런저런 능력들을 놀랍도록 조금씩 두루 갖춰, 여자아이들과 남자아이들 모두에게 인기가 있었다. 영리하지만 책벌레는 아니고 운동도 좀 하고 음악도 좀 하는, 나보다 네 살이 많은 언니야말로 내가 닮고 싶은 이상형이었다.

그리고 엄마의 염려에도 불구하고 언니는 남자아이들과 놀아나지 않았다. 남자친구를 집에 데려올 경우 무슨 일이 일어날지 두려워 부모님의 집을 지어준 목수의 아들하고만 겨우 데이트를 해봤을 뿐이었다. 그는 사전 승낙을 받은 상태였고 어쨌든 지붕을 고쳐주러 우리 집에 들르게 되어 있었다. 그러나 언니는 대학 시절 무려 다섯 건의 결혼신청을 받는 쾌거를 올리다가, 정신건강 분야와 관련된 첫 직장에서 일하고 있을 때 드디어 직장 동료에게 결혼을 승낙해주었다. 엄마는 언니가 연애에 성공한 것이 교활한 속임수를 쓴 결과이며, 일에서 성공한 것은 엄청난 아부의 증거라고 해석했다.

캐럴은 교활한 술책을 쓴 것이 아니었다. 언니는 미국 사회에 스스로 동화(同化)함으로써 자신의 질서정연한 삶을 이루어나갔다. 그녀의 동화 과정은 아주 완전무결한 것이었다. 자신의 한국 이름을 기억하지 못했고, 한국에 대해서는 눈곱만큼의 관심조차 없을 뿐더러 한국에 대한 내 관심에도 관심이 없었으며, 백인과 결혼한 뒤 교외로 이사를 가서는 스포츠유틸리티 자동차를 사고 아이를 낳았다.

그런 언니에게 변화가 찾아왔다. 우리는 대개 자식을 위해서라면 정말 하고 싶지 않은 일도 하게 되지 않는가. 이를테면 자기 병력(病歷)을 찾아보는 일 같은 것 말이다.

스토킹 사건 이후 내게 우울증이 발병하면서부터 언니와 나 사이에는 대화가 없다시피 했다. 솔직히 나는 함께하기에 재미있는 사람이 아닌 데다 우울증에서 비롯된 내 행동은 언니에게 나쁜 인상을 주었다. 그 당시 언니는 환자들을 감금하거나 엎드려 자세로 제압하는 등의 일이 빈번하게 발생하는, 어느 병원의 정신과 병동에서 일하고 있었던 것이다. 그런데 어느 날 오후, 내가 일하는 곳으로 언니가 전화를 걸어왔다.

"나 한국 간다. 뭘 가져가면 좋을까?"

엄마에게는 아름다운 묵주, 은미 언니에게는 꿀과 인스턴트 커피, 명회에게는 목걸이를 선물하라고 제안했다. 그러는 나 역시 언니에게 선물을 받은 셈이었다. 대화다운 대화 없이 수년이 흐른 지금 우리는 우리에게 얽힌 문제들—우리가 미국 가족에게 어떤 존재이며 한국 가족에게는 어떤 존재인가? 그리고 우리 두 사람을 함께 이어주는 사람은 누구인가?—을 풀어나갈 준비가 되었던 것이다.

한국 방문 계획이 빠른 속도로 추진되기 시작하면서 캐럴 언니는 나와 대화하는 중에 한국 어머니를 '네 어머니'가 아니라 '우리 어머니'라고 불렀다. 그러고 나서 '내 어머니'라고 부르기까지는 그 일주일간의 첫 한국 여행 이후 수년이 더 걸렸다.

"숨 막히는 기분 있잖아. 숨을 쉴 수가 없었어." 캐럴 언니가 어릴 적 한국을 떠난 이후 처음으로 그 땅을 다시 밟은 순간들에 대해 얘기했다. "비행기 안에서 한국을 내려다볼 땐 뭔가 기억나겠지 싶었거든. 그런데 아니야. 아무런 기억도 떠오르지 않고 그저 가슴만 답답한 거야."

"전혀 기억나는 게 없었어?" 내가 물었다.

"응. 기억날 줄 알았지. 어떤 냄새를 맡거나 한국말을 들으면 기억이 떠오를 거라 생각했어. 장소든 사람이든 아니면 그 어떤 거라

도 기억나는 게 하나도 없다니 믿기지가 않더라. 네가 생각하기에
도 내가 기억할 것 같지? 네 살 반 된 아이들에게도 기억이란 게 있
잖아. 테일러도 자기가 그 나이였을 때를 기억하는걸. 그리고 말이
야, 우리 어머니는 나한테 화가 많이 났어! 한국말을 못하는 게 이
해가 안 되나 봐. 또 김치를 좋아하지 않는다고 화를 냈어. 옛날에는
내가 그렇게 담가달라고 애걸하곤 했다는데, 특별히 나를 위해 담
가준 적도 있었다는데, 기억이 나야 말이지. 그리고 글쎄, 젓가락을
사용할 줄 모른다고 그걸 빼앗아 가더니 휙 던져버리는 거 있지."

캐럴 언니는 자신이 당한 모욕감을 토로해나갔다. 언니는 엄마가
왜 젖 물리는 장면을 재연해 보이려 했는지, 딸이 더 오래 머물다
가기를 얼마나 간절히 바랐는지, 아무것도 이해하지 못했다. 행여
엄마가 비행기 티켓이라도 훔쳐갈까 봐, 그리하여 비행기를 놓치
고 다시금 그곳에 붙들리게 될까 봐 두려웠단다. 어릴 적 언니는 미
국에 보내지기 오래전부터 아메리칸 드림을 꿈꾸던 아이였다.

언젠가 엄마가 들려준 이야기가 있다. 아버지가 엄마를 때릴 적
마다 은미 언니는 엄마에게 "함께 도망가요!"라고 했고, 캐럴 언니
는 "난 달러를 모아 미국에 갈 테야"라고 했단다. 필요한 것을 얻으
려면 어디로 가야 하는지 캐럴은 늘 알고 있었다.

미국에서 돌아온 딸이 기억을 까맣게 다 잊어버린 채 예전의 모
습과 너무나 달라진 걸 보고 엄마는 몹시 상심하고 화가 났던 것이
다. 왜 아무것도 기억하지 못했을까? 그러다 보니 캐럴은 한국에
있는 동안 은미 언니를 친구 삼아 지냈다. 한 번도 가져본 적이 없

던 언니라는 존재(은미 언니는 이 여동생을 기억하고 있었다)는 남편과 아이와 시어머니와 함께 살고 있었다. 캐럴은 은미 언니와 엄마의 관계에 감탄하고 말았는데, 가장 친한 친구 사이 같은 모녀는 함께 쇼핑하고 비밀을 나누며 서로에게 힘이 되어주고 있었다. 이런 모녀지간이야말로 캐럴이 미국 어머니와 진정 맺고 싶었던 관계였지만, 어머니보다는 학교 선생님들과 이런 친분 관계를 쌓기가 더 쉬웠다.

우리가 어디에서 사랑을 얻느냐 하는 문제인 것이다.

그즈음 떠오른 새 계획은 전에 같이 잔 적이 있는 남자들하고만 자는 것이었다. 생각건대, 그러면 남자들의 수를 다시 셀 필요가 없었다. 1998년을 보내는 마지막 날, 나는 이브닝드레스와 털목도리를 걸치고 클럽 트리플 록의 주크박스에 기대어 서서 붐비는 인파에 이리저리 밀리고 있었다. 펑크 록 밴드 전원이 거기 있었고 나는 밴드의 드러머와 시간을 보내고 있었다. 대학 동창인 그는 내가 새로 정한 기준에 맞아떨어지는 남자였다. 친구들은 그를 '프렌치'라는 별명으로 불렀다. 언젠가 클럽 퍼스트 애비뉴에서 그가 누군가의 입속을 한바탕 진하게 휘돌리는, 일명 프렌치 키스 장면이 목격되자 그 전설적인 사건을 기리기 위해 붙여진 이름이었다. 흥청망청 떠들고 노는 신년 파티는 기타리스트의 아파트로 이어졌다. 거기서 나는 데이트할 만한 반반한 밴드 멤버들과 그들의 여자 친구들이 한 사람씩 갈색 카펫에 얼굴을 박으며 곤드레만드레 취해가는 모습을 지켜보았다. 자욱한 담배 연기와 몽롱한 인간들에게 익숙해진 고양이들은 파티를 방해하지 않으려고 살금살금 거실을 지나갔다.

이월이었다. 한국으로부터 엄마가 심장이 좋지 않아 수술을 받을 예정이라는 전화를 받고 나서 위로를 얻고 싶어 프렌치에게 전화를 걸었다. 그는 연습 패드에다 드럼 채를 두들기는 동시에 음 소거 상태로 켜둔 텔레비전을 보느라 정신이 없었다. 어쩌면 약기운에 취해 있었는지도 모른다. 하긴 마리화나를 정기적으로 피워대고 있었기에 언제 맛이 가고 언제 맨정신인지 분간하기 힘든 친구였다. 나는 영원히 혼이 풀려버린 것 같은 그를 들볶았다. "남자친구처럼 좀 놀아주지 않을래?" 내 바람은 그가 당장 드럼 채를 내려놓고 내게 달려와 포옹과 위로와 따뜻한 차 한 잔을 안겨주는 것이었다.

그런 일은 일어나지 않았다. 많은 일들이 내가 원하는 대로 이루어지지 않는 것처럼. 그와의 관계는 넉 달을 더 끌다 끝이 났고, 실패를 거듭해온 내 연애 시리즈 중 가장 최근호가 되었다.

우리가 바운더리 워터스 카누 에어리어 야생공원으로 캠핑을 떠나던 날, 관계가 정말 끝났다는 걸 깨달았다. 우리는 먼저 캠핑 용품점에 들러 내게 어울리는 스카프와 취사도구와 침낭을 산 다음, 교외에 있는 그의 어머니 집으로 갔다. 그는 어머니에게 주차위반 스티커를 내밀며 대신 지불해 달라고 했고 식품저장실을 습격해서 먹을 것을 챙겼다. 그는 전례 없이 경기가 좋았던 클린턴 정부 시절에도 석 달이나 실업수당을 받고 살았던 인물이라 돈이 많지 않았다. 어머니는 기름도 넣고 필요한 데 쓰라며 사십 달러를 그에게 챙겨주었다. 이십대 초반의 독선적인 열정에 불타던 나에게(나는 인습에서 해방된 페미니스트이며, 능력 있는 미국 여성이다! 나는 요령부득의 무능한 인간이나 희생양이 되지 않을 것이다. 나는 내가 하는 일에 근거하여 스스로를 규정짓는다. 즉 내 외모가 아닌, 내게 일어난 사건도 아닌, 특히 내가 입양되었다는 사실은 더더욱 아닌, 오직 내가 성취해가는 일만이 내 존재를 증명할 것이다. 내겐 무한한 에너지가 있다. 나는 강하고 독립적이며 자제하는 인간이다!) 그의 행동은 그다지 매력적이지 못했다.

프렌치의 엄마는 아주 좋은 분이었다. 크게 보면 프렌치도 좋은 친구이긴 했다. 그러나 한국에 가서 엄마를 만나고 온 나는 그의 질질 늘어난 청소년기를—그래 좋다. 어쩌면 내가 질투했는지도 모른다—보고 있자니 짜증이 났다. 시간이 날 짓눌렀다. 나는 엄마가 영원히 살지 못한다는 사실과 엄마의 심장 이상이 나 역시 죽음을 피할 수 없는 운명임을 친절하게 상기시켜주고 있음을 깨달았다.

지난번 방문 이후 엄마의 생활환경은 한층 나아졌다. 건조기능이 없긴 하지만 여하튼 세탁기를 마련했고, 나무 칸막이로 된 화장실 대신 방 하나를 통째 욕실로 사용했다. 목욕하기 위해 가스레인지에 물을 데우는 번거로움도 더 이상 없었다. 벽에 부착된 가스보일러 조절기를 통해 가스레인지용인지, 욕실이나 부엌의 온수용인지, 난방용인지, 용도에 맞게 선택할 수 있었다. 여러 용도를 동시에 해결할 수는 없었지만, 미국 엄마가 말하듯 항상 모든 것을 다 가질 수는 없는 법이다.

엄마는 혈관수술에도 불구하고, 아니 어쩌면 그 수술 때문인지 좋아 보였다. 나는 일터에 나가는 엄마와 동행하여 구불구불한 뒷골목을 이삼 킬로미터 걸어간 뒤 빌딩 청소를 도왔다. 쓰레기봉투를 끌어모으고, 엄마의 손이 닿지 않는 높은 유리창을 닦았다. 백오십팔 센티미터에 불과한 내 키도 엄마에 비하면 상당히 큰 편이었다. 엄마는 살균제 없이 그저 물만 부어 걸레질을 했다. 미국 엄마가 보았다면 질색했을 것이다. 젖은 자루걸레 외에 청소도구라고는 없었고 바닥에 칠할 왁스도, 화장실용 세제도 없었다. 그래서 비록 사무실이 청결해 보이기는 했지만, 미국 엄마네 집에서라면 몰라도 이곳 화장실 변기의 앉는 자리에 떨어진 것이라면 절대 주워 먹지 못할 노릇이었다.

엄마가 닭튀김을 만드는 장면에서도 미국 엄마는 질려버렸을 것이다. 기름을 지글지글 끓인 후, 부엌 중간쯤에서 닭고기 조각들을 팬에 훌훌 던져 넣으니 기름이 튀어 올라 가스레인지며 부엌 바닥이며 사방 벽을 온통 뒤덮었다. 엄마는 쌀을 물에 담가 덮지도 않은 채 욕실에 두었고 고기는 상온에 그대로 두었다.

우리가 방바닥에서 다 함께 자는 광경에 이르면 미국 엄마는 완전히 뒤로 넘어갔을 것이다. 엄마를 사이에 두고 명희와 내가 나란히 누고 엄마는 내 손을 꼭 감싸 쥔 채, 그렇게 세 사람은 숨소리의 리듬을 타고 함께 잠이 들었다. 천상의 행복이랄까. 우리가 이렇게 잤다는 것을 미국 엄마에게는 말하지 않았다. 그랬다면 한국은 정말 이상하고 미개한 곳이라는 편견을 확인시켜주는 꼴이 될 것 같았다.

이번 방문은 좀 더 가족 같은 느낌이었다. 부엌일을 못 거들게 했던 지난번과는 달리 내 일손을 허락했고 만두도 같이 빚었다. 엄마는 초록빛 소주병을 옆으로 굴려 반죽을 폈고, 명희와 나는 상 옆에 쪼그리고 앉아 만두피에 돼지고기와 야채 속을 집어넣었다. 명희가 완벽하게 아담한 크기로 빚은 만두는 오므려 잇는 부분이 흠 없이 잘 집혀, 마치 소형차들을 일렬로 세워놓은 것처럼 귀여웠다. 내가 빚은 것들은 크고 거대했다. 가운데가 너무 불룩 튀어나오고 가장자리는 뒤틀린 범퍼처럼 충돌한 흔적으로 비뚤비뚤한 데다 속이 여기저기에서 삐져나왔다. 명희가 얌전히 입을 가리며 웃었다.

─────

첫 방문 때는 나를 너무 무리하게 이끌지 않으려고 그랬는지 아무도 이복형제인 큰오빠에 대해 말해주지 않았다. 캐럴 언니가 한국에 왔을 때 오빠를 만났으므로, 나는 언니를 통해 그의 존재를 처음 접했고 두 번째 방문 때 직접 만나게 되었다. 엄마, 명희, 은미 언니와 언니의 두 아이들, 그리고 나까지, 우리는 다 함께 기차를 타고 마요네즈에 푹 찍은 마른오징어랑 버거킹 햄버거랑 초콜릿 따위를 우적우적 씹어 먹으며 오빠가 사는 지방 도시로 내려갔다.

기차는 밤늦게 도착했다. 기차에서 내린 뒤 버스를 타고 갈 수 있는 데까지 산자락을 오르고서야 오빠가 사는 작은 산골 마을에 다다랐다. 엄마와 은미 언니가 오빠네 집을 찾으려고 어둠 속에서 헤매었다. 자박, 자박, 자박. 언니는 종종걸음으로 자갈길을 오르내리다 간간이 발목이 삐끗하는 바람에 얼른 구두를 고쳐 신곤 했다. 이따금 언니와 엄마 사이에 실랑이가 있었으나 마침내 길을 제대로 찾아냈다.

소로(小路) 혹은 골목길이라고 해야 할까. 영어에는 이런 길을 표현하는 적절한 말이 없는 것 같다. 길은 시멘트 담이 양쪽으로 쭉 이어진 좁은 미로 같았는데, 따라 걷다 보면 철문이 하나씩 나오고 철문 너머로는 기와집이 있었다. 이곳 집들은 기역자로 꺾인 집채와 그 측면에 안마당이 펼쳐진 전통적 형태의 가옥이었다. 오빠네 집과 곳간, 옥외 부엌도 이런 철문 뒤에 있었고, 헛간은 트럭과 함께 도로 가까이 있었으며, 배밭은 길 건너편에 있었다. 그 너머로도 밭두렁을 따라 십자로 교차된 밭들이 드넓게 펼쳐져 있었다. 다음 날 오빠네 소들을 보러 가는 길에 도로와 골목길이 만나는 지점에 이르자, 노쇠한 할머니 두 분이 쪼그리고 앉아 나무 막대 네 개를 땅바닥에 던지고 있었다. 예로부터 내려오는 윷놀이라고 했다.

오빠네 집에서 맘에 드는 것은 우선 잠자는 방 두 개, 뜨끈뜨끈한 온돌, 넉넉히 비치된 수건, 그리고 목욕하고 빨래하는 곳에 설치된 온수기였다. 한편 이월의 오빠네 집에서 맘에 안 드는 한 가지는, 화장실에 가려면 밖으로 나가야 한다는 것이었다. 옥외 화장실은 집채에 붙어 있는데도 별도의 입구로 드나들어야 한다. 은미 언니의 아들 준이는 바지를 쑥 내린 후 댓돌 너머로 쉬를 날리는 것으로 이런 가옥 구조에 대한 불만을 드러냈다.

엄마는 첫 자식인 오빠를 그의 할머니에게 맡기고 떠난 뒤 자주 만나지 못하고 살았다. 그래서 그의 일생의 주요 사진들 속에는 엄마의 빈자리가 확연히 드러난다. 엄마와 오빠 사이에 냉담함은 없었지만 친밀감 또한 없었기에 모자지간이라기보다는 전형적인 고모와 조카 사이로 비쳤다. 하지만 나는 오빠를 보자마자 친근감을 느꼈다. 엄마는 그의 아버지가 전사한 뒤 혼자된 며느리를 측은히 여긴 시어머니의 배려로 그를 두고 떠났고 그 후 내 아버지의 협박 때문에 날 떠나보냈으므로, 그와 나는 엄마의 부재를 똑같이 경험했던 것이다.

나는 은미 언니를 본인의 이름 대신 '언니'라고 불러야 하듯, 성덕 오빠를 '오빠'라고 불러야 했다. 한국에서는 대화할 때 개인의 이름을 사용하지 않을 정도로 개인성의 문제가 미국에서만큼 중요하지 않다는 것을 이해하기 시작했다. 이름은 문서화된 서류나 인파 속에서만 유용하다. 혹 붐비는 인파 속에서 언니의 손을 놓쳐버린다면 언니라는 호칭 대신 이름을 불러야 할지도 모른다. 저마다 언니들 손을 놓친 한국 여성들이 다들 "언니!" 하고 소리쳐 부르는 가운데, 자신이 외치는 소리를 구별 지어야 하지 않을까?

다음날 우리가 떠날 때 비로소 나는 오빠의 이름을 알게 되었다. 그에게서 한 면은 한글로, 다른 면은 영어로 인쇄된 명함을 받았다. 그에게 깊은 애정을 느꼈다. 떠나기가 슬펐다. 나무랄 데 없는 짙은 남색 바지와 그에 어울리는 재킷을 입고, 음악적인 저음의 목소리로 얘기하며, 은막을 누비던 왕년의 스타처럼 멋들어진 솜씨로 담배를 피우는, 위엄을 갖춘 가장. 그는 잠옷 차림으로 방바닥에 앉아 닭튀김을 먹을 때조차 근엄했다.

나는 오빠와 관련된 온갖 종류의 것들을 생각하는 시간이 좋다. 이를테면 우리 둘 다 외조부의 양쪽 집안 혈통으로부터 수많은 유전자를 물려받았다는 것(가족 중 우리 두 사람만이 엄지발가락 안쪽에 염증이 생기는 질환을 갖고 있다), 혹은 오빠의 아버지는 엄마가 진정 사랑한 사람이었고 엄마는 어린 그를 두고 떠난 것을 미안해했다는 것, 혹은 내가 그를 좋아하는 만큼 그도 나를 좋아한다는 것 등등 모든 것이 그렇다.

───

평생 알지 못할 일들이 있는가 하면, 마음먹고 노력해서 조금씩 배워나가는 일들이 있다. 다음과 같은 것들이 후자의 범주에 속한다. 한국의 예절과 언어(영어에는 존재하지 않는 사물들의 이름도 포함된다), 한국의 역사, 동양의 용과 서양의 용이 다른 점, 다른 아시아인들을 틀에 박힌 시각으로 보지 않는 법 등이다. 나는 내 세계관과 미국 백인의 세계관, 그리고 한국인의 세계관, 그 세 지점 사이에 놓인 인식의 차이를 항해하는 법도 배우는 중이다.

그 밖의 것들은 과거사이다. 과거에 일어난 일들을 정확히 재현하는 일이나 사람들이 느꼈던 바를 알아내는 것은 불가능하다. 이야기하려는 사람들의 의지와 열의가 개인마다 다를 때는 더욱 그렇다. 언어의 장벽과 문화의 장벽도 가로막고 있다. 특히 문화의 장벽은 상당히 높아서 한국인과 미국인을, 입양인과 양부모를, 종교적인 것과 세속적인 것을, 사회복지의 제공자와 수혜자를 갈라놓는다. 대부분의 경우 나는 과거사에 대해 내 경험에 근거하고 내 인식으로 걸러진 추측만을 적용할 수 있을 뿐이다. 일어난 사건의 메아리는 흔적을 남기는 법이니, 그 흔적으로써 사건의 윤곽을 짐작해볼 수 있다.

미국 부모님은 정확히 어떻게 입양을 선택하게 되었을까? 그들 가족의 생각은 어땠을까? 엄마와 아빠 중 누가 더 아이를 갖고 싶어 했을까? 미국에 도착한 날 캐럴 언니는 어떤 기분이었을까? 같은 날 은미 언니는 어떤 기분이었을까?

언젠가 미국 엄마가 내게 브라우어 할머니가 돌아가신 날을 상기시켜준 적이 있다. 그날 우리는 어느 교회의 결혼식에 참석해 있었는데, 고모가 교회로 전화해서 남긴 메시지를 전해 받고서 집에 일찍 돌아왔다고 한다. 엄마가 이렇게 옛날 일을 꺼내자 나는 그날 웨딩 케이크가 없었던 기억이 났다. 맞아, 우린 결혼식이 끝나고 피로연이 열리기 직전에 그곳을 떠났었지. 줄을 선 조문객 행렬도 머릿속에 떠올랐다. 그래, 그때 난 복도에 앉아 그들을 보고 있었던 거야. 복도에 앉아 있었던 이유는 막 옷을 갈아입고 방에서 나왔기 때문이지. 순간순간 새겨진 감정의 결은 늘 그대로 남아 있지만, 지금에 와서는 세부적인 사건들이 정확하게 기억난다.

고등학교 졸업반 시절의 학교 신문을 훑어보면 모순되는 사실이 눈에 띈다. 구십 명의 동기생 중 대부분이 '가장 머리 좋은 학생', '성공 가능성이 가장 높은 학생', '가장 독창적인 학생', '가장 성취도가 큰 학생', '가장 재능이 많은 학생', '가장 창의적이고 예술적인 학생', 그리고 '가장 음악적 재능이 있는 학생'으로 나를 뽑았다. 이런 것들이 중요한 가치라고 생각한다면, 꽤 괜찮은 평가라 할 수 있을 것이다. 그러나 당시의 나는 내가 가진 정신적 자질들을 중요하게 생각지 않았다. 내가 정말로 되고 싶었던 것은 '가장 예쁜 학생'이었다.

자아에 대한 개념은 기억 속에 깊이 아로새겨진다. 심약했던 나는, 중학교 시절 졸업할 때까지 늘 함께 붙어 다니던 몇몇 최고의 멍청이 패거리들이 내 오장육부를 후비고 할퀴고 하나도 남김 없이 다 뜯어 먹을 때까지 어찌해볼 도리가 없었다. 어른들의 도움 없이는 그들에게 대적할 내면의 힘이 없었다. "널 죽이지 않는 것만이 널 더 강한 사람으로 만든다"고 엄마가 내게 일깨워준 말 때문에 나는 그들의 증오를 고스란히 빨아들이며 그들 앞에 서 있었다.

다른 입양인들과 이야기를 나누다 보면, 어린아이의 시각과 언어의 혼란으로 인해 기억이 왜곡되면서 조각조각 분열되는 현상을 감지하게 된다. 언어는 어떻게 사고를 형상화할까? 어떻게 우리가 하루는 한국어로, 그 다음 날은 영어나 스웨덴어, 혹은 불어, 화란어, 노르웨이어로 기억을 만드는 걸까? 사람들이 기억하는 것은 때마침 떠오른, 내용은 있으나 이상하게도 말로는 표현되지 않는 꿈 같은 편린들이다. 기억의 편린들. 어머니는 반대 방향으로 멀어져 가면서, 똑바로 앞만 보라는 명령. 파란색 외투의 번쩍임. 긴 복도. 아무도 손대지 않은 음식이 가득 차려진 거대한 식탁. 굶주림이 뭔지 겪어보지 못한 미국 어머니는 기억조차 하지 못하는 그 식탁……. 기억이란 그렇게 존재한다.

그리하여 나는 나와 내 가족의 기억들 속에 무작위로 혼재하는 편린들을 짜맞추려고 한다. 전후 관계의 단서들을 찾아내어 한 가족의 텍스트를 재구성하는 것이 내 임무이다. 불확실한 것들을 신뢰하고, 알려진 것들과 알려지지 않은 것들을 병치하고, 못 보고 지나친 것들이나 부스러기들—돌이나 깨진 거울 그리고 버려진 것들—을 모아야 한다. 이런 것들로 기억과 상상의 새로운 퀼트를 만들 것이다. 바늘 한 땀 한 땀 작은 변화가 일어나고, 한 땀 한 땀 애도(哀悼)의 작업이 될 것이다.

"은미 언니! 엄마한테 문제가 생겼어." 명희가 다급하게 말한다.

그날도 여느 주중의 아침처럼 시작한다. 엄마는 새벽 다섯 시에 알람시계를 끈 다음 막내딸이 자는 모습을 지켜보며 잠시 더 누워 있다. 명희는 생기가 부족하고 너무 마른 데다 빈혈기도 있으며 쉽게 무료함을 느끼는 딸이다. 엄마가 새벽일을 마치고 돌아와도 내내 자고 있을 것이다.

엄마는 최근 들어 걷기가 더 힘들어졌다. 십중팔구 심장 이상 때문에 왼쪽 다리가 말썽을 부린다고 엄마는 생각한다. 어쩌면 혈관 수술을 다시 해야 할지도 모른다. 눈 뒤쪽을 무지근히 압박하는 두통도 사라지지 않는 것 같다.

회사원들이 출근하기 전에 빌딩 청소를 끝내려면 서둘러야겠다고 생각한다. 딸이 깨지 않도록 조용히 이부자리를 갠 다음 장롱을 열어 베개와 이불을 집어넣는다. 부엌으로 나와 문을 닫고 철삿줄에 걸린 깨끗한 작업복으로 손을 뻗었다. 그 순간, 왼쪽 다리가 풀썩 주저앉는가 싶더니 어느새 얼굴부터 바닥에 부딪치며 숨이 컥 막힌다.

바닥은 딱딱하다. 코에서 윗입술로 한 줄기 피가 흘러내린다.

"아이고, 아이고, 아이고……." 엄마는 기어들어가는 목소리로 겨우 소리친다.

몸을 한 번 뒤집자 형광등 전구를 똑바로 쳐다보고 있는 형국이다. 성모 마리아에게 재빨리 기도를 올리고 성호를 긋는다. 차가운 타일 바닥이 막 잠에서 깬 몸의 온기를 빼앗아 가는 듯한 느낌이다.

엄마는 본능적으로 왼쪽 다리를 주무른다. 오른손으로 고집스레 뻣뻣한 사지를 세차게 두들겨보고 꼬집어도 보는데, 왼손은 명령에 아랑곳없이 바닥에서 꿈쩍도 하지 않는다. 왼손을 움직여보려고 재차 용을 써본다. 반응이 없다. 손바닥을 뒤집은 채 축 늘어져 있을 뿐이다. 이번에는 왼쪽 다리를 움직이려고 용을 쓴다. 반응이 없다. 다시 왼손. 반응이 없다.

"명희야! 명희야!" 엄마가 소리친다. 예순여덟 살 먹은 목소리는 딸들의 목소리처럼 음색이 높고 경쾌했던 젊은 시절에 비해 묵직하고 걸걸하다.

늦게 자고 아침을 좋아하지 않는 명희가 투덜대며 베개를 푹 덮어쓴다. 방은 어둡고, 부엌 문틈으로 새어 들어온 불빛만이 비치고 있다. 아직 일어날 시간이 아니다.

"명희야! 이리 와봐, 명희야! 이리 와봐, 명희야! ……." 엄마는 리듬 속으로 빠져든다. 읊조림을 멈추지 않을 태세이다.

마침내 명희가 눈을 반쯤 뜬 채 문간으로 나오며 "엄마─" 하고 우는소리를 한다.

그러다 바닥에 쓰러진 엄마를 발견한다.

그다음 몇 분간은 아이고, 헉헉, 끙끙, 한바탕 소동이 일어난다. 명희는 지금까지 알고 있던 자신의 힘보다 더 큰 위력을 발휘한다. 키는 같지만 훨씬 더 무거운 엄마를 겨드랑이 밑을 잡고 들어 올려 방으로 끌고 간다. 갑자기 잠이 확 달아난다. 엄마의 코에서 흘러내리는 피를 휴지로 닦아낸다. 여러 번 꼬집어보고 큰 소리로 이것저

것 시켜본 뒤 엄마의 왼쪽 부분이 마비되었음을 알아차린다.

명희는 흰 레이스 깔개로 받쳐놓은 전화기에 손을 뻗어 은미 언니에게 전화를 건다. 진작 일어나 있던 언니는 아이들과 남편 그리고 시어머니의 아침 식사를 준비하고 있다. 오늘 아침에는 의욕이 나서 국까지 끓이고 있다.

전화벨이 울리고 소식을 듣자마자 언니는 한 가족의 유능한 큰언니로 잽싸게 변신한다. 상황을 쭉 점검한 뒤 시어머니에게 아들 준이의 등교 준비를 부탁하고, 남편에게는 오늘 함께 서울에 가야 한다고 알린다. 그들이 함께 운영하는 가게의 매장에도 알려야 한다. 그가 고참 직원에게 전화를 걸어, 업무시간 동안 매장을 잘 지키고 배송 건을 처리하라고 일러둔다.

은미 언니는 평소 이런저런 이유로 잘 우는 딸, 아장아장 걸음마 단계의 아기 민이를 미소와 노래로 달래가며 얼른 옷을 입힌다. 민이가 빨간 점퍼를 입고 앙앙대는 동안 언니가 노래를 불러주며 잽싸게 아기 얼굴에 로션을 바르지만, 바르기가 무섭게 눈물에 씻겨 내린다. 머리카락을 위로 쓸어올려 포니테일 스타일로 단단히 묶어주자 아기가 더 악을 쓰며 운다. 언니는 줄곧 침착하게 산 노래 꽃 노래를 불러준다.

서울로 향하는 은미 언니와 형부 그리고 아기 조카는 바람을 가르며 광고판을 지나고 급수탑을 지나 쌩쌩 내달린다. 언니는 그 어떤 것도 남편에게 의지하려고 하지 않지만, 운전을 못 배웠으니 엄마를 보러 가려면 그의 도움이 필요하다.

밤색 미니밴이 엄마의 아파트에 도착하자 "할머니!", "은미야!" 하며 울부짖는 소란이 인다. 집 안에서 여자들끼리의 일이 수습되는 동안 형부는 밖에서 담배를 피우며 기다린다. 언니는 엄마가 당장 병원에 가야 한다고 결론짓고 명희와 둘이서 엄마에게 옷을 입힌다. 마치 인형처럼 엄마의 몸을 외투로 감싸고 발을 신발 속으로 밀어 넣는다. 커다란 웨지힐 구두와 트위드 정장 차림의 언니가 엄마를 등에 업고 미니밴까지 데려간 뒤 가족들이 전원 가톨릭 병원으로 돌진한다.

닥터 김은 병실 밖에서 일곱 명의 인턴들과 의견을 나누고 있다. 그는 백팔십 센티미터가 넘는 장신에 백 킬로그램 이상 나가는 거구로, 보기 드물게 큰 몸집에도 불구하고 넓적한 얼굴 생김새와 조용한 저음의 목소리 때문에 온화한 인상을 풍긴다.

닥터 김이 라이트 박스에 불을 켜고 엄마의 컴퓨터 단층촬영 사진들을 걸어놓자 두개골과 척수의 상단 부위가 흑백 영상으로 드러난다. 서양의학 교육은 영어로 이루어지기 때문에 닥터 김은 영어와 한국어를 섞어가며 인턴들에게 설명한다.

그가 두개골의 하단 부위에 보이는 회색 덩어리를 가리킨다.

"여기 종양이 있어요. 캔서일 가능성이 높습니다. 아주 빨리 메타된 상태인 데다 이곳 위치상 바이옵시로 진단하기엔 너무 위험합니다. 환자는 몸 왼쪽이 마비되었고, 왼쪽 눈의 초점을 맞추고 개그 리플렉스를 억제하는 게 상당히 어렵습니다. 현 상태에서 오피하면 치료 가능성보다 위험성이 더 크고, 캐모도 이렇게 큰 종양을 줄이는 덴 효과가 없어요. 여기 보다시피 브레인과 스파이널 코드에도 인펙션 되었군요. 따라서 우리가 할 수 있는 최선의 진료는 인펙션과 피버를 처치하면서 페인을 억제하는 겁니다. 피버가 내리면 그때 환자를 퇴원시킬 생각입니다."*

인턴들이 동의한다는 뜻으로 고개를 끄덕인다. 닥터 김이 해산시키자 그들은 하나의 유기체 조직처럼 일사불란하게 이동해간다. 마치 흰 실험실 가운을 입은 거대한 애벌레 한 마리 같다. 저벅저벅 걸어가는 검은 구두들이 왁스칠로 닦아놓은 복도 바닥에 비친다. 닥터 김은 교육용으로 쓰는 건강한 뇌의 모형을 한 번 더 일별하고 컴퓨터 단층촬영 사진들을 폴더에 조심스럽게 넣은 뒤, 숨을 한 번 깊이 들이마시고 내쉰다. 그런 다음 환자의 병실 문을 가볍게 노크한다.

---

* 의학 용어: 캔서(cancer)-암, 메타(metastasis)-전이, 바이옵시(biopsy)-조직검사, 개그 리플렉스(gag reflex)-구역질반사, 오피(operation)-수술, 캐모(chemotherapy)-화학요법, 브레인(brain)-뇌, 스파이널 코드(spinal code)-척수, 인펙션(infection)-감염, 피버(fever)-열, 페인(pain)-통증.

은미 언니의 마음 한구석에는 언젠가 이런 날이 오리라는 예상이 있었다. 그러나 이렇게 빨리 닥칠 줄은 몰랐다. 이제야 겨우 살 만 해졌는데 말이다. 언니와 형부는 가족을 거뜬히 부양할 수 있을 만큼 가계를 튼실하게 키워놓았고, 엄마는 남편과 이혼한 뒤 그가 세상을 뜨자 더 이상 두려울 게 없었으니까.

해질 무렵 은미 언니는 명희를 엄마 곁에 두고, 엄마의 전화번호부를 찾기 위해 남편과 딸을 데리고 엄마의 아파트로 간다. 다음날 언니는 앞으로 병원에서 간병할 동안 명희와 함께 입을 옷가지들과 세면도구를 챙겨 버스를 타고 혼자 병원으로 돌아온다.

가족과 친지들에게 연락하는 일은 이제 큰딸 은미의 몫이다.

'엄마가 오늘내일하니 빨리 오세요.'

밤 9시 30분.

나는 혼자이다. 두 달 전 교외의 저택을 나와 방 하나짜리 지하 아파트로 이사한 뒤 다시금 고독을 벗 삼아 지내고 있다. 최근에 헤어진 남자친구는 내 마음을 확 사로잡더니 집을 사고서 함께 살자고 했다. 이 모두가 몇 달 사이에 일어난 일이다. 그는 내가 찾고 있다고 생각했던 이상형이었다. 보수가 든든한 직업(프렌치보다 나은 점이다), 유럽인, 2개 국어, 큰 키, 검은 머리카락, 보석 장신구, 향수, 파스텔 색상의 셔츠까지, 그는 라틴계 남자처럼 강한 남성적 매력의 소유자였다. 게다가 그의 과거 이야기들은 너무나 흥미진진했다. 유고슬라비아에서 루마니아로 가솔린을 밀수한 일이며 국경 경비원에게 치즈로 뇌물을 먹인 일, 학생 때 차우셰스쿠 정권을 전복하려는 조직에 관여하다 간신히 총살을 면한 일 등등. 그는 복권에 당첨되어 미국에 오게 되었으며 어딜 가나 행운이 따르는 것 같았다. 미국 주식시장을 들락날락한 지 오 년이 채 안 되어 사만 달러를 그러모았다. 그는 그 어떤 것이라도 사고팔 수 있었는데, 그런 건 별문제도 아니었다. 그런 게임에 타고난 재능이 있었던 것이다.

그는 내게 생활의 경계를 정해주었고 난 그게 좋았다. 그의 말처럼 '여자로서의 내 자리'를 아는 것이 마음 편했다. 그러나 곧 여자로서의 내 자리란 친구도, 외부활동도 허용되지 않는 공간이라는 것을 깨달았다. 또한 그 자리는 상대방에 대한 지칠 줄 모르는 헌신, 단 한 순간이라도 피해서는 안 되는 헌신이 요구되는 공간이었다. 누구라도 그런 헌신을 피한다면 그는 당장 자기 욕구를 채워줄 다른 여자를 찾을 것이다. 그가 여자를 대하는 방식이 내게만 한정된 것은 아니었으니까. 그런 그가 피아노를 시샘하여, 언젠가 내가 피아노를 치고 있을 때 내 손 위로 건반 덮개를 닫아버린 일이 일어났다. 그는 '우연한 실수'였다지만 나는 내가 안전하지 않다는 걸 깨달았다.

한바탕 티격태격하다가 그가 나를 침실에 가두어버렸다. 나는 바닥에 움츠리고 앉아 짐승 같은 소리를 내지르며 통곡했다. 어떻게 그런 소리가 내게서 나올 수 있었을까? 들어본 적도 없는 소리였다. 억제할 수 없이 터져 나오는 통곡을 멈출 수 없었다. 그는 나를 보면 자기 어머니가 생각난다며 집 열쇠를 빼앗더니 나가라고 소리쳤다. 한밤중에 나는 거리로 내쫓겼다. 지갑과 한복만 겨우 챙겨 나와 자동차 뒷좌석에 싣고서 불 꺼진 간판들을 지나 캐럴 언니네 집으로 가는 도로 위를 달렸다.

며칠 후 나는 새로 얻은 아파트에서 홀로 상처를 핥으며 무엇이 잘못되었는지 곰곰이 따져보았다. 제대로 된 연애는 언제쯤 해보지? 왜 모든 연애가 실패로 끝난 걸까?

줄줄이 깨진 연애 리스트에 오른 이름들을 세어보면서 실패에 대한 책임감 때문에 괴로웠다. 실패, 실패, 또 실패…… 실패의 연속이라니.

아빠를 닮은 남자들과도 실패했고 아빠와 정반대인 남자들과도 실패했다. 작가, 음악가, 변호사, 세일즈맨, 학생, 주유소 종업원, 소매업자, 웨이터 등 사회적 지위와 경제적 계층이 제각기 다르고 나이 열여덟에서 사십에 이르는 그 모든 남자들과 멋지게 실패했다. 나와 어리석게 사랑에 빠질 수 있는 남자들은 끝이 없는 듯했고, 나 역시 줄기차게 그들에게 빠질 수 있었으며, 그럴 때마다 순식간에 양쪽 다 비참하게 파멸하고 말 것 같았다.

이 모든 연애 실패담에 대해 캐럴 언니가 자기 나름대로 추리를 해주었다. 언니의 심리학 학사 학위 정도면 나를 진단할 수 있을 정도의 지식은 충분했다.

"반응성 애착 장애야." 언니가 말했다. "입양인들 다수가 그런 장애를 겪고 있어. 너도 마찬가지지. 하지만 내 경우는 달라. 버려지기 전에 난 적어도 엄마 품에서 무럭무럭 자라날 기회가 있었거든."

나는 반응성 애착 장애에 대해 조사해보았고, 외상 후 스트레스 장애의 끈질긴 여파와 또 정확히 얼마나 많은 정신질환이 나를 따라다녔는지 반추해보았다. 그동안 두세 달 혼자 힘으로 지내다가 이제 정서장애자 치료모임이라는, 좀 난처하지만 필요하다고 여겨지는 단계를 밟아볼까 하는 생각에 빠져 있는데 캐럴 언니에게서 전화가 온다. 내 생각 속에서 벗어나 모처럼 반가운 휴식을 얻는다.

"언니 안녕. 웬일?"

"은미 언니 친구한테서 전화가 왔어."

"뭐?"

"언니 친구가 독일에 있는데, 그 남편이 미국에서 공부했대. 즉 영어가 가능하다는 소리지. 그래서 언니가 친구 남편에게 부탁한 거야. 나한테 전화 좀 해 달라고."

"그래서 뭐래?"

"우리 한국 엄마가 아프대. 은미 언니가 당장 오라는데, 너 한국 갈 수 있니?"

"물론 가야지! 어디가 아픈 거야?"

"암이래. 뇌종양."

"빌어먹을. 난 갈 거야. 언니는?"

"응, 난 한 이틀 다녀오려고."

"그럼 같이 가."

"인터넷으로 적절한 항공요금을 찾는 중이야. 엄마가 부담한대."

"정말이야? 농담 마."

"농담 아냐. 엄마가 낸다고 했대."

———

미니애폴리스에서 서울까지의 여정은 서른 시간이 걸린다. 디트로이트와 일본을 경유하는 비행에 이어 기차, 버스, 자동차까지 타고 드디어 캐럴 언니와 내가 병원에 도착한다. 1950년대 미국 병원을 방불케 하는 이곳은 그보다 더 우중충하고 더 많이 붐빈다. 나는 여행 내내 한숨도 못 잤다. 무력감 때문에 줄곧 가슴이 아팠던 것이다. 여기 오는 것 외에 달리 뭘 할 수 있단 말인가?

엄마의 병상으로 다가간다. 조그맣게 오그라든 엄마. 몸에는 튜브들이 꽂혀 있고 두 팔은 혈액검사와 주저앉은 혈관, 또 잘못 꽂은 주사바늘로 인해 온통 검푸른 멍투성이이다. 신체의 왼쪽 부분이 마비되고 왼쪽 시력을 잃었다. 오랫동안 염색해온 머리카락은 허망하게도 끝 부분만 검고 온통 하얗게 자라 있다. 얇은 환자복은 갈아입을 때가 된 것 같다. 탁하고 습한 공기가 환자와 기저귀와 김치 냄새를 빙 둘러싼 막처럼 떠돈다.

은미 언니가 엄마의 머리를 자기 쪽으로 돌려 실명한 눈에 초점을 맞추게 해보려고 애를 쓴다. 그러면서 엄마에게 큰 소리로 뭐라

고 말을 하는데, 나는 알아들을 수가 없다. 큰 소리로 말을 걸어보
자. 그러면 엄마가 나을지도 모른다.

"저 이루믄 경-아-입니다(제 이름은 경아입니다)."

비행기에서 한국어로 연습한 문장이다. 나를 낳아준 어머니에
게 배런즈 외교관 훈련 교재에나 나오는, 격식을 차린 언어로 말하고
있다니. 서투른 한국말, 내가 구사하는 바보 같은 말들이 부끄럽다.
만나면 얼마나 가슴 터질 듯한 기분인지, 그런 내 마음을 어머니에
게 전하지도 못하는 주제에 기차가 몇 시에 오는지, 물건값이 얼마
인지, 또 어떤 음식이 맛있는지 따위는 남들에게 물어볼 줄 아는 것
이 부끄럽다. 정말 부끄럽기 짝이 없다.

뒤로 늘어지는 그 모든 튜브들을 무시한 채 엄마가 손을 뻗어온
다. 내가 그 손을 잡고 몸을 가까이 기울이자, 엄마는 가냘픈 목소
리로 자신이 유일하게 알고 있는 영어 한마디를 들려준다.

"아이 러브 유, 경아. 아이 러브 유."

―⌣―

나는 예전에도 암을 본 적이 있다. 처음 본 것은 이웃 아주머니의
벗겨진 머리와 불안한 잿빛 얼굴에서였다. 아주머니는 내가 아저씨
와 술래잡기를 하며 놀도록 허락해주었고 내 강아지 인형에 새 단
추를 달아 두 눈을 만들어주었기 때문에 어렸을 때 나는 그녀를 존
경했다. 그녀는 뚜껑이 덮인 그릇에 오렌지 사탕을 담아두었다. 그

리고 담배를 많이 피웠다. 한쪽만 남은 폐로 손님용 침실에서 기거했고, 침대에 누운 채 담배를 피우면서 방문객들을 맞았다. 담배는 어차피 너무 늦었는데 끊어서 뭐하겠느냐는 논리였다. 우리가 방문했을 때 부모님은 괜찮다, 가발을 쓸 필요 없다, 창피해하지 말라, 고 했지만 어쨌거나 그녀는 가발을 썼다. 거실에는 커튼이 드리워져 있었고, 어른들끼리 잠시 귓속말을 하는 동안 아이들은 내쫓겼다. 엷은 연막이 그날을 덮고 있다. 그것은 담배 연기와 체념의 연막이며, 죽음이 가까이 왔다는 건 모르지만 어른들이 평소와 달리 그다지 말이 없음을 눈치챈 아이들의 곤혹스러움에서 피어오르는 연막이다.

외할머니도 암에 걸렸다. 입술에서 발병하여 다리로 전이된 뒤에야 시골 의사들이 알아채고 미니애폴리스 대학병원으로 보냈다. "내가 꼭 거름 뿌리는 사람 같군그래." 내장에 심하게 탈이 나서 간호사가 씻겨줄 때 할머니가 심술궂게 농담을 했다. 나중에 의식이 오락가락해지자 할머니 다리가 담요 밑에서 끊임없이 움직거렸는데, 마치 '고통'이라는 안무가가 연출한 '죽음의 춤*' 같았다. 그 다음번에 만났을 때 외할머니는 시어스 매장에서 구입한 멋진 분홍 드레스를 입고 관 속에 누워 있었다. 턱은 지나치게 뒤로 바짝 당겨져 있었고 머리카락은 과할 정도로 가지런히 정돈되어 있었으며 립스틱 색깔은 어울리지 않았다.

---

* macabre dance. 죽음의 신이 인간들을 무덤으로 인도하는 모양을 묘사한 춤.

매주 화요일 오후, 피아노 연주로 자원봉사를 하던 병원의 암 병동에서도 나는 암을 보았다. 피아노 소리가 살균된 복도를 타고 떠다니며 죽어가는 자들, 희망적인 자들, 지루해하는 자들, 이 모든 환자들의 병실 안으로 흘러들었다. 나는 쇼팽의 전주곡, 바흐, 옛날 애창곡 등의 소품들을 연주했다. 그중 〈대니 보이*〉가 가장 인기가 많았다. 감정적으로 피폐해진 남편들과 부인들이 피아노 주위에 모여 가사를 따라 부르며 조용히 눈물을 지었다.

꽃들이 모두 시들어 갈 때 네가 온다면
그땐 이미 운명대로 나는 죽어 있으리니,
네가 돌아와 내 누운 곳을 찾아
무릎 꿇고 내게 인사를 건네리라.
네 부드러운 발걸음 소리 들려오면
내 모든 꿈은 따사롭고 달콤하리라.
사랑한다는 말을 잊지 않고 해준다면
네가 돌아올 때까지 나는 편히 잠들리라.
네가 돌아올 때까지 나는 편히 잠들리라.

---

* 우리나라에는 〈아! 목동아〉로 번안된 스코틀랜드 민요. 영국과의 전쟁에서 전사한 아들을 생각하면서 그 부모가 부르는 애절한 가사를 담고 있다.

엄마, 할 수만 있다면 내 의지와 글로 당신을 소생시켜 드리고 싶어요. 물과 하늘과 공기처럼 순수하고 상쾌하고 신선한 글로 말이에요. 투명하게 소용돌이치며 빛으로 가득한 글을 당신에게 드리고, 그렇게 해서 다시 살아난 당신을 상상하려 합니다. 왜냐하면 당신이 너무나 그립기 때문이고, 다시는 당신을 볼 수 없다는 생각에 견딜 수가 없기 때문이에요.

그러나 엄마, 당신이 생과 사의 갈림길에서 헤매고 있었을 때가 우리가 가장 오래 함께 있었던 시간이기에 당신을 이렇게 임종의 글로 재창조하는 것이, 이런 식으로 당신을 기억하는 것이 가슴 아파요. 엄마, 내가 그만 슬퍼하고 이제 당신을 놔주길 바란다는 거 알아요. 그래서 행여 서툴고 추한 글이 될까 두렵지만, 글로 당신의 형상을 빚으려 합니다. 글로 당신을 소생시키려 합니다.

모르핀, 마사지, 메타스태사이즈(전이하다). 이런 말들은 한국에서도 영어 단어 그대로 사용합니다. 쎄임-쎄임이지요. 당신이 천천히 죽음을 향해 갈 때 쓰던 말들이에요.

"마사지해줄까요?" 내가 한국말로 묻곤 했습니다.

"응-." 당신의 대답은 언제나 같았습니다. 그래요, 당연히 마사지를 원하셨지요. 내가 당신의 등을, 나를 업고 다녔던 그 등을 문질러드렸어요. 몸에서 독소가 빠져나가도록 말이지요. 머리도 주물러드렸어요. 거기로부터 불과 반 인치 밑에서 당신의 뇌는 감염과 환각 증세로 고통받고 있었습니다. 헛소리. 맹렬한 흥분상태에서 일어나는 정신착란의 증상이지요.

엄마, 이제 나는 당신의 몸 구석구석을 알게 되었습니다. 당신의 벌거벗은 몸이 나에게는 전혀 충격이 아니었고 당신에게는 창피한 일이 아니었지요. 당신이 엄마로서 이미 알고 있었던 사실을 난 그제야 처음 알게 되었어요. 내가 당신의 형상으로 만들어졌다는 것을요. 내가 당신의 몸과 당신의 심장을 물려받은 딸이라는 것을요. 설령 글로 당신을 되살리는 데 실패하더라도, 내 속에 흐르는 '피의 언어'로 나는 영원히 당신을 기억할 겁니다.

———

암을 본 적은 있지만 이런 식은 아니었다.

호텔에서 이틀간 머문 뒤 캐럴 언니는 미국으로 돌아가고 나는 병원으로 거처를 옮겼다. 명희는 엄마를 동그마니 감싼 채 주삿바늘이 빠지지 않도록 조심하면서 병상에서 엄마와 함께 잤고, 나는 맞은편 비닐 소파에서 잤다. 나 역시 한가족이긴 하지만 엄마 옆에서 자다가는 엄마를 다치게 할까 봐 몹시 두려웠기 때문이다. 엄마가 밤중에 깨어나 내가 누구인지 못 알아보면 어쩌나 하는 생각도 들었다.

오후가 되면 보자기에 음식을 싸가지고 오는 방문객들로 병실은 만원이었다. 그들은 야유회라도 온 것처럼 엄마의 병상 주위에 자리를 잡고, 무릎 높이의 접이식 의자 위에 닭튀김이며 김치며 과일이며 가져온 음식들로 뷔페를 한 상 차렸다. 은미 언니와 명희가 문병객들에게 요구르트와 인삼 드링크를 대접했다. 다들 옷을 잘 차려입고 온 문병객들은 엄마가 모르핀의 몽롱함과 종양의 무게와 열을 견디고 있는 중에라도 잘 알아들을 수 있게끔 큰 소리로 엄마에게 말을 건넸다. 엄마는 나보다 더 잘 알아들었다. 그들은 고개를 내젓고는 은미 언니와 얘기를 나누었다. 그건 가족의 책임을 새로운 가장에게 넘기는 의식 같았다. 언니는 늙은 엄마와 어린 동생들을 돌봐야 하는 가장의 망토를 늠름하게 두르고서 사태의 심각함과 책임감 속에서 성숙해가는 듯했다. 언니가 자랑스러웠다. 큰언니 은미는 의사들이나 문병객들과 어떻게 얘기를 나누어야 하고, 어떻게 하면 엄마를 최대한 편하게 해주는지 잘 알고 있었다. 언니의 말과 행동에는 기품이 어려 있었고 남을 배려하는 마음이 가득했다. 언니가 유일하게 흘린 눈물은 병실 밖에서, 그것도 얼굴을 벽에 묻고서 흐느낀 울음 속에 있었다.

엄마, 당신을 그토록 여리고 그토록 겁에 질려 있던 그때의 모습 그대로 그려봅니다. 그러면 더 이상 글이 써지질 않아요. 죄송해요, 엄마. 당신을 위해 더 많은 것을 해줄 수 없었지요. 내가 할 수 있는 일이라고는 가장 일상적인 행위들로 돕는 게 다였어요. 이불을 덮어주거나 벗겨주고, 음식을 떠먹이며 삼키라고 말해주고, 그러다 목에 걸리면 등을 두드려주고, 게워내면 턱을 닦았지요. 엄마, 매일 밤 잠자리에 들 때면 지금도 기억이 선합니다. 당신의 손에서 축 늘어진 부드러운 피부, 부서질 듯한 당신의 머리카락, 그리고 당신의 땀이 베개 속으로 스며들어 가던 것을요. 따뜻하고 지친 당신의 냄새, 눈에 띄게 드러난 당신의 좌절감, 기도드릴 때 당신의 얼굴에 흘러내리던 눈물, 묵주를 꼭 쥔 당신의 그 작은 손.

기저귀 무게를 재어 그 수치를 차트에 적기도 했지요. 병실에서 잣죽 끓이는 걸 도왔고 약도 먹여드렸어요. 하루하루가 똑같았어요, 그렇지 않았나요? 우리는 당신의 뇌에서 감염이 멈추길 기다렸어요. 병이 호전되는지 악화되는지 우린들 어떻게 알았겠어요? 당신의 겁먹은 눈을 쳐다보는 것으로요? 정신이 혼미해진 당신이 어느 나라 말로 얘기하는지, 한국말인지 일본말인지 확인해보는 것으로요? 아니면 당신이 본 귀신들의 수를 세어보는 것으로 알 수 있었을까요?

엄마, 내 목숨을 드려 당신을 살릴 수만 있었다면 그렇게 했을 거예요. 나무가 왕비의 암을 대신 지고 갔듯이 내가 당신의 병을 대신 가져갈 수 있었다면 얼마나 좋았을까요.

⌒

은미 언니는 엄마의 전화번호부에 이름이 오른 모든 사람들에게 전화를 돌렸다. 그들은 한 사람씩 차례로 찾아왔다. 진정한 친구들과 변하기 쉬운 친구들, 우리의 친척과 친구들의 친척, 그리고 오랫동안 보이지 않던 사람들까지도.

영원히 그대로 이어질 것 같던 어느 날, 어느 부부가 장성한 아들과 함께 찾아왔다. 부인은 나를 요모조모 뜯어보고 내 통통한 볼에 눈길을 던지며 흡족해했다. 한국 여성치고는 큰 몸집에 땅딸막한 근육질이었던 그녀는, 은미 언니의 설명에 따르면, 내가 미국으로 보내지기 전에 나를 돌봐준 사람이었다. 나는 한국말은 고사하고 영어로도 뭐라고 할 말을 잃었다. 제정신이 아닌 내 아버지의 분노를 무릅쓰고, 자기 가족도 아닌 갓난아이를 돌보기 위해 남편과 맞서야 했을지도 모르는 그 분한테 내가 무슨 말을 하겠는가? 그녀를 어렴풋이나마 알아볼까 싶어 기억을 더듬었지만, 엄마에 대한 기억이 그렇듯, 모든 기억을 별안간 되살아나게 하는 마술의 불꽃은 역시나 일어나지 않았다. 하지만 그녀는 내가 마지막 투병 중인 엄마를 간병하러 돌아온 것을 알고 기뻐했다. 그래서 나도 그녀의 기쁨을 한 조각 나눠 가지며, 내 삶을 규정짓는 사건은 정작 나 자신보다 타인들과 더 많은 관련이 있음을 이해하게 되었다.

엄마, 죽음을 향해가는 당신의 모습을 글로 쓰다가 언젠가 글쓰기를 마치면, 그때 당신이 내게서 영영 떠나갈까 두렵습니다.

미국의 병원은 조용하고 살균 처리가 잘 되어 있으며 모든 편의 시설이 잘 갖춰져 있다. 기저귀와 식사와 약의 복용에 관련된 대부분의 간병 일은 간호사들이 맡아서 한다. 한국의 병원은 시끄럽고 혼잡하다. 엘리베이터는 탈 때마다 초만원이어서 타는 사람보다 그 다음번에 타려고 기다리는 사람이 더 많다. 우리는 병실 바닥에 버너를 놓고 엄마를 위해 직접 음식을 만들었고 밤새 간병하다가 엄마 옆이나 그 주변에서 잠을 잤다. 한 다발의 파라핀 약봉지에서 가루약을 꺼내어 주스와 섞어 엄마에게 먹였다. 또 엄마의 흐늘흐늘한 몸을 잡아주면서 변기에 앉히고 나서는, 엄마의 몸과 화장실 전체를 몽땅 물로 씻어냈다. 혈관 주사제는 유리병에 들어 있었고, 간호사들은 빳빳한 흰 모자를 쓰고 있었다. 병원은 점차 우리의 주거지가 되었다.

미국 이외 지역의 보건의료서비스는 어떠한지 상상조차 해본 적이 없었다. 그래서 병원에서 기본적으로 제공받는다고 생각한 것들 —전자레인지용 고형 세정제, 얼음 조각, 생수를 담은 플라스틱 주전자, 구강용 멸균 거즈, 침상 곁에 놓고 쓰는 간이 변기, 여분의 시트— 이 한국에서는 그렇지 않다는 걸 알고서 놀랐다. 낭패한 기분이 들었다. 미국에서는 암 환자의 간병이 어떤 식으로 이루어지는지 알고 있었지만, 엄마를 수발하는 데 필요한 이런 것들이 없는 상황에서는 뭘 어떻게 해야 하나? 언제나 그랬듯이 어린아이처럼 다른 사람들이 어떻게 하는지 지켜보고 있다가 그대로 따라 해야 했다. 내 소원은 그저 그들에게 짐이 아니라 도움이 되는 것이었다.

달의 기억들은 시간의 흐름과 무관하게 떠다니는 수많은 스틸사진 같다. 그것들은 한결같이 지루했을 간병의 권태로움 속에서, 돌고래 무리처럼 불쑥, 불쑥, 표면으로 솟아오른다.

나는 순간순간 포착된 그 사진들이 마치 앨범에 담겨 있기라도 하듯 마음속으로 쭉 훑어본다. 관광 한국의 찬란한 빛깔들이 일상의 색조로 내려앉아 있다.

이 사진에서 우리는 엄마의 옛날 아파트에서 분홍 이불을 개키고 있다. 은미 언니네 집에서 더 가까운, 창유리 미닫이문이 달린 새 아파트로 엄마를 이사시키려고 짐을 꾸리는 중이다. 이 사진에는 중국집 배달원이 철가방을 들고 오토바이에서 훌쩍 뛰어내리고 있는 장면이 담겼다. 우리가 음식을 먹고 나서 그릇을 신발장 옆에 내다 놓으면 그가 가져갈 것이다. 이 사진, 건장한 사내가 초록색 산소통을 어깨에 메고 시멘트 계단을 올라오는 중이다. 그가 산소통을 베란다에 눕혀두면 우리가 엄마의 입안으로 튜브를 밀어 넣는다. 엄마는 산소마스크 냄새가 지독하다고 한다. 이 사진에서는 내가 자매들에게 맛보라고 참치 샌드위치를 만들고 있다. 맛을 보더니 온통 얼굴들을 찌푸린다. 그들이 나한테 번데기를 줄 때 내 인상이 구겨지는 것처럼.

아, 이건 엄마와 함께 소풍 간 날의 사진이다. 우리는 엄마를 따뜻하게 입힌 뒤 내가 등에 업고 주차장으로 간다. 문을 뒤로 열어젖히고 엄마를 조심스럽게 뒷좌석에 앉힌 다음 팔다리를 가지런히 정돈해준다. 명희가 휠체어를 트렁크에 넣으려고 안간힘을 쓰지만 제대로 넣지 못하고 있기에, 나는 엄마한테 기다리라고 하고 뒤로 가서 명희를 돕는다. 휠체어를 거의 들여놓으려는 찰나, 엄마의 몸이 차 밖으로 기우뚱 떨어지고 있다. 그러나 우리가 미처 잡지 못하여 엄마는 얼굴을 보도에 쿵 부딪치고 만다.

그날 우리는 공원에서 수백 미터 떨어진 곳에 명희의 자동차를 주차한 뒤 걸어갔다. 보도에서 차도로 내려서는 지점에서는 휠체어를 들어야 했다. 우리는 언덕의 나무들 사이에 자리를 잡고 앉아 김밥을 먹었다. 엄마에게는 요구르트를 한 숟갈씩 떠먹이고 도로 게워내면 얼굴을 닦아주었다.

엄마의 몸은 죽음을 준비하면서 음식을 거절했다. 매일 엄마 옷을 갈아 입혀줄 때 보니 피부가 점점 처지고 있었다. 엄마는 최근 몇 년간 통통한 마나님 같은 풍채였는데 살이 빠지면서 내 몸처럼 마르고 여윈 모습이 되어, 골반이 복부보다 더 튀어나오고 갈비뼈가 드러났다. 엄마가 죽어가는 과정은 처음으로 엄마의 몸이 내 몸으로 변해가는 시간이었다. 엄마가 죽어가는 과정은 나 자신의 죽음 또한 예고하는 시간이었다. 나는 엄마가 더 지독한 고통을 겪기 전에 돌아가시기를 바라는 마음을 몰래 품기도 했지만, 내 몸과 그토록 닮은 엄마의 여윈 몸을 보면서 내 삶을 잘 살아야겠다는 마음가짐으로 충만해졌다.

내 어머니의 몸—내 몸과 그토록 비슷하기에 등에 업을 수 있고 변기에 앉힐 수 있으며 옷을 입히고 돌려 눕힐 수도 있었던 그 몸—은 골격이 큰 미국 부모님의 체구와는 아주 대조적이었다. 아빠는 구십 킬로그램이 넘었고 엄마는 칠십 킬로그램 정도였으니, 그들이 아프면 내가 어떻게 돌볼 수 있을까? 그 후 다시 미국으로 돌아갔을 때 나는 그들에게 절대 아프지 말라고 농담을 했다. 짐짓 쾌활하게 말하긴 했지만 마음속으로는 내 체구의 두 배나 되는 사람을 어떻게 돌볼지, 또 나이 든 환자를 돌보는 미국의 방식과 내가 한국에서 경험한 방식을 어떻게 조화시킬지 걱정이 되었고, 지금도 걱정은 여전하다. 양로원에 격리시키거나 타인에게 돈을 지불하고 간병을 맡기는 것보다 우리 가족이 보여준 방식이 훨씬 더 존경스러워 보였기 때문이다.

병원에 있을 때 병문안을 온 사람들이 엄마에게 말했다. "이런 딸들이 있어 보살펴주니 참 복이 많아요." 은미 언니는 가게에서 시간을 낼 수 있을 때마다 와 있었고, 명희는 줄곧 병실을 지켰다. 나는 그달 내내 머물렀다. 캐럴 언니는 이틀을 머문 뒤 미국의 자기 아이들에게로 돌아가야만 했다. 오빠는 내가 미국에서 오기 전에 이미 부인과 함께 다녀갔고, 나와는 아버지가 같은 이복형제 선미 언니도 시간을 내어 찾아와주었다.

나는 간호사보다 더 잘하고 싶었다. 그러나 내가 딸이라고 해서 남보다 엄마를 더 잘 보살필 수 있는 것은 아니었다. 남이라 할지라도 한국인이면 엄마가 원하는 게 무엇인지 다 알아들었을 테니까.

지금 엄마의 새 아파트에는 엄마와 나 둘뿐이다. 아침에 일어나서 약 먹고, 화장실 가고, 씻고, 먹고, 토하고, 씻고, 옷 입고, 다시 잠자리에 드는, 세 시간에 걸친 엄마의 아침 행사가 끝난 시간이다. 은미 언니는 자기 가게에 가 있고, 명희는 신선한 공기를 마시며 몸을 좀 풀라고 내가 밖으로 내보냈다.

엄마는 방바닥에서 자고 있다. 엄마의 몸이 안쪽으로 쏠리지 않도록 베개를 받쳐 놓았다. 나는 평소와 같이 한국어를 공부한다. 사전에서 유용한 단어들을 찾아 노트에 옮겨 적기도 하고 장시간 병원에 머물 때 명희가 가르쳐준 한글 쓰기 연습도 한다. 한글 자모는 거의 다 익혀서 세 살짜리 조카와 어깨를 겨룰 만한 수준이다. 지금은 모음을 순서대로 떠올리는 중이다. 아, 야, 어, 여…….

엄마가 상기된 목소리로 뭐라 말을 하며 잠에서 깬다. 헛소리를 하는 건지 아닌지 알 수가 없다. 어린아이를 달랠 때처럼 엄마를 진정시키려고 해본다. 즉 뭔가 통하는 하나를 찾을 때까지 다양한 것들을 하나씩 시도해보는 것. 엄마의 머리를 마사지해본다. 아니다, 엄마가 원하는 건 그게 아니다. 이불을 제대로 덮어준다. 그것도 아니다. 마실 물을 가져다준다. 아니다. 몸을 돌려 등을 문질러준다. 아니다. 산소마스크를 벗겨준다. 아니다. 음식을 가져다준다. 아니다. 내가 이불을 벗기자(이쯤에선 고함을 지르다시피 한다. 어디서 그런 힘이 나왔을까?) 엄마는 궁지에 내몰린 짐승처럼 필사적이 되어, 오른쪽 팔꿈치로 바닥을 짚고 마비된 왼쪽 몸을 질질 끌어다가 전화기에 손을 뻗는다. 그러고는 미친 듯이 전화를 걸어보지만, 아무 소용이 없다. 자동음성으로 녹음된 목소리가 친절하게 반복될 뿐이다. 이제 엄마는 딸들의 이름을 소리쳐 부른다. 은미, 명희, 심지어 찾아오길 거부하는 의붓딸 선영까지. "선영아–!" 목구멍에서 올라오는 절절한 소리로 고함을 지른다. 그리고 베란다 미닫이문까지 몸을 끌고 가 주차장을 향해 "은미야–!" 하고 비명을 내지르며 딸을 찾는다. 나는 엄마를 뒤로 끌어내며 문을 꼭 닫는다. 누군가가 엄마의 목소리를 들었다면 어떡하지? 어떻게 설명해야 할까? 엄마가 다시 전화기로 손을 뻗는다. 이번에는 옆으로 곤두박질치며 내 무릎 위로 쓰러진다. 나는 전화기를 빼앗으려 하고, 엄마는 바닥을 할퀴고, 전화 속 목소리는 끝없이 되풀이된다. 이런 난리가 일어나고 있을 때 마침 은미 언니가 현관으로 걸어 들어온다. 그 순간 갑자기 우리 두 사람 모두 오줌으로 따뜻해진다. 그제야 나는, 너무나 늦게, 엄마가 필요한 게 뭐였는지 깨닫는다.

예전에 엄마는 내가 아는 낱말들을 세심하게 기억해두었다. 피곤해요, 배고파요, 배불러요, 화장실, 비행기 등. 엄마가 "화장실–!" 하고 말했다면 필요한 게 뭔지 알아차렸을 텐데. 그러나 종양이 뇌를 짓누르고 있는 지금, 엄마는 더 이상 나와 이런 단어 게임을 할 수 없었다. 엄마는 화장실에 가야 한다는 말을 내가 알고 있는 간단한 명사가 아닌 다른 말로 표현했던 것 같고, 그러니 나는 엄마에게 쓸모가 없었던 것이다.

그 일이 있은 지 얼마 되지 않아 오빠가 나를 자기 집으로 데려간 걸 보면, 내 안의 좌절감과 실망감이 겉으로 드러났던 것 같다.

———

오빠가 의젓한 태도로 기차역에서 표를 산다.

기차역은 옛것과 새것이 충돌하는 곳이다. 완전히 현대식으로 지어진 건물은 불 켜진 알림판과 미끈한 매표소를 갖추고 있지만 난방시설은 좋지 못하다. 석탄을 한가득 넣은, 우람하고 검은 난로들이 역내 중앙에서 폭폭 소리를 내며 볼이 발갛고 손이 곱은 사람들을 끌어들인다. 노인들이 바닥에 쪼그리고 앉아 있고, 몸에 딱 달라붙는 검은 재킷을 걸친 십대들이 자판기에서 커피를 뽑아 마신다.

오빠는 영어를 한마디도 못하지만 기차 안에서 한국어로 내게 말을 붙이며, 내 노트에 날짜를 적고 그림을 그리고 거기에 한글로 꼬리표까지 적어 준다. 나는 그게 다 뭔지 모르겠다. 한국에서 내게 가장 유용한 표현이 되기 시작한 말들을 오빠한테 써먹는다. 미안합니다. 몰라요.

그로부터 이 년이 지나서야 비로소 그의 기호들을 이해하게 된다. 내 한국어 실력이 드디어 사전을 사용할 수 있을 만큼 되었을 때, 그때의 노트를 꺼내어 거기 적힌 단어들을 사전에서 힘겹게 찾았다. 그가 그려준 한국 지도에는 두 지방 도시와 서울이 표시되어 있었다. 그리고 지도 옆에는 날짜가 두 개 적혀 있었다. 1954년 10

월 12일 20:00-음력 생일. 1950년 6월 25일-전쟁.

오빠가 사는 곳은 어머니가 태어난 곳에서 약 사십오 킬로미터, 은미 언니가 사는 곳에서는 백오 킬로미터 정도 떨어진 곳에 위치한다. 직선거리로 보면 그렇다. 그러나 한국에서 두 지점 사이의 거리를 미네소타 주 서부 평원지대에 놓고 보면 그 길이가 두 배에 이른다. 한국은 산이 많아 직선 도로를 낼 수 없기 때문이다. 우리는 아름다운 집들과 고층건물들, 오두막, 묘지, 주유소를 지나간다. 선교사의 딸이었던, 초등학교 시절 펜팔 친구가 한국에 있을 때 살았던 대전을 통과한다. 내가 이름을 알지 못하는 수많은 것들을 지나간다. 양파밭도 지나간다. 첫 번째 수확이 끝난 땅에 불을 질러놓은 양파밭을 본 적이 있는데, 지금은 봄 파종을 기다리느라 텅 비어 있다.

휴면(休眠)기. 기다림의 시간이다.

———

은미 언니가 사는 도시의 공기는 잿빛 도로의 보이지 않는 먼지나 차에 묻은 때 같은 도시 먼지의 냄새가 나지만, 오빠네 집 주변의 공기는 땅의 냄새가 난다. 캐러멜 빛깔의 누런 소, 배나무, 검은 진흙에서 풍겨오는 냄새이다. 지난번 내가 방문한 이후로 오빠는 전에 없던 새로운 투자를 했다. 한 어미에서 태어난 강아지들이 생긴 것이다. 새끼들이 모두 털빛이 거무스름한 덩치 큰 어미 개를 꼭 빼닮은 걸로 봐서 틀림없는 순종이다. 그러나 미국에서는 이런 종류의 개를 본 적이 없다. 오빠는 이 강아지들을 식용으로 팔기 위해 기르고 있다.

서양인들이 볼 때 개고기를 먹는 관습은 십중팔구 혐오스럽다. 한국인들의 눈에 고양이를 집 안에서 기르는 것이 혐오스러운 것과 마찬가지이다. 한국 정부는 서울 올림픽 이전에 보신탕 업소를 뒷골목으로 몰아내고 영어가 아닌 한글 간판만 허용하는 법률을 엄포하는 등 강경하게 대처했다. 그래서 나는 개를 먹는 관행이 예전에 폐기된 구습인 줄 알았는데, 여기 어미 개와 새끼들이 토끼 우리 같은 개집의 창살 뒤에서 나를 빤히 쳐다보고 있었다. 어미 개를 쓰다듬어주려고 창살 사이로 손을 집어넣었다.

오빠는 '만지지 마! 손이 더러워져'라는 뜻으로 해석되는 몸짓으로 나를 제지했다.

"미국 에, 미국 사람 사랑 개, 개 가다 학교, 개 친구." 미국에서는 사람들이 개를 사랑한다는 말을 오빠에게 전하려고 한다. 개들은 심지어 학교에 가기도 한다. 우리는 개가 가장 좋은 친구라고 생각한다. 오빠는 내가 이렇게 한국어를 절단해놓은 것을 눈감아주면서, 살집이 좋은 큰 개에 대해 한국인이 느끼는 감정을 행동으로 보여준다. 보이지 않는 개 한 마리를 향해 공중으로 세찬 발길질을 해대고 욕을 퍼붓는다. 점잖은 오빠가 무언극을 연출하는 광경에 올케언니와 나는 깔깔대고 웃느라 배가 아프다.

오빠의 부인인 형자 언니는 얼굴이 넓적하고 손이 두터우며 나

같은 사람도 구별할 수 있을 정도로 심한 남쪽 사투리를 쓴다. 모음을 발음할 때 서울 사람들이 내는 비음이 거의 섞여 있지 않다. 집안 농사일을 혼자 꾸려가는 언니는 육체노동으로 다부지고 튼튼해져서 체격이 가냘픈 오빠를 놀려먹는다.

영어를 한마디도 못하는 형자 언니가 아이들 놀이를 따라 한다.

"매-." 언니가 소를 가리키며 말한다.

"매-." 내가 따라 한다.

"짹짹." 동고비 새를 가리킨다.

"짹짹." 내가 따라한다.

"꼬끼오-!" 형자 언니와 수탉이 소리친다.

"꼬끼오-!" 나도 소리친다.

"멍-멍! 멍!" 언니가 개들을 가리킨다.

"멍-멍?" 내가 묻는다.

"멍-멍! 멍-멍!" 언니는 열심히 짖어댄다.

"우프-우프!" 내가 고쳐준다. 개가 멍-멍 하고 짖는다니 믿을 수가 없다.

"우프-우프?"

"네, 우프-우프!"

"우프-우프!" 언니가 큰 소리로 따라 한다.

오빠 역시 못 믿겠다는 듯 고개를 절레절레 흔든다.

며칠 동안 오빠와 형자 언니 그리고 십대 소년으로 자란 조카 둘과 함께한 시간은 간병에서 잠시 벗어날 수 있었던 반가운 휴식이었다. 아침마다 나는 이웃집 수탉이 꼬끼오- 하고 목청껏 울어대는 소리, 형자 언니가 밥과 국, 채소 무침 등으로 식구들 아침상을 준비하느라 부엌에서 풍겨오는 냄새, 그리고 요구르트와 알로에를 섞어 오빠의 간에 좋은 강장제를 만들려고 믹서를 돌리는 소리에 잠에서 깨어났다.

이따금 오빠와 나는 관목처럼 생긴 배나무들 사이로 걸었다. 언뜻 보아 돌연변이인가 싶었는데, 자세히 살펴보니 이 인치 간격으로 고르게 싹이 트도록 그가 세심하게 전정해둔 것이었다. 그래야 나중에 배들이 서로 맞닿아 상하는 일 없이 고르게 열린단다. 그는 배나무들이 똑바로 클 수 있도록 대나무 장대로 어떻게 버팀목을 만드는지 시범 삼아 보여주었고, 배밭에 물을 대는 작은 개울도 보여주었다. 배밭과 뒤로 펼쳐진 산자락 사이에 난 돌길을 따라가면 사당이 있었다. 울타리가 쳐진 마당 뒤에 오롯이 숨은 이 작은 건물은 고결했던 시대의 흔적 같아서 이곳에 어울리지 않는 듯했다. 누가 이 사당을 지었을까? 우리 조상 중 한 분일까? 아쉽게도 그런 복잡한 질문을 오빠에게 표현할 만한 몸짓 언어를 찾을 수 없었다.

형자 언니의 정성이 듬뿍 들어간 멋진 요리, 오빠와 잘 생기고 매력적인 두 조카와 함께 보낸 즐거운 시간, 그들의 친구들이나 사업 파트너 같은 방문객들과의 여흥, 언니가 마련한 여자들끼리의 절 나들이, 이 모든 것에도 불구하고 내 마음은 늘 엄마에게 가 있었다. 마음이 침울했다.

돌아가는 날은 오빠네 가족의 동행 없이 나 혼자 버스를 타고 서울로 올라가 명희를 만나는 것으로 일정이 정해졌다. 병원에서 한 블록 떨어진 터미널에서 명희를 만나, 둘이서 병원 약국으로 심부름을 갈 예정이었다.

형자 언니가 분홍 보자기에 엄마에게 끓여드릴 소뼈와 배를 잔뜩 싼 다음 보자기 윗부분을 동여매어 손잡이로 만들어주었다. 나는 이 봇짐을 들고 고마움으로 부푼 마음을 버스에 실었다. 마지막 순간, 돌아서서 오빠를 포옹하고 싶은 마음이 간절했다. 내게서 미국식 인사를 받은 오빠는 어쩔 줄 몰라 했다. 그래서 나는 고개 숙여 한국식 인사도 건네며 "고맙습니다" 하고 말한 뒤 버스 앞쪽에 자리를 잡고 앉았다. 버스가 터미널을 빠져나와 모퉁이를 돌 때 우리는 서로 손을 흔들어주었다.

명희와 나는 터미널에서 만나 병원 약국으로 엄마 약을 사러 갔다. 처방전을 받기 위해 줄 서서 기다리는 데만 네 시간이 걸렸다. 처음에는 응급실 안에서 줄을 섰다. 그곳은 프라이버시를 보호해줄 커튼조차 없어, 아픈 몸이 노출된 채 신음하는 환자들로 가득했다. 응급실 밖에서 두 번째 줄을 섰다. 거기서 명희는 두툼한 돈뭉치로 약값을 지불했다. 마지막으로 지하의 한쪽 구석에서 또 한 번 줄을 선 끝에 마침내 약이 조제되어 나왔다. 우리는 고속도로를 타고 엄마의 아파트로 돌아와 다시 간병을 시작했다.

명희와 나는 여섯 가지나 되는 약을 매일 적절한 시간에 알맞은 배합으로 분배하기 위해 로마자 대문자와 아라비아 숫자만으로 표시해두는 방식을 고안해 냈다. 그렇게 만든 부호를 파라핀 약봉지마다 제각기 적어놓으니 나도 수월해졌다. 모르핀을 제외한 약은 정확히 시간에 맞춰 먹였다. 의사는 엄마가 원하는 대로 모르핀을 투여하되, 호흡이 늦어지면 중단하라고 지시했다. 모르핀은 엄마의 통증을 완화시켜주지만 숨을 멎게 할 수도 있었다.

———

"이쁜 애기."

엄마와 나는 방바닥에 누워 있다. 나는 엄마가 좋아하는 식으로 몸에 베개를 괴어주었다. 내가 잠잘 때와 똑같은 자세이다. 둥근 베개를 목 밑에 넣고 다리 사이에 베개 하나, 팔 사이에 또 하나를 넣고 이불을 덮는 식이다. 미닫이문을 조금 연 뒤 바깥의 딸기 트럭이 보이도록 엄마의 몸을 바로잡아주었다. 엄마가 내 머리를 쓰다듬고 있다. "이쁜 애기." 엄마가 또 부른다.

상상해보건대, 정신착란 상태에 있는 엄마의 머릿속은 지금 1972년이다. 엄마 나이 마흔, 나는 갓난아이. 엄마는 얼마 전에 나를 낳았다. 이 셋째 딸이 엄마에게는 수치나 실망도, 투자나 지출의 대상도 아닌, 바로 사랑의 원천이었다. 엄마는 아기의 머리에 뽀뽀를 하고 등을 토닥이며, 해를 끼치려는 세상 모든 것들에 맞서 아기를 꼭 껴안는다. 아기는 그 작은 마음속에 가득 품은 사랑으로 엄마를 마주 본다. 엄마야말로 이 광활한 세상에서 아기가 알고 있는 모든 것이기 때문이다. 아기는 자기가 엄마와 분리되었다는 사실도 모르고 있다. 엄마의 뱃속에서 아주 오래 머물러 있었던 데다가, 이 황량한 세상으로 나와 처음 눈을 떴을 때 아주 짧은 순간 추위를 느꼈지만 그 즉시 엄마가 품에 꼭 안고 따뜻하게 감싸주었기 때문이다. "이쁜 애기." 엄마가 아기를 부른다.

엄마의 의식과 소통할 수 있다면 얼마나 좋을까? 그렇게만 된다면 그 조그만 아기의 목소리가 되어, 내가 얼마나 엄마를 사랑하는지 말해줄 수 있을 텐데. 엄마가 그토록 오랫동안 기억해온 슬픈 인생 이야기 속으로 들어가 결말을 행복하게 바꿔놓고 싶다. 엄마가 어린아이였을 때, 엄마의 엄마가 아직 살아 있을 때 꿈꾸던 동화처럼 바꿔놓고 싶다. 무엇보다도 엄마에게 당신의 '이쁜 애기'라는 두 마디 말이 내 인생의 나머지 줄거리를 바꿔놓았다고 말해주고 싶다. 그 이전까지 누군가가 나를 그토록 간절히 원하거나 사랑한다는 느낌을 받아본 적이 없었기 때문이다. 엄마의 이 말은 앞으로 내 정신력의 깊은 원천이 되리라. 지금 여기, 엄마와 함께 있는 이 순간부터.

"산 낙지다!"

비디오 가게 맞은편에 선 트럭을 보고 은미 언니는 갑자기 활기가 솟는다. 언니가 파란 작업복 차림에 모자를 쓴 남자와 가격을 흥정하고 나자, 남자가 트럭 가운데의 물탱크에서 낙지 한 마리를 그 물망으로 잡아 올려 트럭 뒷문에 내려놓는다. 옅은 잿빛 낙지는 살아 꿈틀대고 있다. 남자의 칼은 날카롭고 칼질은 날래다. 그는 낙지를 세로로 갈라 모든 내장기관과 신경기관을 뭉텅이로 쑥 빼낸 다음 땅에 놓인 양동이에 버린다. 탁, 탁, 탁, 도마 위에서 낙지 살이 한입 크기로 잘게 썰린다. 작고 하얀 촉수들이 빨아들일 것을 찾느라 이리저리 더듬거린다. 남자는 잘게 썬 낙지를 잽싸게 모아 스티로폼 용기에 담고 초고추장 소스가 든 컵 하나와 일회용 나무젓가락 몇 개를 챙겨 비닐봉지에 넣어준다. 발길을 돌리려는 순간, 나는 내장이 버려진 양동이를 들여다본다. 방금 버려진 것은 그전에 버려진 것들 위에 얹혀 있다. 그건 마치 작은 어뢰처럼 하나의 덩어리 속에 필요한 모든 것을 완비한 채 숨을 들이쉬고 내쉬며, 툭 불거진 검은 눈은 아직도 살아서 하늘을 똑바로 올려다본다.

집으로 가는 길에 은미 언니가 가게에 들러 소주를 사올 테니 낙지가 든 비닐봉지를 들고 있으라 한다. 그러고는 내 무릎 위에 내려놓는다. 낙지가 탈출하려고 꿈틀대는 것이 느껴지는 것 같다.

십 분쯤 지나 우리가 아파트로 돌아오니 이복형제인 선미 언니가 와 있다. 여력이 있을 때 엄마를 돌봐주러 오는 것이다. 우리는 자고 있는 엄마 옆으로 빙 둘러앉는다. 은미 언니가 초고추장과 나무

젓가락을 꺼내고 스티로폼 상자를 펼친다. 낙지발들은 여전히 그 안에 있다. 조금 전보다는 좀 더 느리게 움직이지만 젓가락에 닿자마자 놀라 움찔한다. 은미 언니가 내게 소주를 한 잔 따라준다. 꼬물대는 낙지를 씹으며 마시는 소주는 독하지만 맛있다.

———————⌐———————

이따금 나 자신의 영화를 보고 있는 것 같은 때가 있었다. 지상 백오십 센티미터쯤 되는 높이에서 내려다보는 각도로 굽 높은 신발의 두 발등이 보인다. 그 발이 발바닥을 끄는 걸음걸이로 인도를 걷다가 왼쪽으로 확 꺾고 보니 계단 통로가 나온다. 위로 쭉 뻗어 있는 지저분한 잿빛 계단이다. 카메라가 줌아웃 하면서 처음에는 두 발이, 그러다가 그 발의 주인인 엄마, 딸(나)의 등에 업힌 엄마의 모습, 비좁고 경사가 급한 계단, 그리고 뒤에서 걸어오는 명희의 모습이 차츰 드러난다. 계단 꼭대기에 이르니 병원 유리문이 나온다. 딸이 등에 업은 마비된 여인을 떨어뜨리지 않게 균형을 잡으면서 동시에 병원 문을 열려고 버둥댈 때 카메라가 흔들린다. 작은 병원을 들어선다. 카메라는 병원 내부를 팬 촬영 하다가 의자 하나를 포착하고, 그 반대쪽 벽을 향해 육십 센티미터쯤 높이를 낮춘 다음 의자로 되돌아온다. 의자에는 그 늙은 여인이 앉아 있다. 접수계원과 대화를 나누는 명희의 모습이 미디엄 클로즈업으로 촬영되고, 소리는 들리지 않는다. 카메라가 어머니의 반대쪽 벽을 팬 촬영하면서 육십 센티미터쯤 높이를 낮춘다. 그런 다음 백오십 센티미터쯤 되는 높이에서 발과 대기실 바닥을 클로즈업한다. 카메라가 발에서부터 줌아웃하지만 여전히 발에 초점이 맞춰져 있다. 발이 걷기 시작한다. 바닥은 윤이 난다. 검사실로 들어간다. 엄마를 등에서 내려놓으려고 아래위로 들썩인다. 카메라가 실내를 팬 촬영 한다. 곧 검사대 위로 백설공주 벽화가 그려진 황백색의 지저분한 벽이 드러난다. 간호사, 도뇨관과 고무장갑, 트레이, 플라스틱 양동이가 화면에 들어온다. 간호사와 얘기를 나누는 명희의 모습이 미디엄 클로즈업으로 촬영되고, 소리는 들리지 않는다. 바닥에 놓인 트레이가 클로즈업된다. 실내에 네 명의 한국인 얼굴이 포착된다. 카메라가 엄마를 팬 촬영 한다. 엄마는 하의를 다 벗은 채 검사대에 누워 있다. 뒤집힌 엄마의 눈이 클로즈업된다. 내 두 손이 엄마의 머리를 마사지할 때 화면 속으로 들어온다. 간호사의 두 손이 클로즈업된다. 고무장갑이 찰싹대는 소리가 난다. 도뇨관이 몸에 삽입되는 장면이 빠르게 지나간다. 엄마가 울부짖는다. 카메라가 엄마의 복부를 마사지하는 명희에서부터 내 손을 잡고 있는 엄마의 오른손까지 팬 촬영 한다. 여기서 서로 맞잡은 똑 닮은 두 손이 클로즈업된다. 하얘진 손가락 마디들.

———◝———

"내 딸들과 한 달을 더 살고 싶구나. 우리 일하지 말고 놀기만 하자." 서울에서 은미 언니가 사는 도시로 이사하기 전에 엄마가 말했다.

암은 날이 가기 무섭게 빠르게 진행되어 단 며칠 만에 엄마를 강타하는 바람에, 엄마가 딸들과 놀고 싶어 했던 한 달은 잠을 자거나 딱히 하는 일 없이 지나갔다. 시간을 분간할 수 없는 날들이었다. 엄마의 건강을 그토록 빨리 앗아간 병이 또한 엄마를 그토록 오랜 시간 생과 사의 중간에서 살아가게 하고 있는 것이 놀라웠다.

엄마는 마치 바다 위를 순항하다가 갑자기 움직임도 없고 바람도 없는 곳에 갇혀버린 한 척의 아름다운 범선 같았다. 모르핀이 엄마의 고통과 산소를 동시에 앗아가면서, 내 뺨에 와 닿는 엄마의 숨결이 거의 느껴지지 않았다. 엄마는 종종 깊은 잠에 빠진 사람 특유의 표정이 되어 입술을 벌리고 눈을 감은 채, 다른 시간대에 존재하는 사진들을 훑고 있었다.

이런 날들이 이어지는 동안 비단 수의가 갈색 포장지에 싸여 배달되어 온 것을 장롱에 안치했다. 수의에 달린 작은 주머니에는, 엄마가 저세상으로 무사히 건너갈 수 있도록 엄마의 손톱을 깎아 그 조각들을 넣어줄 것이다. 그러나 우리는 아직도 삶에 대한 욕심이 많아, 엄마에게 살아달라고 요구하고 강요했다.

우리 딸들은 엄마에게 소리를 지르며 엄마와 싸웠다. "삼켜!" 엄마에게 억지로 음식을 먹게 했고 억지로 약을 먹게 했다. "해봐!"

그러나 아무리 소리를 지르고 미친 듯이 약을 먹이고 질책을 해보아도 엄마의 건강을 되돌리지 못하고, 엄마를 어린아이처럼 돌봐주어도 젊은 시절의 건강을 되찾지 못할 노릇이었다. 그러니 엄마를 부동의 상태 그대로 둘 수밖에 없었다. 살아 있지만, 살아 있는 게 아닌 엄마.

수 세기 전 신대륙으로 향하던 유럽의 배들이 적도 근처, 바람 한 점 불지 않는 곳에 꼼짝없이 갇히는 일이 종종 일어났다. 이른바 말의 지대, 대서양의 북위와 남위 각 삼십 도 부근에 위치하는 아열대 무풍대(無風帶)이다. 선원들은 적도의 남쪽을 염소자리 무풍대, 북쪽을 게자리 무풍대라 불렀다. 바로 거기, 뜨겁게 내리쬐는 햇볕 아래 여러 날이 흐르고 물과 식량이 점점 바닥을 드러낼 때, 선원들은 배의 무게를 덜기 위한 필사적인 노력으로 배의 통로들을 열어젖히고서 말들을 바다로 밀어냈다. 살덩이들이 물에 부딪치는 굉음, 놀란 말들의 비명, 충성스런 준마(駿馬)들을 익사시켜야 하는 사내들의 심장 찢기는 소리. 이런 결단을 내려야 하는 그들의 마음은 얼마나 괴로웠을까? 그리고 부드러운 첫 미풍이 불어와 흰 돛을 부풀리고 배가 드디어 정체된 곳에서 밀려 나갈 때 그들은 또 얼마나 기뻤을까? 엄마와 범선이 순탄한 항해의 물길을 따라 닿지도 않고 보이지도 않는 수평선 너머로 멀어져갈 때, 물속에 버려진 말들과 딸들은 슬픔에 젖은 눈망울을 굴리며 점점 작아지다가 사라지고 만다.

하늘은 어둡다. 길게 뻗은 해변에 두 여인과 어린아이 하나가 모래밭을 오르락내리락하며 달음박질치고 있다. 항구의 만곡부를 죽 따라가면서 부산의 불빛들이 반짝인다. 한 줄기 불빛들이 동해를 마주하고 늘어선 모습이다. 바람이 거세고 차가워진 탓에 아이가 여인의 재킷을 걸치고 있는데, 아이한테는 너무 큰 옷이라 마치 옷 입기 게임을 하는 것처럼 보인다. 이제 그들은 파랗고 하얀 줄무늬의 해변 노점상에서 사온 폭죽에 불을 붙인다. 분홍빛 주홍빛 불꽃들이 차가운 밤하늘로 휙휙 날아오르면서 우리를 현혹시키고 또 황홀케 하여 잠시 망각의 순간으로 이끈다. 환호하는 웃음소리들.

  나는 이렇게 행복한 순간들을 포착하여 엄마의 마지막 사진을 찍고 있다. 지금껏 한 달 내내 사진을 찍기에 적당한 때가 없었던 것 같다. 엄마는 머리와 가슴이 분홍 담요로 둘러싸여 있어, 그 사이로 살짝 얼굴을 내밀고 있다. 카메라 플래시가 너무 밝은 탓에, 아시아의 라스베이거스로 변모한 항구도시 부산의 검은 밤 풍경을 배경으로 얼굴의 주름살 하나하나까지 세세하게 드러난다. 엄마는 나를 보지 않고 옆쪽을 보고 있다.

  "엄마, 여길 보세요. 여기요." 엄마를 구슬리다가 내 쪽을 쳐다본다는 생각이 드는 순간 셔터를 눌렀다. 그러나 사진 속의 엄마는 이미 너무 멀리, 이미 다른 세상에 가 있다.

  내가 미국에 돌아가기로 결정을 내린 뒤 우리는 부산에 왔다.

  어느 날 전화가 울렸다. 잘못 걸려온 것이었지만 결국 기적 같은 전화였다. 전화선 저쪽의 목소리는 미국인이 구사하는 한국 말투였다. 잠이 부족했던 명희는 전화를 받고서 무슨 말인지 자세히 듣지도 않고 수화기를 내게 넘겼다. 내 미국인 친구로 생각했던 모양이다. 전화를 건네받자 상대방은 한국어로 말하고 있었고 난 알아들을 수가 없었다. 그래서 미안합니다, 몰라요, 하고 한국어로 더듬더듬 말해주었다.

그런데 내 말을 듣자마자 상대방은 영어로 말하기 시작했다. 말일 성도 예수 그리스도 교회*가 개설한 영어 강좌의 수강생을 모집하기 위해 전화를 걸고 있는 중이라 했다.

그즈음 나는 엄마에게 간절히 말하고 싶지만 언어의 장벽 때문에 말할 수 없는 그 모든 얘기에 대해 오랫동안 생각해오던 참이었다. 내가 두려워한 것은 엄마와 나 두 사람의 마음에 안식을 줄 수 있을 얘기들을 이대로 간다면 영원히 나눌 수 없을 거라는 점이었다.

그래서 보체인 장로의 전화를 우연히 받게 되었을 때, 우리 아파트에 와서 통역을 해줄 수 없겠는지 대담하게 물어보았다. "분명히 당신이 내준 시간에 대해 사례를 하고, 당신의 선교사업에 기부를 하겠습니다."라고 덧붙였다.

그는 약속한 날짜와 시간에, 친구와 함께 왔다. 명희와 나는 아파트를 청소하고 과일과 음료수를 쟁반에 준비해놓았으며, 은미 언니는 그들이 도착하자 곧 가게에서 돌아왔다.

검은 트렌치코트에 흰 버튼다운 셔츠, 검은 넥타이, 검은 바지.

---

* the Church of Jesus Christ of Latter-day Saints. 모르몬교의 정식 명칭.

보체인 장로와 그의 친구는 그야말로 '진품'이었다. 모르몬교의 본거지 솔트레이크 시티에서 이제 막 교육을 받고 나온, 아직 십대를 못 벗어난 듯 보이는 이 모르몬교 청년들은 해외 선교활동에 복무하는 중이었고, 복무기간이 끝나면 미국으로 돌아가 결혼하고 아이를 낳고, 아이들이 다 자란 뒤 자신들이 중년이 되면 또 다른 하나님의 선교사업에 동참하는 일련의 남은 계획을 완수해야 했다.

그들은 현지인들이 사는 것과 똑같이 살겠다는 서약에 따라 거의 일 년 동안이나 고향에 못 가고 한국에만 머물러온 탓에 몹시 향수에 젖어 있었다. 그들이 미국에 대해 그리워하는 것들은 나와 똑같았다. 으깬 감자, 뜨거운 물로 오래 샤워하기, 푹신푹신한 매트리스, 자유롭게 움직일 수 있는 행동 범위 같은 것.

그들은 자신들이 갖고 온 신앙 책자보다 가족과 여자친구의 사진이 담긴 앨범을 놓고 얘기하는 것을 더 좋아했다. 나는 내 영어 실력이 무뎌진 것에 놀랐다. 지난 한 달 사이, 내가 생각하는 바를 시간을 들여 천천히 표현하는 습관이 들어버린 것이다. 말하자면, 어떤 생각 하나를 적당한 몸동작과 함께 가장 간단한 영어 표현 혹은 내가 알고 있는 몇 안 되는 한국말 중 하나로 바꾸어 표현하는 식이었다. 이도 저도 안 되면 단순히 그 생각을 폐기처분 하고 마는 경우도 허다했다.

그들은 모르몬교 신참 훈련소의 구어체 언어 집중훈련 강좌에서 한국어를 배웠는데, 주로 개종시키는 일에 초점이 맞추어진 교육이었다. 그래서 한국어로 정치나 과학에 대해서는 토론할 수 없을지 몰라도, 예수의 사랑과 결과적으로 인간들 간의 사랑에 대해서는 얘기를 나눌 수 있었다. 내 목적을 위해서는 그 정도면 충분했다.

우리는 엄마의 잠자리 옆에 자리를 잡고 앉았다. 엄마는 반듯이 누워 있었고, 이야기가 진행되는 동안 나는 엄마의 축축한 머리를 쓰다듬어주었다.

아주 오래전 엄마가 자식들을 공항에 데리고 나가 작별을 고한 날, 승무원이 네 살 난 언니와 나를 엄마 품에서 데려가기 전 마지막 한순간, 마지막 호출 방송이 있었을 것이다. 바로 그 순간—탑승구 담당자가 울고불고하는 엄마를 안달복달하며 기다리고 있고, 인터폰을 타고 흐르는 목소리가 탑승하라는 마지막 호출 방송을 내보내자, 마치 바늘귀만 한 점으로 확 줄어드는 스포트라이트처럼 강력한 수축이 일어나기 시작하는 바로 그 순간—엄마는 많은 것들을 말해주고 싶었을 것이다. 나를 안전하게 지켜줄 말, 나를 인도해줄 말, 자기를 기억나게 해줄 말. 꼭 알맞은 말. 그와 똑같은 말을 이제는 내가 엄마에게 작별을 고하면서 들려주려고 찾고 있지만 쉽게 찾을 수 없었다.

"어머니에게 내가 너무너무 사랑한다고 말해주세요." 내가 보체인 장로에게 말했다.

'사랑'이라는 한국말이 들리는 걸 보니 보체인 장로가 내 말을 제대로 통역하고 있는 것 같았다.

"좋은 어머니라고 말해주세요."

그동안 엄마에게 말하고 싶었던 그 모든 것을 표현해줄 말을 찾아내려고 고심했다. 이것이 마지막 기회임을 나는 알고 있었다. 그러나 말이 나오지 않았다. 내 슬픔의 무게를 어떻게 표현한단 말이며, 그럴 필요가 없는데도 엄마가 간절히 바라는 용서를 어떻게 해줄 수 있단 말인가? 작별을 고하면서 엄마의 영혼을 자유롭게 풀어줄 수 있을까? 더구나 이 모든 것을 낯선 타인을 통해, 그것도 바로 이 순간에?

"어머니에게 '죄책감을 갖지 마세요. 당신은 좋은 어머니예요. 옳은 선택을 하신 거예요.'라고 말해주세요."

엄마가 뭐라고 중얼거렸다. 눈을 뜨고서 뭔가를 찾았다.

"어머니가 뭐라고 해요?"

"당신이 내년에 와서 큰 잔치를 한다는 얘기 같습니다. 음식을 많이 장만하겠대요." 보체인 장로가 곤혹스런 표정을 지었다. 내년은 없을 거라는 사실이 분명했기 때문이다.

"어머니가 지금 상황을 이해하고 있다고 생각하세요? 아니면 다시 환각 상태에 빠진 걸까요?"

"어머니는 지금 선영이라는 사람에게 말하고 있어요. 그 사람한테 뭔가를 하라고 합니다. 선영 씨가 누굽니까?"

"우리와 어머니가 다른 이복형제예요. 아버지의 딸입니다. 오랫동안 아무도 언니를 보지 못했어요. 어머니가 아픈데도 찾아오질 않았고요."

우리는 잠시 중단하고서, 종잡을 수 없는 얘기들을 중얼대는 엄마를 지켜보았다. 제정신으로 돌아오지 않고 있었다.

"엄마, 자식들을 키우느라 애 많이 쓰셨어요." 내가 엄마에게 말했다.

엄마는 귀신과 대화를 나누고 있었는데도 보체인 장로가 내 말을 통역해주었다. 엄마는 내가 거기 있다는 걸 더 이상 모르는 게 분명했고, 그래서 조금 마음이 놓였다. 그러나 엄마에게 들려줄 꼭 알맞은 말을 계속 더듬어 찾고는 있었지만 쉽게 떠오르지 않았다. 기껏 너무 진부하고 무의미해 보이는 서투른 말만 할 수 있을 뿐이었다.

"엄마, 당신은 훌륭한 어머니예요. 하지만 우리 때문이라면 더 머물지 않아도 돼요. 우린 당신을 사랑합니다. 그러니 우리를 놔두고 가셔도 됩니다. 더 이상 우리 걱정은 마세요. 우린 당신을 너무너무 사랑하니, 더 이상 고통을 겪게 하고 싶지 않아요. 이제 편히 가셔도 됩니다. 우리를 안쓰럽게 생각지 마세요. 죄책감도 갖지 마세요. 당신은 좋은 어머니예요. 당신을 사랑합니다."

엄마는 여전히 환각 상태에 있었다.

자매들을 바라보았다. 우리 셋은, 심지어 평소에 무표정한 명희까지도, 얼굴이 일그러진 채 눈물을 줄줄 흘리고 있었다.

"은미 언니." 내가 말했다. "엄마가 더 이상 내 얼굴을 못 알아보는 것 같아. 이제 미국으로 돌아갈 때가 됐나 봐."

언니는 고개를 끄덕였다. 그리고 재빨리 명희와 뭔가를 상의했다. 보체인 장로가 통역을 해주었다.

"당신이 떠나기 전에 바다를 보러 부산에 데려가고 싶대요. 내일 가겠답니다."

모르몬 선교사들은 조금 더 앉아 있다가 떠났고 선교사업을 위한 기부금도, 통역의 대가도 받지 않았다. 은미 언니는 그들이 온 것이 기적이라고 했다. 정말로 그건 기적이었다.

———

다음 날 아침, 명희가 대중목욕탕에서 돌아올 때까지 기다렸다가 명희, 은미 언니, 언니의 딸 민이, 그리고 나는 우르르 미니밴에 올라탔고, 뒷좌석에 임시변통으로 만든 침대에 엄마를 눕혔다. 바다를 보러 부산까지 갔다가 당일 올라올 예정이었다.

그러나 목적지까지 가는 데만 하루가 꼬박 걸렸다. 도로를 내기 위해 말 그대로 산을 들어내야 하는 형편이었기에 곳곳에서 도로공사 현장과 인부들을 맞닥뜨렸다. 운전은 명희와 내가 번갈아 했다. 가급적 급회전은 하지 않으려고 조심했고 울퉁불퉁한 길도 피하려고 애썼다. 그렇지 않으면 즉각 엄마의 신음이 뒤따르기 때문이었다. 장장 여덟 시간에 걸친 여정과 네 번의 휴게소 정차 끝에 드디어 부산에 도착했고, 호텔을 잡아 하룻밤 묵어야 한다는 결정을 내렸다.

바다를 굽어보는 호텔의 꼭대기 층에 방을 잡았다. 몸이 마비된 여인과 아장아장 걷는 아기와 여자 셋이서 노면이 울퉁불퉁한 주차장을 출발하여 턱을 넘고, 엘리베이터를 타고, 미로 같은 복도를 따라 이동해야 하는 악몽에도 불구하고, 우리는 이를 성공적으로 해냈을 뿐 아니라 걸음을 되돌려 호텔 방을 나와 저녁 먹을 곳을 찾아 나서기까지 했다.

해변에는 포장마차 횟집들이 군데군데 들어서 있었다. 우리는 출입구 옆 수족관에 물고기가 헤엄쳐 노는 큰 천막집을 골랐다. 난방이 되어 있고 열두어 명이 들어올 수 있을 만한 공간인데, 손님은 우리밖에 없었다. 우리는 엄마를 휠체어에서 들어 올려 작은 발판을 밟고 올라간 다음, 천막의 날개 자락 밑에 놓인 상에 자리를 잡고 우리 옆에 엄마를 내려놓았다. 엄마가 편하게 누울 수 있도록 방석을 깔아주었다.

회는 탄산음료와 땅콩, 소금, 무채, 두부 된장국, 그리고 김치가 곁들여져 나오는 한국식으로 차려져 나왔다. 은미 언니가 날카로운 감식력으로 맛을 평가해보더니 그리 훌륭하지는 않다고 했다. 그러나 나로서는 이토록 바다와 가까운 해변에서 식사하는 것 자체가 정말 멋진 일이었다. 엄마는 아무것도 먹지 못하고 저녁 내내 바다에 누운 채 비닐봉지에 대고 토하기만 했다. 은미 언니는 줄곧 놀랍도록 활기차고 편안해 보였다. 바닷가에서 비싼 음식을 먹고 있는 동시에 토사물로 인해 엄마의 목이 막히지 않도록 땀에 젖은 차가운 엄마 얼굴을 받쳐주고 있는 이 모순적인 상황에도 아랑곳없이.

언니의 책임감이 얼마나 대단한지 알아갈수록 언니에 대한 감탄의 마음은 더욱 커졌다. 언니는 두 아이와 남편, 시어머니, 엄마, 명희, 그리고 나까지 보살피고 있었다. 그들 모두 언니에게 기대고 있었지만 언니의 미소는 떠날 줄 몰랐다. 늘 자신에게, 우는 딸에게,

신음하는 엄마에게 마음에서 우러나온 미소를 지어주었다.

저녁 식사를 마치고 우리는 해변을 걸었다. 은미 언니가 축제 기분에 젖어 폭죽을 샀다. 길게 꼬리를 그으며 휘익 솟구쳐 올랐다가 빗발처럼 쏟아져 내리며 밤하늘을 밝힌 것은 다름 아닌 언니의 굴하지 않는 정신이었다. 엄마의 몸에 난 상처보다 더 큰 상처를 지녔음에도 즐거워할 줄 아는 언니의 태도였다. 우리 아버지의 학대도, 가난도, 천진난만하게 자랄 수 있도록 도와주지 않은 사람들의 무관심도, 그 어떤 것도 큰언니 은미의 정수(精髓)와도 같은 아름다움과 용기의 불꽃을 끄지는 못했다.

————

다음번에 만날 때는 엄마가 없으리라는 것을 알고 있었지만, 서로 연락을 계속 취할 것과 내가 한국을 다시 방문할 것을 우리는 맹세했다. 이런 맹세를 통해 우리는 각자 두 사람 이상의 가족과 맺어진, 다수로 구성된 진짜 가족이라는 사실을 인정하게 되었다.

명희가 공항까지 나를 태워다주었다. 이번에는 격식을 차리지 않고 공항 출입문 앞에서 허물없이 나를 내려주었다. 외국인이라는 신분 대신 가족의 일원으로서 아무렇지도 않게 털썩 내릴 수 있다는 것이 얼마나 기분 좋은지 몰랐다. 예전에 방문했을 때는 내가 다시 돌아올는지 아무도 확신하지 못했고, 그래서 우리는 신파조의 긴 작별인사를 나누곤 했다. 그러나 나는 더 이상 그런 작별 의식이 필요한 손님이 아니었다. 작은 흰색 승용차에 탄 명희의 작은 흰색 모자가 도로를 질주해가는 모습을 지켜보며 누군가를 보호하는 느낌, 이제 성년의 문턱에 올라선 여동생에 대한 애틋한 느낌 또한 얼마나 기분 좋은지 몰랐다.

나 역시 그와 똑같은 문턱에 앉아 있었다.

집으로 돌아가는 열네 시간의 비행기 여행. 그 시간의 대부분을 어떻게 해서든지 앙앙댈 힘을 발휘하는 아기들에게 둘러싸인 채 잠을 못 이루고 오로지 생각과 회상 속에 잠겨 있었다. 한국에서 터득한 몇 가지 중요한 사항을 노트에 적어보았다.

1. 스스로 위로하라.
2. 사랑해주는 사람들을 신뢰하라.
3. 나쁘게 대하는 남자들에게 돌아가지 마라.

한국에서의 체류가 끝날 즈음, 자매들과 내가 밤늦도록 자지 않고 남자 얘기를 나눈 적이 있었다. 우리 인생에 최초의 남자는 아버지였고, 은미 언니와 명희는 줄어만 가는 엄마의 몸 옆에 앉아 아버지 얘기를 했다. 그들은 아버지한테서 달아나라고 엄마에게 간청하곤 했고, 엄마가 그렇게 한 적도 여러 번 있었단다. "그런데 엄마는 왜 늘 다시 돌아왔어?" 내가 물었다.

은미 언니는 내 질문을 알아듣고서, 자기 생각을 어떻게 영어로 표현할지 머리를 굴리고 있었다. 잠시 후 언니의 대답은 간단했다. "음식."

엄마가 정말로 남편 없이는 자식들이 굶어 죽을 것이라 믿었는지 궁금했다. 아니면 '음식'이라는 말은 뭔가 더 큰 의미, 즉 어떤 상황을 상징하는 것일까? 말하자면 학대하는 남편에게서 완전히 빠져나오지 못해 매번 다시 돌아감으로써 수없이 많은 '제2의 기회'를 그에게 주고 또 주면서 점점 자신과 아이들을 위험에 빠뜨렸던 상황, 이미 엄마가 익숙해져 버린 그 상황을 말하는 것일까? 당시 한국 여성으로서는 드문 행동이었지만, 엄마가 아버지를 영원히 떠날 용기를 얻게 되었을 때는 이미 두 딸과 자기 코의 반 그리고 젊음을 잃어버린 뒤였다. 엄마의 거듭되는 용서로 인해 은미 언니는 아버지가 던진 맥주병에 맞아 벌레처럼 생긴 상처를 입었고 외삼촌은 생명의 위협을 당했으며 엄마는 남편이 감옥살이를 하게 되는 수치를 견뎌야 했던 데다 급기야는 딸까지 하나 더 낳게 되었다. 아버지는 아들자식을 바라던 희망을 버리지 못해 그 딸을 사내아이 이름으로 호적에 올렸다. 막내딸 덕천은 스무 살이 되자 자신의 이름을 '명희'로 정식 개명했다.

우리는 다른 남자들 얘기도 했다. 은미 언니는 남편이 가게에서 너무 오랜 시간 일을 하니까 그가 그립다고 했다. 명희는 남자친구와 늘 다투지만 다른 사람과는 데이트하기 싫다고 했다. 그러면서 종이 위에 1996년부터 2000년까지 데이트했던 남자들을 막대인간

모형으로 그려넣어 도표를 만든 뒤, 'I hope then that my eyes me not choosy(내가 눈이 너무 높지 않았으면 좋았을 텐데)'라고 썼다.

나는 최대한 간략하게 내 상황을 설명했다. 한국에 오기 전, 어느 뛰어난 오케스트라 지휘자와 잠시 안 좋게 엮인 적이 있는데, 그는 미국에서는 이혼을 했지만 벨기에에서는 여전히 결혼한 상태와 마찬가지였다. 그의 말에 따르면, 그의 부인인지 전 부인인지 하는 그 여자와 완전히 끝난 관계였는데 당시 그녀의 어머니가 아팠기 때문에 그녀를 도와주고 있었던 것뿐이었다. 이렇게 해서 그날 나는 새로운 한국말 두 개를 배우게 되었다. '전처'와 '개자식'.

미국에 돌아와서 사흘을 내리 잤다. 뛰어난 지휘자는 예상했던 대로 개자식이었다. 그러나 그를 통해 내 남편이 될 마크를 만나게 되었다.

상실의 시간

사랑하는 엄마,

남자친구가 나를 잘 돌봐주고 있어요. 그는 박사학위를 받은 컴퓨터 프로그래머예요. 연말에는 직장에서 승급이 크게 오른대요. 우리는 넓은 아파트에 살고, 영화를 자주 보고, 외식도 하고, 새 차를 몰고 다녀요. 우린 단 한 가지, 음식 때문으로만 싸운답니다. 나는 매주 할인품목을 살펴본 뒤 식단을 짜고 할인쿠폰을 오려내어 쌀과 콩, 양배추, 달걀, 그리고 신선한 고기도 조금 사지요. 조금도 낭비하지 않아요. 먹다 남은 음식으로 아름다운 한 끼 식사를 만들려고 최선을 다하거든요. 어제 먹고 남은 음식에 새로운 양념을 하고 거기에 새로운 재료를 하나 추가해 새로운 요리로 만드는 거지요. 그런데 남자친구는 내가 그렇게 하는 게 불만이랍니다. 그는 완전히 새로 만든 음식만 먹고 싶어 하고 몇몇 특정 음식들로 이루어진 식사만을 원하는데, 그러다 보면 정해진 것들만 먹게 되거든요.

엄마, 나는 이런 것들을 당신의 뱃속에 있을 때 당신에게서 배웠나 봐요. 달리 어떻게 설명할 수 있을까요? 그에게 몹시 화가 나요. 우린 매일 저녁 새로 만든 음식을 먹을 수도 있고 돈도 충분히 있지만, 난 그런 사실을 무시하며 살아요. 먹다 남은 한 조각까지 먹어 치울 필요가 없다거나, 음식은 풍부하다거나, 싼 것 대신 그가 좋아하는 것을 먹이는 편이 나을지도 모른다거나 하는 생각들은 무시해 버려요.

엄마, 당신이 나를 뱃속에 품었는데 남편이란 작자는 날이 갈수록 술에 취해 미쳐가던 때가 당신의 생애에서 가장 슬픈 시기였을 것 같아요. 당신의 심장으로 근심과 슬픔이 밀려들었겠지요. 나 역시 그 어떤 상황에서든 내게 밀려드는 근심과 슬픔을 잊기 위해 늘 바쁘게 살려고 해요. 이런 것들도 당신에게서 배웠나 봐요.

어떤 아이들은 태어날 때 어느 특정한 음악 작품을 알고 있다더군요. 한 예로, 첼로 연주자인 엄마가 있었는데 중요한 공연이 있어 임신 기간 내내 어떤 곡 하나를 줄곧 연습했대요. 아이는 태어나 자라서 엄마처럼 첼리스트가 되었어요. 어느 날 협주곡 하나를 연주하기로 결정이 났을 때 자신이 이미 그 곡을 알고 있는 걸 알아차리고는 깜짝 놀랐대요. 우아한 손놀림과 활 동작이 이미 근육에 배어 있었고, 그 협주곡이 자신으로부터 거침없이 쏟아져 나왔대요. 들어본 기억이 전혀 없는데도 말이지요.

엄마, 나는 당신의 뱃속에 있을 때 무엇을 들었나요? 한국말을 들었겠지요. 아마 그래서 내 혀가 그토록 쉽게 한국말에 착착 감기나 봐요. 무슨 말을 하고 있는지도 모르면서 말이에요. 아기 때처럼 지금도 한국말이 서툴러서 웅얼대요. 내 말은 바로 그 단계에 머물러 있어요. 아기의 옹알이, 아기의 이해력 수준이지요.

그러나 굳이 말을 매개로 하지 않더라도 알 수 있었어요. 엄마의 자궁벽을 거쳐 들어오는 희미한 빛과 양수를 통해, 두려움과 배고픔이 야기하는 짐승 같은 격정을 난 이해할 수 있었답니다. 그걸 흡수하여 내 몸의 일부로, 내 삶의 일부로 삼았어요. 그리하여 훗날 자라서 밖으로 나가 아버지와 같은 남자들을 본능적으로 찾아냈어요. 그 결과, 당신이 겪은 두려움과 협박과 사랑은 고스란히 내 것이 되고 내 경험이 되어버린 거예요.

아버지에 대해 알지 못했는데도 아버지와 같은 남자들과 데이트를 했어요. 다들 번지르르하고 매력적인 남자들이었죠. 사내다움을 과시하기 위해 돈을 쓰며 양팔에 여자들을 거느리고 다니던 남자들. 마음 주는 여자를 때리며 사악함이 내부에 도사리고 있던 남자들. 잘난 인물 덕에 모든 것이 용서된 남자들. 그런 남자들이었지요.

마크가 나타났을 때 처음에는 그에게 눈길을 주지 않았어요. 좀 마른 데다 건강해 보이지는 않았죠. 하지만 점잖고 좋은 사람이었어요. 친구들이 그와 데이트해보라고 부추겼지요. "그 사람한테 시간 좀 내줘 봐. 자기가 매력적인 사람이란 걸 너한테 보여줄 수 있도록 말이야." 그래서 그렇게 했답니다.

그러던 오월의 어느 날 오후, 엄마, 당신의 목소리가 들렸어요. 내가 한국을 떠나온 뒤였고 당신이 더 이상 내 얼굴을 알아보지 못한 지 몇 주가 지났을 때였지요. 나는 마크와 함께 내 아파트에 있었어요. 그의 두 손 안에 내 두 손을 튤립 봉오리처럼 감싸 오므린 채 소파에 앉아 있었지요. 그가 자기 손에 대해 얘기해주더군요. 어떻게 해서 손에 자국들이 생겨났는지 말이에요. 손가락 끝에 딱딱하게 박인 굳은살은 지난 이십 년간 베이스 기타를 쳤기 때문이고, 오른손 집게손가락에 생긴 흉터는 움직이는 자동차 벨트에 닿았기 때문이며, 왼손 가운뎃손가락에 지문이 없는 것은 조제 식품 절단기에 잘렸기 때문이래요.

우린 여러 달 동안 서로 알고 지냈지만 이제 막 데이트를 시작할 때였답니다. 마크는 사슴처럼 수줍음이 많고 늘 나지막한 목소리로 얘기하는 사람이었지요. 간간이 침묵이 흐르긴 했지만 어색하진 않았고, 그것은 오히려 따뜻한 바다처럼 우리를 감싸고 있었어요. 그 침묵의 바다에서 갑자기 내 눈이 번쩍 뜨이더니 안경 없이도 또렷하게 볼 수 있었고, 그의 목소리가 증폭되어 들렸으며, 그의 움직임 하나하나가 부드러운 해류가 되어 우리를 나란히 끌어당기고 있었어요.

바로 그때, 당신의 목소리가 아주 크게 들렸어요. 귀로 들은 게 아니에요. 당신의 목소리는 내 머릿속에서 울려 나와 머리를 가득 채우더니 밖으로 밀고 나온 거예요. 그 목소리로 당신은 이렇게 말했답니다. "남편!"

순간 내 모든 근육이 수축했어요. 나는 말을 하려다 말고 당신을 찾아 두리번거렸지요. 물론 당신은 거기 있지 않았지만, 내가 모르는 이 생소한 단어를 당신이 말하는 걸 난 분명히 들었답니다.

마크가 가고 난 뒤, 작은 파란색 한영사전에서 찾아보았어요. 역시나 '남편'은 'husband'였지요.

엄마, 지금은 그로부터 일 년이 넘게 흘렀습니다. 마크는 지난 주말, 뉴욕에 사는 부모님과 한 시간이나 전화 통화를 했어요. 내게 청혼할 수 있도록 부모님의 축복을 부탁했더니 멋진 일이라고 말씀해주셨대요. 그분들의 생각도 엄마와 같으니 정말 기뻐요.

우린 결혼 준비를 하고 있답니다. 엄마, 당신이 이 결혼을 승낙해주었고, 당신이 밟은 실수를 내가 피해 가도록 도와주었다는 걸 알고 있어요. 고마워요, 엄마.

———◆———

명희가 드디어 인터넷에 접속했다. 동일한 이메일 주소로 발송인의 이름만 달리 바꿔가며 시험 삼아 메일을 보내왔다. 그녀가 보내온 이름들은 'love game'과 같이 한국산 티셔츠에서 흔히 볼 수 있는 단어들과 자기 생일을 조합해서 만든 것들이었다. 가끔은 영어로 써서 보내오기도 했지만 한글로 보내올 때는 그걸 해석하느라 그다음 한 주를 다 보냈다. 지루함, 밖에 나가 신선한 공기를 마시고 싶은 소망, 그리고 또다시 쌓이는 지루함을 동생의 글에서 읽을 수 있었다.

십일월 말, 'gangsterjeong'으로부터 부고의 메일이 왔다. 'Today Mama die. My heart break(오늘 엄마가 돌아가셨어. 가슴이 미어져).'

나는 엄마에 대한 슬픔과 동생에 대한 걱정으로 가슴이 미어졌다. 명희는 고등학교만 나왔고 아직 결혼 전인데, 엄마의 혈관수술 이후로는 간병에만 전념해오고 있었다. 사귀는 남자친구의 형이 먼저 결혼해서 아이를 낳을 때까지는 그와 결혼을 할 수도, 아기를 가질 수도 없었다. 이제 동생은 어떻게 될까? 은미 언니와 함께, 두 아이와 남편과 시어머니로 터질 것 같은 작은 아파트에서 살게 될까? 나는 동생에게 도움이 되는 가족이 되고 싶었고 곁에 있어주고 싶었다. 그러나 엄마가 임종한 날에도 그랬듯 나는 너무 멀리 있었다.

그날 아침, 엄마는 몇 달 만에 처음 제정신으로 돌아와 너무 아프다고 불평을 했다. 은미 언니와 명희가 곧바로 병원에 데려갔는데, 도착한 지 몇 분도 안 되어 숨을 거두었다.

엄마보다 겨우 일 년 반 전에 아버지가 약물 과다복용으로 사망한 바로 그 병원에서 엄마가 돌아가신 것은 부당해 보였다. 아버지로부터 도망 다니느라 이십 년의 세월을 보내고, 병환이 깊어지자 아버지에 관한 기억에 시달리다 같은 장소에서 죽어 시신까지 같은 영안실로 옮겨졌으니, 아이러니였다.

무엇보다도 은미 언니 곁에 있고 싶었다. 나는 홀로 깊은 슬픔에 잠겼다. 운전 중 예고도 없이 와락 눈물이 쏟아지고, 지루하고 단조롭게 반복되는 직장 일을 간신히 지탱시키며, 밤이면 무릎을 가슴에 끌어안은 채, 너무나 멀리 있기에 때로는 실재가 아니라 내 상상력의 산물인 것처럼 여겨지는 한 여인 때문에 혼자 슬픔을 견디고 있었다.

캐럴 언니는 엄마의 죽음에 영향을 받지 않았다고 했다. 일상에 바빴을뿐더러, 너무 오래전이라 기억나지도 않는 그 옛날의 엄마만을 알고 있었기 때문이다. 성인이 되어 엄마를 두 번 찾아갔으나 그녀로서는 유쾌한 만남이 아니었다. 나보다 훨씬 큰 이질감을 느꼈던 것이다. 그러나 나는 내가 우리 가족의 일원이라는 느낌을 진작부터 가졌고, 자매들이 비석을 고르러 간 날이나 장례를 치른 날, 그 뒤 여러 달에 걸친 애도의 기간, 그리고 설날이나 다른 명절날 성묘하러 갈 때에도 늘 그들과 함께 있고 싶었다.

직장에서 초상 휴가를 하루 얻어봤자 별 도움이 안 될 테고, 봄에 그랬던 것처럼 또다시 무급휴가를 얻는다 해도 비행기 표를 살 여유가 없었다. 그래서 나는 미니애폴리스에서 엄마의 추도식을 하기로 마음먹었다.

미국 엄마 아빠가 참석할 수 있도록 추도식을 토요일로 잡았다. 그들이 오지 않을 경우 상처받고 싶지 않았으므로 처음에는 아예 알리지 않는 게 어떨까 생각했다. 하지만 왠지 낙관적인 생각에 물들어 어쨌든 초대하기로 했다. 부모님이 추도식에 오시면 나를 이해하는 데 도움이 될 거야. 그러면 우리의 불화가 해소될지도 몰라.

추도식 일주일 전 토요일이다. 엄마에게 전화를 건다.

"엄마가 와주시면 아주 의미 있는 자리가 될 거예요."

엄마는 핑곗거리를 늘어놓는다. 생각해봐야겠다, 그날 월마트에서 세일이 있다, 파고에 쇼핑하러 갈 계획을 잡고 있다 등등.

"엄마, 제발 와주세요. 오시면 좋겠어요. 내게는 정말 큰 의미가 될 거예요."

엄마는 관심이 없다고 말한다.

나는 뱃속으로부터 심호흡을 하고 있다. 지금껏 이런 집안에서 살아가는 법을 배워왔다. 어떻게 하면 속은 감춘 채 겉만 드러내놓고 사는지, 작은 파문 하나라도 일으키지 않으려면 어떻게 듣기 좋은 얘기들을 나누어야 하며, 모든 일상을 흐트러짐 없이 유지하려면 목소리와 표정은 또 어떻게 관리해야 하는지를 배웠다. 그런 식으로 살아야 탈이 없다.

오늘따라 엄마는 수다스럽다. 쇼핑 계획을 세우고, 신문 전단을 훑고, 구강 세정제, 데오도란트, 플라스틱 보관용기 등의 구매 리스트를 만들면서 이러쿵저러쿵 잡담만 늘어놓을 뿐, 한국 어머니의 죽음에는 아랑곳하지 않는다. 그런 일은 없었다. 그런 여인은 존재하지 않았다. 엄마의 마음속에는 내가 어디 다른 곳에서 온 자식이 아니다. 내게 친어머니는 없다. 없다. 없는 것이다.

다시 심호흡을 하고 어느 쪽을 택할지 고심한다. 빤한 수작을 엄마와 계속할 것인가, 아니면 스스로에게 진실할 것인가? 난 후자를 택한다. 말할 것이다. 엄마의 이 미망(迷妄), 이 고집스러운 거짓을 지적할 것이다.

엄마가 아직도 러버메이드 상표가 어쩌고저쩌고할 때 내가 말을

274

가로챈다.

"빌어먹을, 엄마한테 자식들을 준 여자를 위해 올 수도 없단 말이에요?"

내 목소리는 억지로 가라앉고, 가슴은 옥죄인다.

"계속해봐."

내 얼굴에 채찍을 날리듯 엄마가 날카롭게 한마디 내지른다. 엄마의 머리가 일 인치 더 뒤로 홀렁 벗겨지고 흰 머리카락 두어 개가 새로 쑥 올라오는 소리, 턱을 꾹 앙다무니 어금니들이 몽땅 빠져 수화기 위로 와르르 쏟아지는 소리가 들려오는 것만 같다. 지금쯤 쇼핑 리스트를 적은 종이 위에다 한 다스에 팔십구 센트짜리 비크 볼펜을 꾹 눌러, 끝없이 이어지는 뱅글뱅글 소용돌이를 미친 듯이 갈겨대고 있을 것이다.

엄마는 또다시 그랬다. 단 한마디의 말로 나를 위협하여 복종시킬 수 있는 사람이다. 나는 떨리는 목소리로, 한동안 엄마와 말하지 않겠노라고 공손하게 말한다. 안녕히 계세요.

나는 그렇게 전화를 끊는다.

집을 멀리 떠나온, 엄마 없는 아이,
그런 기분이 들 때가 있어요.
　　　　　　　　　　　　　　　　　— 미국의 전통 영가

미용 정보 한 가지: 숟가락을 냉동실에 몇 분간 넣어두었다가 눈 위에 올려보세요. 부기가 빠지고, 전날 밤새도록 울었던 사실을 아무도 모를 거예요.

———⌣———

엄마는 내가 왜 거만하게 나오는지 도저히 이해하지 못한다. 자기가 키운 그 딸이 아니란 말인가? 학교의 방침을 잘 따르고 숙제는 빠짐없이 해가던 딸, 핑계라고는 대지 않으며 시키지 않아도 스스로 알아서 피아노를 연습하던 딸 말이다. 자식을 제대로 키웠으면 이렇게 될 리 없다. 집을 청소하고 정원의 잡초를 뽑고 가사 일을 익히도록 나를 키우지 않았나? 자기가 정한 규칙들을 내가 배우지 않았나? "거기 내려놓지 말고, 당장 치워라. 지금 할 시간이 없는데 언제 할 시간이 있겠니? 첫 번에 바로 움직여라." 엄마의 십계명.

———⌣———

상실은 슬픔보다 크다.

월요일 아침, 나는 샤워가운을 걸치고 맨발인 채로 부엌에서, 평소에는 피우지 않는 담배를 피우고 있다. '사람들의 삶을 변화시키기 위해' 일하는 사람들, 루터 사회복지회에 전화를 건다. '이런

276

것'이나 좀 바꿔보라고 말하고 싶다. 정보를 좀 주세요. 당신들이 나와 부모님에 대해 모아놓은 서류를 다 보여주세요. 1972년 당시 인종이 다른 아이를 입양할 경우 어떻게 보살펴야 하는지에 관한 정보가 전혀 없었고, 부모님이 사는 지역에는 아직도 그들이 참고할 수 있는 자료가 없는 상황이며, 당신들이 결코 그들에게 어떤 지원이나 후속조치도 취해주지 않았다는 사실을 내게 설명해보세요. 부모님이 자신들의 의지와는 상관없이 기관의 무책임한 행정으로 인해 그런 정보에 무지할 수밖에 없었다면, 그들의 냉담한 행동을 용서할 수도 있을 것 같군요.

안내원이 상냥하게 전화를 받는다.

"여보세요." 나 역시 상냥하게 여겨지길 바라는 목소리로 응답한다. 바라는 것을 얻으려면 어떻게 접근해야 하는지 나도 알고 있다.

"저는 1972년에 그쪽 기관을 통해 입양된 사람입니다. 입양 당시 부모님이 어떤 정보를 제공받았는지, 혹은 어떻게 적격심사를 받았는지 알아보려면 어떤 분과 얘기할 수 있을까요?"

상대방은 금발에다 일부러 명랑한 척하는 루터과 교인의 목소리. 내 질문에 대해서는 전혀 아는 바 없거나 관심이 없는 눈치이다.

"입양 후속 부서의 미스 X에게 돌려드릴 테니, 연결될 때까지 잠시만 기다리십시오."

아니나 다를까, 음성 메시지이다.

"안녕하세요, 미스 X입니다. 지금은 통화할 수 없지만, 당신의 전화가 제게는 소중하니, 이름과 전화번호를 남겨주시면 이른 시일

내에 전화 드리겠습니다." 삐이-.

"안녕하세요, 미스 X. 전 제인 브라우어라고 합니다. 접수처에서 당신에게 문의하라고 돌려줬어요. 1972년에 이루어진 제 입양 건에 대해 당신과 얘기해 볼 수 있을 거라고요. 612-364-0673번으로 전화 주세요. 고마워요."

화요일 아침, 샤워가운을 입은 채 막 스카치 한 잔을 마셨을 때 전화가 울린다.

"여보세요, 제인 씨인가요? 전 입양기관의 미스 X입니다."

"네, 전화 주셔서 고마워요. 저는요, 문제가 좀 있어요. 음, 그러니까 1972년에 저를 부모님과 맺어준 사회복지사가 누군지 알 수 있을까요? 그리고 그분과 얘기할 수 있는지 알고 싶어요."

어리석은 요구였다. 어디서부터 시작해야 할지 그저 막막했던 것이다.

"아, 네, 제 생각에 그 사람은 이제 여기 없을 겁니다."

나는 담배에 불을 붙이고 한 모금 길게 빨아들인다.

"그래요, 오래전 일이긴 하지요. 그럼 성인 입양인을 위한 지원 서비스 같은 것이 있는지, 있다면 제가 이용할 수 있는지 알려줄 수 있나요? 아니면 부모님이 절 입양할 때 제공받은 정보에 대해 알아볼 수 있을까요?"

"글쎄요, 그런 문제는 제가 도와드릴 수 없겠는데요. 문의하신 정보는 미스 Y와 얘기해보셔야 할 겁니다."

"좋아요, 그럼 그분 전화번호를 주시겠어요?"

나는 전화를 끊고 즉시 다음 전화번호를 돌린다.

"여보세요, 미스 Y. 저는 제인 브라우어입니다. 입양기관에서 미스 X에게 문의하라고 했고, 미스 X는 당신에게 문의하라고 하네요. 1972년에 이루어진 제 입양 건에 대해 몇 가지 여쭤볼 것이 있는데요, 시간 괜찮으세요?"

"네, 뭘 도와드릴까요?"

"음, 지금 저는 가족과 문제가 좀 있는데, 제 입양을 성사시킨 사회복지사와 얘길 좀 나누고 싶어요. 만약 그분이 일을 그만두었다면, 성인 입양인을 대상으로 하는 지원 서비스는 어떤 것들이 있는지 알아봐 주세요. 그리고 입양 전에 제 부모님이 해외입양과 관련해 어떤 정보를 제공받았는지 알고 싶어요."

"몇 년도에 입양되셨습니까?"

"1972년이에요."

"아, 그렇다면 당신의 가정 배치를 담당한 사회복지사는 더 이상 근무하지 않을 겁니다."

"그래요, 알겠습니다. 그럼 제 부모님이 해외입양에 관해 어떤 정보를 제공받았는지 알아볼 수는 있을까요?"

"그분들이 받은 정보는 그리 많지 않았을 겁니다."

"제 입양 파일을 열어보는 건 가능한가요?"

"확인해 봐야겠습니다. 미스 Z가 다시 전화해도 될까요?"

"물론이죠. 제 번호는 612-364-0673입니다. 만일을 생각해서 그분의 전화번호를 주시겠어요?"

"잠깐만요. 미스 Z는 612-100-2000번입니다."

"고맙습니다. 연락 기다릴게요."

지저분한 수프 접시에 담배꽁초가 타들어가게 내버려둔다. 다음 전화번호를 돌리자마자 눈 깜짝할 사이에 최대한 덜 위협적이고 협조적이며 다정한 목소리로 가다듬는다.

"안녕하세요, 미스 Z. 1972년도 제 입양 파일을 열어보는 일로 미스 Y와 얘기를 나누었는데요, 전해 들으셨는지 궁금해서요. 저는 제인 브라우어라고 합니다. 1972년 11월에 입양되었고요. 612-364-0673번으로 전화 좀 주시겠어요? 고마워요."

수요일이다.

"여보세요?"

"여보세요, 루터 사회복지회의 미스 Z입니다. 제인 브라우어 씨 계십니까?"

"네, 제가 제인이에요." 나는 미스 우정상을 받은 미녀의 사근사근한 목소리로 위장한다. "전화 주셔서 고마워요. 저는 1972년에 성사된 제 입양 자료를 찾아볼 수 있을지 알고 싶어요."

"그게 왜 필요합니까?" 짜증 섞인 목소리.

"음, 그러니까, 제 친어머니가 얼마 전에 돌아가셨고, 양부모님과 문제가 좀 있거든요. 그래서 입양 당시 부모님이 해외입양에 관해 어떤 정보를 제공받았는지 알고 싶어요."

"그런 문제라면 부모님과 얘기할 수 있지 않을까요?"

"그게 좀 곤란해요. 우린 저기…… 대화가 단절된 상태거든요.

제 파일을 보는 게 가능한가요? 아니면 복사본이라도 얻을 수 있을까요?"

"부모님 성함이 어떻게 되죠?"

"프레더릭과 마거릿 브라우어입니다."

"잠시 기다리시면 우리 보좌관 미스 A를 연결해 드리겠습니다."

"고마워요." 찰칵.

"여보세요, 제인 씨?"

"네, 제인입니다."

"미스 A입니다. 당신의 파일이 여기 있어요." 젊은 목소리가 가볍게 응대한다. 분명 대학생 인턴일 것이다. 입양에 관한 리포트를 쓰는 중인지도 모른다. 입양기관에서 배울 수 없는 것 두세 가지쯤 내가 말해줄 수도 있을 텐데.

"잘됐네요! 그럼 가서 봐도 되나요? 아니면 복사본이라도 가질 수 있을까요?"

"아뇨, 미안하지만 안 됩니다."

"지금 보고 있다면서요, 안 그래요?"

분명 내가 그 여자의 오늘분 손톱 손질 일정에 방해가 되었을 것이다.

"그래요, 그렇지만 당신은 이 정보를 볼 수 없습니다."

"흠, 그러면 그 안에 뭐가 있는지 말해줄 수 있나요? 가정실태 조사나 그걸 담당한 사회복지사에 대한 것 좀 말해줄래요? 그쪽 기관에서 부모님께 어떤 수업이나 정보를 제공했는지 말해줘요." 나는 고함과 울음 사이를 질주하는 목소리를 가라앉히려고 애를 쓴다.

"안 됩니다. 미안하지만 그런 정보는 유출할 수 없습니다."

"아, 네."

"뭐 또 다른 문의사항 있습니까?"

나는 침을 꿀꺽 삼키고 잠깐 숨을 돌린다. 전화기에 대고 울지 말자. 이 여자에게 소리 지르지 말자. 최소한의 자격만을 갖춘 완전 신출내기가 거기 앉아 내 파일을 들춰보면 나와 내 가족에 대한 정보와 내 삶을 결정지은 쓰레기 같은 것들을 전부 읽어볼 수 있는데, 그것이 '내게는 허용되지 않는다'는 이유로 소리치지 말자. 이번 한 번만 봐달라고 부탁하지도 말자. 이 여자가 질책을 당할지도 모르니까. 이건 그녀가 개입되기 오래전에 일어난 일이다.

"그럼, 성인 입양인들을 위한 지원 모임이나 서비스 같은 것들이 있는지 궁금해요. 양부모님과 요즘 힘든 시간을 겪고 있거든요. 대부분의 모임은 양부모나 열 살 전후의 어린 입양인을 위한 것으로 알고 있는데요."

"제가 알고 있는 모임은 없습니다. 하지만 미스 B에게 전화해보세요. 그분이 알고 있을지도 모르겠어요. 또 미스 C, 미스 D, 아니면 미스 E에게 전화하셔도 됩니다. 이분들 전화번호를 드릴게요."

"여보세요, 미스 B. 제가 방금 루터 사회복지회랑 통화를 했어요. 거기서 성인 입양인들을 대상으로 하는 지원 모임에 대해 당신이 뭔가 알고 있을지도 모른다고 하던데요."

"그런 모임을 창설하는 데 관심 있는 사람들이 있다는 건 알지

만, 기존의 모임이 있는지는 모르겠군요. 미스 A에게 한번 전화해
보세요."

"그분이 당신에게 문의해보라고 했어요."

"아, 네. 그렇다면 미스 X나 미스 E와 얘기해보세요. 그 사람들
전화번호는……."

"고맙습니다만, 미스 A가 다 알려주었어요. 제가 걸어보죠. 고마
워요."

"여보세요, 미스 C. 저는 성인 입양인들을 위한 지원 모임을 찾고
있는데요, 미스 A가 당신에게 문의해보라고 했어요. 트윈시티스 지
역에 거주하는 사람들이 다닐 만한 모임에 대해 알고 있나요?"

"미스 D가 알고 있을 것 같은데요. 미스 B에게도 문의해보세요.
잠깐 기다리시면 직원 한 사람을 바꿔드리겠습니다. 필요한 전화번
호를 드릴 거예요."

"괜찮아요, 전화번호는 이미 다 받았어요. 고마워요."

"여보세요, 미스 D. 저는 제인 브라우어인데요……."

"제가 알기에는 미스 C가……."

이하 생략.

마침내 나는 도움이 되는 사람과 연결이 되어, 루터 사회복지회
의 헤더에게 전화해보라는 단서를 제공받는다. 헤더의 입양 후속
부서의 담당 비서에게 전화해서 '지명 통화'라는 비밀암호를 대라
고 귀띔받은 것이다. 비서에게 비밀암호를 대니 놀랍게도 헤더와

바로 연결된다. 그녀는 마침 자기 자리에 있다. 그녀도 한국 입양인이라는데, 이것이야말로 나만의 비밀암호인 셈이다. 즉 이 여성은 신뢰할 만하다.

"한번 오세요. 뭐가 필요한지 봅시다." 헤더가 자기 사무실로 와서 얘기하자고 한다. 상담은 무료란다.

사무실 주소는 미니애폴리스 남쪽 지역으로, 황폐한 대저택들이 몰려 있는 곳이다. 기름값이 천정부지로 치솟던 70년대, 이곳 주인들은 미네소타의 엄동설한에 거대한 저택의 난방비를 감당할 수 없어 교외의 새 주택들로 이사를 가버렸다. 루터 사회복지회는 60년대 말에 지어진 것으로 보이는 다세대 벽돌건물에 자리하고 있다. 어떤 예감을 느끼며 건물 안으로 들어선다. 한 번도 와본 적은 없지만, 여기가 바로 미국에서의 내 인생이 시작된 곳이기 때문이다.

나는 헤더와의 열 시 약속에 십오 분 먼저 대기실에 도착한다. 비서에게 나를 소개한다. 내가 전화로 통화한 적이 있는 사람임이 틀림없다. 어쩌면 내 파일을 통상적인 일과의 하나로 읽으면서도 그 안에 무슨 정보가 들어 있는지 알려주려고 하지 않던 그 직원인지도 모른다. 과연 비서는 젊고 금발에, 사회의 개선을 꿈꾸는 상냥한 공상가이다. 그녀는 스웨트셔츠에 헝겊 장식을 달아 입는 어느 마나님의 딸이며, 교구민들이 각자 음식을 가져와 나눠 먹는 교회 회식 때 훌륭한 참치찜 요리를 내놓는 것으로 유명한 인물임이 확실하다.

나는 대기실의 사이드 테이블에 놓인 잡지들을 뒤적인다. 잡지마다 루마니아나 중국에서 입양을 기다리는 고아들 사진으로 넘쳐난다. 새 부모와 즉시 사랑에 빠진다고 기관에서 장담하는, 귀엽고 행복한 표정의 아이들이다. 성공사례의 하나로(입양은 다 성공사례가 아닌가?) 갈색 머리카락의 사내아이가 환하게 웃음 짓는 사진이 실렸는데, 가슴에 성조기가 그려진 티셔츠를 입고 다람쥐 같은 열망에 부풀어 있다.

조지의 생모는 루마니아의 한 고아원에 그를 버렸다. 조지는 그곳에서 삼 년 동안 오로지 빵과 수프로만 연명하며 열여섯 명의 아이들과 한방에서 지냈다. 그는 이 년 전 보브와 메릴린 부부에게 입양되어, 앞으로 영원히 함께할 그들의 품에서 빠르게 활기를 되찾았다. "조지는 내 평생 만나본 아이들 중 가장 행복해하는 아이입니다. 전적으로 '행복 군(君)'이지요. 늘 미소를 짓습니다. 처음 보는 사람들이 '이 애가 기분 좋지 않은 날도 있나요?' 하고 물어올 정도니까요."라고 조지의 아버지는 말했다.

또 다른 사진들 속에는 행복한 표정의 모국 방문단들이 여행 가방들 앞에 무리지어 포즈를 취하고 있고, 한국에서 입양된 여자아이들이 한복을 차려입은 채 한껏 행복한 미소를 지으며 명백한 미국인의 자태를 드러내고 있다. 부끄러움을 모르는 미국식 미소가 그들을 추하게 보이게 하고, 한복을 입은 옷매무새는 우아하기는커녕 천박해 보인다. 모두가 지독히 행복한 모습들이다.

헤더가 열 시 정각에 대기실로 달려온다. 스웨터에 흑백 체크무 늬의 헐렁한 바지를 입고 있다. 만난 적은 없지만 보는 즉시 그녀인 줄 알겠다. 숨겨진 신분 코드—'나는 입양된 한국인'—는 '편한 옷 을 입은 한국인을 찾아라'를 의미하는 것이니까.

헤더는 나를 자기 사무실로 데려와 앉힌다. 여기 완전한 영어로, 게다가 미네소타 지역의 억양으로 내게 말을 건네는 한국인의 얼굴 이 있다. 이런 생소한 조합이 내 머릿속에서 제대로 연결되지 않아 스스로 놀랄 지경이다. 그녀는 눈썹이 인상적이다. 아시아인의 눈 썹은 아래쪽으로 자라는 경향이 있는데, 그녀는 무슨 수를 써서 그 랬는지 눈썹이 완벽한 아치 모양을 이루며 위쪽으로 자라는 것처럼 보인다. 눈꺼풀의 윗부분이 접히는 눈에 세심하게 그려 넣은 검은 아이라인이 커다란 갈색 눈을 더 커 보이게 한다. 입술에는 립글로 스 타입의 산호색 립스틱을 바르고 있다. 큼직한 다이아몬드 약혼 반지와 결혼반지로 인해 완벽한 매니큐어가 더욱 돋보인다.

나는 헤더가 맘에 든다. 캐럴 언니를 생각나게 하는 사람이다.

그녀가 자기 이야기를 들려준다. 홀트 아동복지회의 입양 역사상 제1차 시기에 입양되었다는 사실, 한국 입양인 출신의 영화제작자 —PBS 방송에서 그 감독의 영화를 본 적이 있었나?—와 친구가 된 인연, 그리고 황량한 사회복지사의 사무실로 보일 뻔한 이곳을 생 기가 돌게끔 장식해주는 여러 사진 속 자식들에 관한 이야기까지.

그녀가 얼마나 자주 이런 상황에 부닥치는지 궁금하다. 화가 난 입양인들이 루터 사회복지회로부터 이곳 사무실로 넘겨졌다가 헤더의 매력과 이해력에 반해 즉시 무장해제되는 일이 얼마나 빈번한지 말이다. 어쨌거나 효과가 있다. 그녀는 입양기관의 익명적 관료주의를, 반은 한국인의 피를 물려받은 아이의 친절한 엄마가 운영하는 작은 가게 분위기로 바꿔놓으며 내 기분을 풀어준다. 그녀는 자신과 다른 사람들 모두를 위해 이런 분위기를 계산에 넣은 것 같다.

나는 그녀를 신뢰하고 그녀가 무척 좋은 나머지 평상시의 점잖은 태도와 예의 바른 말은 잠시 팽개쳐두고, 결국 그녀의 업무란 바로 이런 것 아니겠느냐고 자기최면을 걸면서, 폭발하는 감정을 주체하지 못해 숨이 가빠지고 부들부들 떨기까지 하며 한바탕 소란을 피운다.

그녀는 주의 깊게 듣고 나더니 상황을 이해한다. 이 얼마나 놀라운 일인가. 그녀의 의견은 이렇다. "얘기를 들어보니 아버님이 더 다정다감한 분 같네요. 그분과 따로 얘기해서 추도식에 오실 수 있겠는지 알아보세요." 그녀는 내 부모님이 현명하지 못한 것 같아 다소 성가시겠다고 말한다. 무엇보다 좋은 건, 내가 원하는 방식이 아니라면 그들과 얘기하지 않아도 좋다고 그녀가 허락해준 것이다.

———

아빠는 삼십 년 이상을 한 판금 공장에서만 일해 왔다. 그 세월 동안 아빠의 일터로 전화한 적은 딱 한 번뿐이었다. 그것도 아주 긴

급한 상황에서.

그는 사무실 직원이 아니라 대못을 박는 노동자이다. 따라서 개인용 전화가 없다. 그와 통화하려면 사무실 비서를 거쳐야 한다. 휴식시간까지 기다렸다가 정확히 열 분 쉬는 틈에 다시 전화를 걸어 그를 호출한 다음에야 비로소 통화가 가능하다. 그러면 그는 반쯤 노출된 곳에서, 그것도 선 채로 전화를 받아야 한다. 그러나 헤더가 제안한 일이었고, 나 역시 우리를 치유할 수 있는 뭔가가 일어나기를 바라는 낙관적인 마음으로, 한번 해보지 뭐, 하고 생각한다.

나는 사설을 길게 늘어놓지 않는다. 아빠의 휴식시간은 길지 않다.

"엄마가 추도식에 오시지 않는다 해도, 아빠는 와주세요. 할머니가 돌아가셨을 때 아빠가 얼마나 슬펐는지 기억나세요? 내가 지금 그런 기분이에요. 그러니까 아빠가 와주시면 좋겠어요."

"……."

"아빠?"

"너, 엄마에게 욕을 했더구나. 우린 안 간다."

말이 많지 않은 가정에서는 말 한마디의 가치가 큰 법이다. 잡담도, 장황한 설명도, 두 번째 기회도, 그리고 '이러이러한 때, 이러이러해서, 이러이러한 기분이다'는 식의 진술도 없다. 몇 가지 단서로 진의를 파악하는 법을 배워야 한다. 소위 말하는 음파탐지법. 박쥐는 곳곳에 음파를 튕겨 보내면서 그 반향을 살핀다. 따라서 보지는 못하지만 빈 공간을 가르는 음파를 통해 방향을 조정하며 날아갈 수 있다. 나 역시 반향을 살핀다. 아빠의 간단한 두 문장에서 두 가지 사실을 추론해 낼 수 있다. 첫째, 엄마와 아빠가 연합 전선을 펴고 있다. 둘째, 상실을 인정하는 것은 애당초 거기에 중요한 뭔가가, 소유할 가치가 있는 뭔가가 있었다는 것을 인정하는 것이다. 엄마 아빠는 오직 나만을 사랑하기 때문에, 내가 그들과 한국 가족 양쪽 다 사랑하는 것을 이해하지 못한다. 그들은 자신들의 부모님이 돌아가셨을 때조차 감정을 표출한 적이 없기 때문에, 왜 내가 한국 어머니의 죽음에 대해 그렇게 해야 하는지 이해하지 못한다. 그들은 배신감을 느낀다. 그들은 내가 한국 가족 편에 서서 자신들 편을 들지 않는다고 생각하기 때문에, 내 편을 들어주지 않았다. 나는 더 이상 그들의 딸이 아니다. 나는 이제 그들이 원하는 아이가 아니다.

> 이 땅의 탄식 위에서
> 내 삶은 끝이 없는 노래.
> 아득히 들려오는 달콤한 찬가는
> 새로운 창조를 환호하는 소리.
>
> ─로버트 로리

추도식 날 아침, 마이클 신부님으로부터 전화가 왔다. 추도식을 진행하고 싶은 마음에 변함이 없는지 내게 물었다. 간밤에 최소한 삼십 센티미터 이상 눈이 내리는 바람에 제설기와 송풍기로 눈 치우는 소리가 조용한 미니애폴리스 일대에 울려 퍼지고 있었다. 크리스마스가 다가오고 있었고 마크와 나는 곧 뉴욕에 갈 계획이었기 때문에 식을 그대로 진행하겠다고 했다.

어머니의 시신이 없는 대신 사진을 가져오라고 신부님이 요청했다. 나는 소나무 액자에 넣은 사진 한 장과 양초 몇 자루 그리고 어머니에게서 받은 편지 한 묶음을 가져와 예배당 앞쪽의 탁자에 진열해 놓았다. 아주 간소한 전시였다. 졸업식이나 기념일 파티에서 흔히 볼 수 있듯, 이십 년이나 삼십 년에 걸친 사진들과 거기 붙은 엄청난 수의 꼬리표들을 자랑하는 그런 전시와는 거리가 멀었다. 나는 다 합쳐 만 칠 주를 엄마와 함께 보냈던 걸로 기억하고 있다. 엄마는 그 칠 주 가운데 사 주를 투병 중이었다. 다행히 엄마가 건강했던 시절에 찍은 독사진 한 장이 있어, 그 사진을 가져온 것이다.

추도식은 조촐한 모임이었다. 나는 가장 가까운 친구들만 초대했다. 장례식이 죽은 자가 아닌 산 자를 위한 것임을 이해하는 사람들이다. 나 외에 어머니를 실제로 만나본 적 있는 유일한 참석자는 미시즈 한이었다.

미시즈 한은 오 년 전 엄마와 내가 재회한 그날 우리를 위해 통역을 해주었던 분으로, 엄마의 신산스런 삶을 아는 까닭에 전시된 사진을 보며 고개를 내두른다. "저렇게 조그만 여인이 말입니다……." 사진 속의 엄마가 그녀를 향해 미소를 짓고 있다. 미시즈 한과 엄마는 동시대인들로, 두 사람 다 일제 강점기를 겪었고 조국의 분단과 조국의 아이들을 잃는 슬픔을 목격했다.

"와주셔서 감사합니다. 어머니가 고마워하셨을 거예요." 미시즈 한에게 감사의 말을 건넨다. 이런 날 한국인의 얼굴을 보니 너무 좋다. 우리는 모국 방문단 이후 무려 오 년 만이었으나 내가 전화를 걸어 "절 기억하실지 모르겠어요……."라고 머뭇거리며 메시지를 남겨놓자 그녀는 내 어색해하는 태도와 모호한 말을 모두 가려내고서 나를 기억해냈으며, 엄마를 내 가족으로 기억하고 있었다. 그리하여 오늘처럼 눈 내리고 추운 날 이곳에 와준 것이다.

작은 교회 안으로 걸어 들어오는 옥사나의 어깨에는 눈이 쌓였다. "제인!" 큰 소리로 나를 부르는 아름다운 러시아인의 억양. 그녀는 멀리 떠나온 가족이 있다는 게 어떤 건지 잘 아는 사람이다. 십 년 동안이나 모스크바의 어머니와 동생으로부터 떨어져 살아온 것이다. 그녀는 남편과 아이들을 데리고 재닛의 뒤에 가 앉는다. 재닛은 자기가 중요하다고 여기는 것을 위해 어린 세 아이들을 겨우 떼어놓고 참석해주었다.

예배당 앞쪽에서는 딕이 사진을 살펴보고 있다. 이제 초등학생 나이가 된 한국 아이 둘을 입양해서 키워온 그에게 내 부모님의 대리인 자격으로 참석해 달라고 부탁했다. 어머니의 얼굴을 들여다보는 동안 그는 두 손을 경건하게 포개고 있다. 고인의 시신 앞에서 경의를 표하는 그런 자세이다. 나는 그의 용기가 존경스럽다. 자신의 두 아이 피터와 리아에게는 친가족 얘기를 꺼내지 않지만, 내 친어머니를 예우하기 위해 용기를 내어 온 것이다. 그의 붉은 수염 뒤로, 언제쯤 이런 일이 자기 가족에게 닥칠까 하고 생각에 잠긴 표정이 엿보인다.

라그레타가 뒤쪽 자리에 가서 앉는다. 우리는 서로 눈인사를 교환한다. 그녀는 엄청난 힘을 소유한 여성이다. 타고나는 게 아니라 오직 노력으로 쟁취하는 그런 종류의 힘이다. 그녀는 아주 직설적인 타입이지만 늘 인자한 마음의 소유자로, 아이들을 사랑하며 자식 둘을 균형이 잘 잡힌 행복한 젊은이들로 키워놓았다. 나는 그녀를 대단히 존경한다.

마이클 신부님이 위안을 주는 성경 구절을 봉독한다. 나는 사후의 삶이니 부활이니 천상의 영광이니 하는 말들을 절박하게 믿고 싶지만, 믿어지지 않는다.

신부님이 나를 불러내어 봉독하게 한다. 나는 엄마의 편지를 읽기로 했다. 오늘, 이 마지막 날에 엄마의 목소리가 되어주고 싶다. "사랑하는 딸 미자와 경아에게……."

두 문단을 읽고 나자 숨이 거칠어지고 심하게 가빠진다. 말을 할수가 없다. 그때 마크가 나를 구해준다. 연단으로 나온 그가 내 손을 잡고 나를 대신해 편지를 끝까지 읽는다.

추도식이 끝나고 떠나기 전에 친구들이 모두 나를 안아준다. 내가 우는 모습을 본 적이 없는 사람들, 항상 예의 바르고 기분 좋은 내 모습만 보아온 사람들 앞에서 울음이 터져 나온다. 지금 그들은 예의 그 미소가 사라진 나를 보고 있다. 내 눈물이 그들의 모직 코트에 젖은 자국을 남긴다. 그들이 가라앉은 목소리로 부드러운 위로의 말을 건네 온다. 조문 카드들이 의자 위에 쌓인다.

> 모든 소란과 분쟁을 뚫고
> 울려 퍼지는 음악 소리,
> 이는 내 영혼의 떨림.
> 어찌 노래하지 않을까?
>
> ─ 로버트 로리

약식으로 치러진 조용한 애도의 시간이었다. 깊은, 사산(死産)의 상실.

───⌒───

크리스마스가 지난 지 얼마 되지 않아 마크의 할머니가 암으로 돌아가셨다. 병원에서 할머니를 보는 것이 힘겨웠다. 이런 환자의 얼굴을 난 너무나 잘 알고 있었기 때문이다. 마크의 어머니를 위로 해드리고 싶어서 고급 비누와 초콜릿, 오감을 진정시켜주는 아로마 제품들이 담긴 선물 꾸러미를 보냈다. 엄마가 돌아가셨을 때 슬픔에 잠긴 나 자신에게 주고 싶었을 물건들이다.

나는 일을 그만두었다. 그건 대학 졸업 후 처음 가져본 '진짜' 일이었다. 비영리 상근직으로, 가난하여 양질의 음악교육을 받을 수 없는 가족들에게 음악 레슨을 제공하기 위해 내가 기획했던 음악학교를 관리하는 일이었다. 그러나 내게는 남에게 줄 것이 아무것도 남아 있지 않았다. 남을 도우려는 욕망도 다 사라졌다. 누구누구네 가족이 너무 가난해서 인터넷 서비스, 케이블 TV, 축구 유니폼 등의 비용을 지불해나가기 힘들다는 슬픈 이야기를 수도 없이 들은 뒤, 내 자리를 맡을 사람을 찾아주고 나서 거기를 나왔다.

정신적 파탄에 빠진 나는 그저 신물 나게 돈이나 많이 벌어야겠다고 생각했다. 그래서 컴퓨터 프로그래밍 학원을 차렸다. 그러나 몇 달 만에 그 일 역시 그만두었다.

나는 모든 일에서 손을 놓았다.

> 솔직히, 어느 나라에서도 백인 아이들을 미국 가정에 입양시키도록 우리에게 의뢰해오는 건수는 없다. …… 현실적으로 말해서, 입양에 관심 있는 가족들에게 우리가 제안할 수 있는 것은 한국 아이들—순수 한국인 혈통, 한국인과 백인의 혼혈, 혹은 한국인과 흑인의 혼혈—뿐이다.
>
> — 국제사회복지협회, 1970년

입양 사업에서 높이 쳐주는, 미국 태생의 건강한 백인 아기를 입양하는 일이 1950년대 말에는 쉽사리 가능했다. 내 친구 메리가 그런 백인 입양아 중 하나였다.

넓은 금줄로 세팅된, 메리의 에메랄드 컷 다이아몬드 반지가 거리의 빛을 반사하며 무지개 빛깔의 기하학적 무늬를 탁자 위에 던지

고 있다. 그녀의 두 번째 남편은 이런 반지를 사주었을 정도로 그녀
를 무척 사랑하나 보다. 어떻게 사랑하지 않을 수 있을까? 물결치는
금발이 등 한가운데까지 출렁이고, 진지한 빛의 파란 눈이 가녀린
얼굴 위에 커다랗게 열려 있으며, 손톱에는 늘 밝은 금속성 빛깔의
매니큐어가 깨끗이 칠해져 있다. 그녀는 몸집이 우람한 올덴부르크
종(種) 말을 탄다. 이 말이야말로 그녀의 진짜 영혼이 물질적으로 구
현된 존재가 아닐까? 힘이 넘치고, 우아하고, 고집이 세며, 블랙 뷰
티를 비롯하여 여자아이들이 좋아하는 이야기책 속의 온갖 말들을
연상시키는 길고 검은 갈기와 꼬리를 지닌 말이 꼭 그녀 같다.

　메리와 나는 입양된 아이들의 존재 방식에 관해 이야기를 나눈
다. 아이들은 양부모가 자신들을 '선택했다'고 떠들어대는 왜곡되
고 과장된 말을 자신들이 또한 '선택되지 않을 수도 있다'는 뜻으
로 받아들이며 오해하기 십상이고, 그러므로 또다시 버려지지 않
기 위해, 사랑받기 위해, 그들의 기분을 맞춰주고 웃음을 선사하는
꼭두각시 같은 존재로 전락하기 쉽다는 것을. 우리는 연인 관계에
대해서도 얘기를 나눈다. 내가 이 남자를 정말 좋아하는 건 아니구
나, 하고 미처 깨닫기 전에 관계가 너무 빨리 진전되면 결국 파멸로
치닫게 된다는 것을. 우정 역시 우리가 노력하지 않으면 왔다가 가
버린다는 것도.

　나는 어머니가 돌아가신 이후로 우울해졌다고 말한다.

　"움직일 힘도 없어. 그저 온종일 침대에 누워 있고만 싶어. 있는
힘을 다 짜내어 식품점이든 주유소든 그 어디든 간다 해도, 거기서

결국은 엉엉 울어버리고 말 것 같아."

"그래, 사람들이 하는 말 있잖아. 모든 우울은 너 자신에게로 돌려진 분노이며, 모든 분노는 부당함에서 나오는 것이라고."

그러고 나서 그녀는 내가 생각지도 못했던 말로 한 번 더 일격을 가한다.

"네 부모님은 늘 어느 정도는 널 미워할 거야. 넌 그들이 원래 희망하던 아이가 아니거든."

그녀는 이미 오래전부터 그런 사실을 알고 있었던 것처럼 말한다. 비록 지금은 십대의 자식을 둔 어머니가 되었지만, 그녀에게는 어린 시절의 상처가 그대로 남아 있다.

나를 미워한다고?

부모님이 백인 남자아이들을 원한 것은 사실이다. 로버트와 찰스라는 이름을 붙여주고 싶어 했지만, 그들이 얻은 것은 로버트란 이름의 조카 아이와 찰리라는 이름의 고약한 헛간 고양이 그리고 이름이 낯설어서 바꿔야 했던 한국 여자아이 둘이었다.

메리와 나는 대용품 같은 아이들이다. 우리가 입양된 것은 양부모에게 아이를 하나 더 받아들일 여지가 있었기 때문이 아니다. 드문 경우이긴 하지만, 양부모가 입양을 옳은 일이라 생각해서 입양만을 원했기 때문은 더더욱 아니다. 메리와 나는 양부모가 택한 마지막 방편이다. 이를테면, 2세 번식을 위한 추첨에서 당첨되지 못한 사람들이 위로의 뜻으로 받은 경품이다. 그들이 진정으로 원했던 친자식을 대신하기 위해 들어온 아이들이다.

물론 누구도 이런 사실을 입 밖에 내지는 않는다. 그러나 아이들은 무언의 세계에 민감한 존재들, 그런 것쯤 스스로 느낄 수 있다. 우리는 우리 자신이 양부모에게 절대 완벽한 아이가 될 수 없다는 이치를 몰랐으므로 불가능한 꿈을 이루기 위해 부단히 노력했던 것이다. 우리는 애처로운 강아지들 같았다. 오, 제발 나를 사랑해주세요. 쓰다듬어주세요. 뭘 해야 할지 말해주세요. 당신을 위해 그렇게 할게요. 앉을까요? 그대로 있을까요? 얼마 동안이나요? 내가 맘에 드나요?

메리의 말은 정곡을 찌른다. 부모님이 나를 미워한다는 생각은 한 번도 해본 적이 없었다. 그러나 그와 관련된 어떤 진실이 있을지도 모른다. 우리는 누군가의 몸에, 누군가의 여성성 혹은 누군가의 남성성에 문제가 있음을 상기시키는 존재이다. 우리는 부적합함과 불완전함을 상기시키는 존재이다. 물론 겉으로는 아무도 그렇게 생각하지 않지만, 수치심은 그 자체의 진실을 수반하는 법이다.

메리의 말이 이어지고 그녀의 반지가 햇빛에 반짝거린다.

"네가 학교에서 공부를 잘하는지, 집을 잘 치우는지, 좋은 엄마가 되는지, 그런 건 아무런 상관이 없어. 넌 아무리 노력해도 부모님 마음에 쏙 드는 완벽한 아이가 될 수 없단 말이야. 떨쳐버릴 수 없는 그 기이한 기분을 넌 항상 느끼며 살게 될 거야. 설령 부모님을 몰아붙이며 도대체 네게 뭘 원하는지 말해달라고 따져본들 소용없어. 부모님이 네게 원하는 건 네가 너 자신이 아닌 다른 누군가가 되는 거니까. 그들은 절대 네 면전에 대고 '넌 우리가 원했던 아이가 아니야. 넌 대용품이고 차선책이지'라고 말하지는 않을 거야. 하지만 그게 진실이야. '입양은 멋진 일' 따위의 미사여구 밑에는 그런 진실이 숨어 있고, 그들은 그걸 스스로 인정하기조차 부끄러워해. 그러니 그들로서는 절대 입 밖에 낼 리 없지만 넌 그걸 알고 있어. 왜냐하면 넌 그들에게 완벽하지 못한 아이라는 자괴감에 끈질기게 시달리며 살고 있으니까."

돌이켜보니 나는 계획다운 계획을 한 번도 세워본 적이 없었던 것 같다. 대학원에 진학할 계획도 없었고, 그렇다고 확실한 직업 목표를 정한 것도 아니었다. 대학 시절에는 단순히 졸업 요건들만 이행하며 한 발, 또 한 발, 기계적으로 내디뎠을 뿐이다. 졸업 후에는 데프 릴레이 일에서부터 음악학교 관리까지, 내 무릎에 떨어지는 일이라면 무엇이든 다 받아들였다. 어쩌면 그것이 외상 후 스트레스 장애의 증거였는지도 모르고, 아니면 그저 나태하고 무심한 내 성격이었는지도 모른다.

나 자신은 그다지 지적이지 못함에도 불구하고 어찌어찌하여 굉장히 수준 높은 책들을 읽는, 굉장히 지적인 친구들을 알게 되어 그들 덕분에 맛있는 간식과 프루스트* 같은 작가들 사이의 관계를 연결 지을 수 있게 되었다.

마크와 막 데이트를 시작했을 때, 아이들에게 음식을 해 먹이는 엄마의 사랑법에 착안해 그를 감동시키고 싶었다. 그래서 도서관에서 베트남 요리책(백인 남자는 베트남 요리와 한국 요리의 차이를 잘 몰랐다)을 빌려 와 그가 행운아라고 느끼게끔 '럭키 머니(행운의 돈)', '럭키 뱀부(행운의 대나무)', '럭키 드래곤(행운의 용)', '아시아인 여자친구를 가진 당신은 행운아'라는 이름의 요리들로 이국적인 정찬을 차려주곤 했다.

베트남 요리에서 덤으로 얻는 것은 베트남을 식민통치했던 프랑스의 영향을 받은 요리들이 상당수 포함되어 있다는 사실이다. 첫 시작으로 오렌지 마들렌의 요리법을 시험해보았다. 어쩜, 맛이 그만이었다! 집착이 생겼다.

그 후로 몇 달 만에 제법 긴 실험 목록이 만들어졌다. 클레멘타인 마들렌, 옥수수 햄 마들렌, 그랑 마르니에 마들렌, 앱솔루트 시트론 마들렌 등등. 그리고 드디어 최고의 비법을 발견했다. 요리사 줄리아 차일드의 레몬 맛 프루스트 마들렌. 생각했던 것보다 버터는 더, 밀가루는 덜 들어가고 버터는 반죽에 넣기 전에 끓이는데, 그렇게 해서 등이 약간 둥글게 부풀어 오른 그 맛은 환상적이다! 여기에 차 여과기로 가루 설탕을 흔들어 살살 뿌려주면 드디어 완성이다.

추도식 이후로 기분을 살려줄 뭔가가 필요했다. 되도록이면 현실

* Marcel Proust. 1871~1922. 19세기 말 20세기 초의 귀족과 부르주아 사회를 묘사한 대작 장편소설 『잃어버린 시간을 찾아서』를 남긴 프랑스 소설가. 이 소설은 마들렌(버터를 넣은 조개모양의 프랑스 과자) 일화로 유명하다. 주인공이 우연히 홍차에 적셔 먹은 마들렌 맛이 어린 시절의 회상을 불러 일으켜 잊힌 과거를 되살리고 현재화함으로써, 과거의 나와 현재의 나 사이의 단절을 메우고 시간을 초월한 자아의 통일성을 회복하게 한다.

과 전혀 상관없는 것으로.

그리하여 '프루스트 파티'를 열기로 마음먹고 문학가 친구들을
모두 초대했다. 라벤더 차와 함께 다채로운 마들렌을 음미하고, 프
루스트를 흉내 내기 위해 누군가가 내 침대에 드러누워 떨고 있는
장면도 연출되기를 바랐다. 그렇게 어느 오후를 잔뜩 허세 부리며
보내고 싶었다. 그들에게 각자 서로 맞바꿀 찻잔 하나와 프루스트
혹은 그와 마찬가지로 몸이 허약한 작가들이 쓴 책 한 권씩을 가져
오라고 주문했다. 나는 이미 알랭 드 보통이 쓴 『프루스트가 어떻
게 당신의 삶을 바꿀 수 있는가』를 읽었고, 파티까지 남은 이 주 동
안 프루스트의 『잃어버린 시간을 찾아서』 전권과 맞붙을 준비가 되
어 있었다.

공공도서관에 가서 가장 최근 번역으로 보이는 1980년대 중반
판본을 신청했다. 일주일 뒤에 책이 도착했다. 사서가 카운터 뒤
에서 꺼내준 것은 겉 커버가 씌워져 있지 않은 칙칙한 파란색 양
장본으로, 큼직한 얼룩이 앞표지에 물들어 있고 책등은 실오라기
들로 너덜너덜했다. 사서에게 이 책이 맞는지 다시 한 번 확인해
달라고 부탁했다. 이 책이 바로 그 책이었다. 내가 신청한 책보다
적어도 오십 년은 더 오래되어 보이는데 말이다. 집에 돌아와 프
루스트 파티를 일주일 남겨놓고 이제부터 읽기 시작해야겠다고
마음먹었다.

프루스트가 침대에 누워 있는 장면을 서술한 첫 부분을 읽느라
족히 한 시간을 보냈다. 그것이 1장이었다. 2장을 읽기 시작했다.

그러다가 문득 색인을 훑어보는데, 뜻밖의 뭔가가 책에서 떨어져 나왔다. 종이 한 장의 사 분의 일 크기만 한 쪽지였다.

특별허가 신청서

환자 성명 _____

허가 내용 _____

신청 기간과 기타 사항 _____

신청 사유 _____

서명 (상담자) _____

다른 종이 한 장이 같은 페이지 안에 끼워져 있었다. 그건 작은 노트였는데, 줄을 긋고서 다른 말로 바꿔놓은 단어들이 즐비하여 거의 읽기 힘든 글이 적혀 있었다. 종이 윗부분에는 낙서가 가득했다. 글을 쓴 사람이 펜의 잉크를 잘 나오게 하려고 마구 갈겨댄 모양이다. 마침내 글이 눈에 들어왔다.

내가 자서전을 쓸 때, 아주 비열한 사항들과 신화적 상상 및 시각으로 왜곡된 사회적 관점을 삭제하지 않고 그대로 제시하려 한다면, 그런 자서전은 내가 살아온 지극히 비범한 삶을 은밀히 훼손하는 일이 될 것이다. 나는 내가 살아오면서 비틀거리고 날뛰는 동안 실상을 지배해온 두드러진 신화들과 명확히 규명된 역사적 사실의 문제들을 제시할 작정이다.

샌프란시스코 필모어 가(街)의 손금 보는 이가 언젠가 내게 말했다. 내 손은 아주 긴 삶을 예견하고 있지만, 스스로 통제하기 힘든 삶이라고. 그 예측은 잘 맞아떨어졌다. 나는 사십일 년을 살았고, 심지어 내 의지와 도전에도 아랑곳없이 아직 살아 있다.

나는 분명, 미네소타에 정착한 아일랜드 가톨릭계 백인 중산층 시골 가정의 말썽꾼이었다. 우리는 말을 기르는 작은 농장에서 살았다. 시내에서 십일 킬로미터 떨어진 곳이었다. 아버지는 내가 어릴 적에 어느 식품점 체인의 구역 지배인으로서 자주 출타 중이었고, 훗날 자기 소유의 식품점을 구입하자 집에 들어앉았다.

이런 사실들은 중요하지 않다.

다음과 같은 몇 가지 사실이 현재의 내 사회적 성향을 형성하는 데 중요한 요인으로 작용한 것 같다. 첫째, 내 고향 마을이 다분히 동질적인 지역사회였기 때문에, 나는 경제적 차원에서나 인종적 차원에서나 그 어떤 소수 집단에 대해서도 편견 없이 자랐다. 나의 성 역할 모델도 사회의 관습적인 기준과는 거의 전적으로 반대였다. 어머니는 육체적으로 강인하고, 심리적으로 위압적이며, 말이 많지 않고, 창의적이지 않은 사람이었다. 반면에 아버지는 손재주가 뛰어나고, 아이들 양육에 힘쓰고, 상냥하고, 순종적이고, 말을 잘하는 성향을 타고 났는데, 이런 것들이 당시에는 여자들의 속성이라고 여겨졌다.

바깥세상과 관련해서 내가 누구인가 하는 정체성 관념은 모호했다.

프루스트를 다 읽지는 못했지만 파티는 성공리에 끝났고 우리는 그 많은 마들렌을 다 먹어치웠다.

한동안 글을 쓰는 것에 대해 생각하고 있었다. 그건 오래된 습관이었다. 의무감으로 글을 쓰고, 그 결과물을 다른 사람들에게 억지로 읽게 하고 내게 질문하도록 강요했던 그 시절부터 이어진 습관. 마치 쓰여 있던 글자를 지우고 그 위에 다시 글을 쓴 양피지 같은 것. 일기는 위험했다. 나는 그 교훈을 여러 번 깨달았다. 처음에는 미국 엄마, 그다음에는 질투심 많은 남자친구를 통해서였다. 그러다가 결국에는 글을 써야 한다는 강박적 충동 심리가 사장되고 말았다. 글쓰기란 오로지 나 자신만을 위한 것이라 할지라도 불가능하다는 결론을 내렸으므로.

그런데 이 종이 한 장이, 어느 정신병원에 감금된 이방인으로부터 온 병 속의 서신처럼, 『잃어버린 시간을 찾아서』에 꼭 둘러싸인 채 내 앞에 나타났다. 나는 그것을 하나의 신호로 받아들이지 않을 수 없었다. 그리하여 나는 쓰기 시작했다.

나는 제인 마리 브라우어. 비행기에 태워져 미국 땅을 밟은 1972년 9월 26일에 브라우어 가의 딸이 되었다. ……

＞

나는 지난 일을 한 번 더 돌이켜보고 잘못된 점이 있으면 고치는 데 주저하지 않는 사람이다. 지난번 루터 사회복지회에 전화했을 때는 내가 좀 흥분해 있었는지도 모르고 또 이제는 거의 일 년이란 시간이 흐른 터라 내 성질도 가라앉았으므로, 다시 시도해보려고 한다. 이번에는 감정을 잘 다스릴 수 있을 것 같다. 어쩌면 나를 도와주고 싶어 하는 사람과 연결될지도 모를 일이다.

질문은 예전과 똑같다. 제 파일을 볼 수 있을까요?

뭔가를 원하는 사람이 그렇듯 차분하고 다정한 목소리로 입양 부서에 전화를 하니, 곧 입양 후속 부서로 넘겨져 껌을 짝짝 씹어대는 젊은 여성과 통화를 하게 된다. 자기한테 이메일로 보내달란다. 이메일을 보내고, 답장은 없고, 그래서 그다음 주에 다시 전화한다. 여전히 껌을 짝짝 씹어대며, 나와 통화한 적이 있다는 사실을 기억하지 못한다. 나는 담당자와 얘기하고 싶다고 말한다.

담당 관리자는 비음 섞인 새된 목소리이다. 그녀 역시 다른 사람들과 똑같은 전제하에 일을 수행하는 듯 보이고, 사회적 통념에 이의라고는 제기하지 않는 타입이다. 나는 작정을 하고서 답하기 곤란한 질문을 던진다.

문) 제 파일을 볼 수 있을까요?

답) 안 됩니다. 법으로 금지되어 있어요. 그건 당신 부모님의 프라이버시입니다.

문) 좋아요. 근데 제가 법률도서관 이용법을 알거든요. 제가 직접 읽어보게 그 법의 명칭이 뭔지 알려주실래요?

답) 죄송하지만, 그건 모릅니다.

문) 그게 진짜 법인가요, 아니면 그냥 루터 사회복지회의 내부 규정인가요?

답) 이곳의 내부 규정입니다.

문) 사람들이 볼 수 있도록 규정들을 명문화한 성명서가 있나요?

답) 아니요.

문) 제 파일은 아직도 거기 있나요?

답) 네.

문) 어디에 보관되어 있죠?

답) 여기에 있습니다.

문) 파크 대로변에 있는 그 건물에 있다는 말씀인가요?

답) 네.

문) 제가 볼 수 없다면, 그걸 달리 무슨 용도로 사용하세요?

답) 사용하지는 않지만, 법에 따라 보관해야 합니다.

문) 그 법의 명칭은 아세요?

답) 아니요.

문) 그것도 진짜 법인가요, 아니면 내부 규정인가요?

답) 모르겠습니다.

문) 그런 규정을 바꾸게 하려면 어느 분과 얘기를 해야 할까요?

답) 제게 서신으로 보내십시오.

문) 지금 당신과 얘기하고 있는데, 왜 그래야 하죠?

답) …….

문) 좋아요. 제 파일을 보는 게 불가능하다면, 그럼 루터 사회복지 회의 입양 사업을 광고한 옛날 기록이 있는지 궁금해요. 제 부모님이 봤을 만한 광고들 말이에요. 부모님이 어떻게 한국인 입양에 대해 알게 되었는지 알고 싶어서요. 그런 기록들이 남아 있나요?

답) 아니요, 보관해놓지 않았을 겁니다.

문) 입양 전이나 그 후에 그분들에게 제공된 프로그램들이 있었나요?

답) 어떤 분이 한국을 주제로 한 프로그램에 대해 언급을 하셔서, 부모님들을 초청해 한국 음식을 함께 먹은 적은 있습니다.

문) 그런 프로그램들은 의무적으로 참여해야 했나요?

답) 그건 모르겠습니다.

담당 관리자가 자기 일에 대해 그토록 아는 게 없다니 믿어지지 않는다. 두 가지 경우 중 하나일 것이다. 알고는 있는데 말하지 않거나, 정말로 아는 바가 없거나. 후자의 경우라면 그곳에서 일해서는 안 될 것이다.

그녀가 내게 루터 사회복지회의 지원 모임 하나를 소개해준다(그냥 그 넌더리나는 정보를 마지못해 내준다면 지원 모임 따위는 필요 없을 텐데). 그리고 삼십오 달러를 지불하면 내가 입양될 당시의 가정배치 파일을 열어보겠다고도 한다. 내게 필요한 것이 가정배치 파일이 아니라는 사실을 그녀는 이해하지 못한다. 그리고 설령 그것이 필요하다 해도, 왜 내가 파일을 열어서 복사하는 데 삼십오 달러를 지불해야 하나? 그들은 이미 나로 인해 충분한 돈을 벌지 않았던가?

———

본의 아니게 온통 백인의 세계가 되어버린 내 삶을 동정하고 싶은 충동이 일었다. 그래서 적극적으로 다른 아시아인들을 찾아봄으로써 그런 삶을 바꿔보려 했다. 내가 속한 지역사회의 몇몇 아시아인과 그들의 친구들, 그 친구들의 친구들을 알게 되었고, 얼마 지나지 않아 내 이메일 주소가 트윈시티스 지역에서 정치적 성향이 강한 아시아인 명단에 올랐다. 그즈음에 KKK 단*이 우리 지역에 나타났다.

아시아인들은 주 의회 의사당 계단에 모여 KKK 단에 항의하는 집회를 열었다. 나는 집회에 불참했고 또 불참에 대한 내 입장을 옹

---

* 백인 신교도들로 결성된 미국 백인우월주의 비밀결사단체. 타인종과 타종교를 배척하고 테러를 일삼는다.

호했는데, 그것이 그들의 감정을 상하게 했다. 섬처럼 고립된 하나의 인종집단 차원에서 항의하는 것으로 인종차별을 종식시키는 데 일조할 수 있을지 나는 확신할 수 없었다. 어쨌든 그런 집회로 인해 대중매체의 주목을 끄는 것이 바로 KKK단이 원하는 바였다. 세상을 변화시키고 교육하는 수단으로서 재정이 열악한 공립학교 아이들을 위해 자원봉사를 하는 편이 더 낫다는 내 생각은 보기에 따라서는 너무 순진하거나, 주류적인지 뭔지 하는 그런 부류로 비쳤다.

아시아인 명단에서 나를 빼달라고 요청했는데도, 내 이메일 수신함은 한결같이 범아시아적 시각으로 써 보낸 의견들로 넘쳐났다. 나를 삼인칭으로 지칭한 글도 있었다. "'그 여자' 누구야? 대체 신분이 뭐지?" 그들은 의심스러운 듯 묻고 있었다. 마치 내가 아시아인들만의 권익옹호 클럽에 가서는 경비원에게 내 '초(超)아시아인 공동체' 신분증을 내보이는 걸 잠시 깜박한 상황인 것 같았다.

나는 초아시아인들의 정체를 혼동했다. 내가 그들 집단에 깔끔하게 들어맞는 사람이 아니었기 때문이다. 나는 백인을 경멸하지 않았다. 관습적인 전제나 음모설은 배척했다. 아시아 여성과 데이트하는 백인 남성이나 백인 남성과 데이트하는 아시아 여성을 모욕할수록, 나는 마크와 나의 관계에 대해 더욱 방어적인 자세를 취하게 되었다. 나는 미국이라는 나라와 그곳에 거주하는 모든 백인에 대해 뿌리 깊은 증오심을 품고 있지 않았다. 만일 이 초아시아인들이 백인이고 그들의 인종차별적 공격대상이 흑인이라면, 혹은 그 반대의 경우에도, 미 연방 수사국 FBI가 과연 그들에 관한 파일을 작성해 놓을까 하는 생각이 들었다.

그 집단 속에서 모습을 드러내지 않는 한국 입양인도 있었다. 그들이 나를 지지하는 이메일을 개인적으로 보내주었기 때문에 나는 그들의 존재를 알고 있었다. 하얀 크림을 끼얹은, 바나나 맛 나는 속내를 드러낸다면 그 무리에서 바로 추방된다는 사실을 그들은 이미 알고 있었음이 틀림없다. 인종이 다른 사람과 결혼하고, 백인 중심의 환경에서 살고 일하며, 아시아인의 긍지를 충분히 갖고 있지 않다는 이유로 인해 매도당할 수 있다는 사실을 그들은 잘 알고 있었다.

이메일 폭주 사건 이후 몇 주 동안 나는 자기혐오에 빠져 허둥대고 있었다. 부끄러운 생각을 품고 있는 나 자신을 목격했다. 이곳이 싫다면 왜 자기네 나라로 돌아가지 않는 거지? 마치 어린 시절 할로우 사람들로부터 들은 비아냥거림이 다시 되돌아와 내 입속에 머물고 있는 듯했다. 그러나 자기혐오의 더 큰 이유는—다시 한 번, 이 얼마나 놀라운 일인가—내가 그 무리에 받아들여지지 않았기 때문이다. 아직 완전한 아시아인이 못되고, 살가죽 밑으로는 백인 우월주의자로 의심받는 인간. 내가 한국에서 보낸 그 모든 시간은 부질없는 것이었나? 한국인이 되는 법을 배워야 할 뿐 아니라 세계를-대표하는-범-아시아-태평양-군도의-정치적-행동주의자가 되는 책임까지 져야 하나? 한국 가족과 보낸 그 모든 시간에도 불구하고 나는 여전히 가짜 혹은 기괴한 잡종이었나?

기억을 다루는 법

탁자 위에 기억들을 쫙 펼쳐놓으세요. 울타리를 하나 쳐서, 어떤 기억은 밖으로 내놓고 어떤 기억은 안으로 들여놓으세요. 조상이 후손의 기도에 응답할 수 있도록 아주 높고 정교한 탑을 하나 세우세요. 가로세로 서로 맞물린 단어들로 작고 네모난 집을 한 채 지으세요. 아직 태어나지 않은 아기들을 보호하고 그들을 폭력과 위협으로부터 지켜주기 위해서지요. 아이들에게 돌덩이들을 떠안기며 나르게 하는 통치기관에 수프를 끓여 먹이세요. 수프 한 그릇에서 단맛과 쓴맛 둘 다 맛보려 하지 않는 자들에게 그걸 먹이세요. 그들은 부서지기 쉬운 미망을 뱃속 가득 품고, 눈이 있어도 아이들의 실체를 바로 보지 못하는 자들입니다. 아이들이란 감사의 마음과 수치심을 섬기는 요술쟁이들이며, 탐욕과 욕망이 그렇듯 쉽게 어른들을 우롱할 수 있는 존재라는 사실을 말이에요.

정보라는 것은 누구나 무상으로 얻을 수 있어야 한다는, 분명 구닥다리 같은 생각을 지금껏 가지고 사는 어느 대학의 기록보관 사서 덕분에 인맥이 두터운 모 사회학 교수와 연결될 수 되었다. 그여교수는 내가 루터 사회복지회의 회장이자 CEO인 사람과의 면담을 신청하는 데 자기 이름을 사용하도록 허락해주었다. 밑에서부터 답을 찾아올라 갈 수 없다면, 위에서부터 찾아내려 가리라.

아니나 다를까, 입양인이라는 말 대신 대학 연구원이라는 마법의 묘약을 한 방울 떨어뜨려 날 소개했더니 일 분이 채 안 되어 약속이 잡혔다.

이즈음 나는 내 입양 파일을 읽을 권리가 내게 없다는 사실을 이미 받아들였다. 그래서 그 당시 루터 사회복지회의 업무에 관한 일반적인 정보를 얻는 것으로 만족하기로 했다.

나는 약속장소에 일찍 도착하도록 신경을 썼다. 주차장에서 차 안에 앉아 CEO에게 물어볼 질문 목록을 작성했다.

1. 1970년대 미네소타 시골지역에 한국인 입양을 홍보하는 광고가 있었습니까? 광고는 어떤 성격이었습니까?
2. 아이들을 각 가정에 배치했던 사회복지사들에게 어떤 교육을 시켰습니까?
3. 루터 사회복지회는 타 인종 해외입양에 관해 어떤 정보를 양부모들에게 제공했습니까?
4. 입양을 앞둔 양부모가 의무적으로 참여해야 했던 수업이 있었습니까?
5. 입양가족에게 어떤 후속 조치가 뒤따랐습니까?
6. 루터 사회복지회의 기록들은 어떻게 이용되고 있습니까?
7. 정작 기록이 필요한 사람들은 볼 수도 없는데, 그걸 보관해두

어야 하는 법의 논리는 무엇입니까?

여교수가 미리 경고했다시피, CEO가 모든 해답을 다 가지고 있는 건 아니었다. 하지만 그에게 화가 나지는 않았다. 왜냐하면 그가 나를 쫓아내려고 수를 쓰고 있거나 내가 폐를 끼치고 있다는 느낌을 받지 않았기 때문이다.

사실 한 시간 이상 함께 있는 동안, 그는 딱히 내 질문에 대한 답이라기보다는 그저 일반적인 사항들에 대해 말해주었다. 그렇다고 의도적으로 그랬던 것은 아니다. 그는 그저 답을 몰랐을 뿐이다. 괜찮은 토론이었다. 나는 커피 한 잔을 대접받았고, 구석진 사무실에서 깨끗한 구두를 신고 있는 그는 편안해 보였다. 그의 일은 루터 사회복지회의 총체적인 상황을 파악하는 것이었고, 그중 해외입양 사업은 극히 일부분에 불과하다. 재정과 채무 문제에 대한 상담이 그곳 업무의 대부분을 차지한다.

상담원 헤더와 마찬가지로, 이 CEO가 훌륭한 점은 그가 모든 답을 다 알고 있어서가 아니었다. 제대로 대답해준 것은 사실 거의 없었다. 그러나 입양이라고 하는 이 원대한 실험이 과연 어떤 결과를 가져왔느냐는 문제에 진정 관심이 있다는 듯이 내 말에 귀를 기울여주었다. 이 실험에 투입된 그 모든 이름들과 사례 번호들 뒤에는 살아 숨 쉬는 현실의 아이들이 있다는 것, 그리고 그들 중 하나가 바로 나이며, 내가 개인적으로 자기를 보러왔다는 것을 그는 이해했다. 그는 그저 수년 전에 종결된 프로그램의 한 사례가 담긴 파일로서가 아닌 한 인간으로서의 내 가치를, 내 인간성을 봐준 것이다.

1970년대의 해외입양에 관한 일반적인 정보를 찾아볼 수 있도록, CEO가 나를 협회의 보도국장 미스터 BS에게 소개해주었다. 내가 옛날 팸플릿과 같은 일반적인 정보를 요청하고 있음을 CEO가 재차 설명하자, 이런 자료들은 어쩌면 지하 보관소에서 찾을 수 있을 것 같다는 긍정적인 대답이 미스터 BS로부터 나왔다. 미스터 BS는 자기 명함을 내게 주고 또 내 신상 정보를 적더니 다시 연락하겠다고 약속했다.

연락은 오지 않았다. 나는 그 후 여러 달에 걸쳐 그에게 전화하고 이메일을 보내며 우리의 대화 내용을 거듭 상기시켰다. 그는 다른 일들로 너무 바빴다고 했다.

> 기록하고 알리는 일은 복수의 행위이다. 복수는 목을 베는 것도, 배를 가르는 것도 아니다. 바로 말로 하는 것이다. 그리고 '칭크'와 '구크'처럼 내 피부에 잘 들어맞지도 않는 말들이 수두룩하다.
>
> — 맥신 홍 킹스턴*, 『여전사』 중에서

숨기고 있던 입장을 밝히려고 할 때는 경험 있는 친구들이 도움

---

* Maxine Hong Kingston. 1940~ . 중국계 미국 작가. 『여전사(The Woman Warrior)』는 1976년에 발간된 회고록이며, 최초의 아시아계 미국 문학으로 간주된다.

이 된다.

아론은 테너이다. 그러나 카운터테너의 음역까지 올릴 수 있으며, 어느 카바레 쇼에서 여장(女裝)의 성악 코치 '시저' 역을 맡고 있고, 미인대회에서 수상한 경력이 있는 드랙 퀸을 룸메이트로 두고 있다. 즉 그는 동성애자이다. 그리고 참, 미네소타 북부의 시골 마을 빅 포크 출신이다.

우리는 뮤지컬 리허설이 끝난 뒤 TGI 프라이데이의 높은 의자 위에 앉아 다리를 꼬고 있다. 일주일 뒤에 우리는 루폴, 베트, 바브라* 의 노래들을 선곡한 공연무대를 펼칠 예정이다. 아론은 터틀넥 스웨터와 코듀로이 바지를 입고, 청록색 허시 퍼피스 스웨이드 구두를 신고 있다. 한 손에는 레드 와인을 들고 다른 한 손으로는 멋진 웨이터에게 공짜로 얻은 담배를 피우고 있다.

내가 대학 사 학년, 그가 갓 들어온 신입생 때 우리는 처음 만났다. 그는 한동안 침울해 있었다. 약간 살이 찌고 좀 위태로워 보였으며 전공 문제로 갈피를 못 잡고 있었다. 자신이 피아노나 클라리넷을 연주하고 싶은지, 노래나 작곡, 아니면 지휘를 하고 싶은지, 그도 아니면 그저 영문학을 전공하고 싶은 건지, 확신이 서지 않았다. 그래서 그는 그 모두를 다 공부했다. 그런 다음 자신이 동성애자임을 밝히고 나서는 극도로 의기소침해졌다가, 아주 멋진 사람으로 돌아왔다.

---

* 루폴(RuPaul)은 미국의 흑인 배우이자 여장 댄스음악 가수, 베트(Bette Midler)와 바브라(Barbra Streisand)는 둘 다 미국 배우이자 가수로 동성애자에게 우호적인 연예인들이다.

나는 위로를 받으러 아론을 찾았다. 우리는 서로 공통점이 많기 때문이다. 둘 다 미네소타 시골 벽지 출신에, 부모님들은 지나치게 루터파 교인들이며(그의 아버지는 목사이다), 살아가는 데 장애가 될 수 있는 특징을 둘 다 가지고 있다. 그는 게이, 나는 한국인. 우리는 그렇게 태어난 것이다. 선택의 여지가 없었다.

"네가 게이라고 말씀드렸을 때 부모님이 정말 미치듯이 분노하셨니?"

"농담하니? 당연하지. 부모님은 나와 완전히 관계를 끊었고, 대학 다니는 것도, 그 어떤 것도 도와주지 않으려 했어. 지금은 다시 말은 주고받는 사이야. 엄마가 내 가방에 극우 기독교 책자를 넣어놔도 이젠 신경 쓰지 않아. 제임스 돕슨 박사는 자기가 모든 문제에 대한 해결책을 다 갖고 있다고 생각하나 봐."

"나도 기억나. 엄마는 그 사람 책을 다 읽었어. 그럼 네 부모님은 예전부터 네가 줄곧 게이였다는 낌새를 챘을까?"

"그럴지도 몰라. 하지만 맹세코 그건 부모님이 당신들 인생에서 가장 바라지 않았던 사실이야."

"그래, 우리 엄마 아빠와 똑같아. 부모님은 내가 한국인이라는 생각은 늘 품고 있었겠지만, 그게 사실이 아니길 바라셨지."

정체성에 관한 문제는 분명 심각한 일이다. 예전에 나는 모든 생활 영역에서 부모님이 정말 좋아하는 한 가지를 찾을 때까지 이런 머리 저런 머리, 이런 옷 저런 옷, 이런 과외활동 저런 과외활동 등 다양한 것들을 시도해보았지만, 이제 정체성 문제는 하품으로 날

려버리고 십대들의 강박관념인 양 치부해버리고 싶다. 그러나 "엄마, 아빠, 나는 한, 한, 한국인이에요. 아뇨, 못 알아들으시는군요. 무슨 말인가 하면, 내가 한-국-인-이라고요." 하고 말해버리는 것이 피아니스트가 되기로 결심한 것보다 훨씬 더 어렵다는 걸 잘 알고 있다. 그리고 아론이 커밍아웃했듯이 내가 한국인—적어도 입양된 한국인— 이라고 인정한 후에는 마술에 걸린 듯 가뿐히 나아갈 수는 없을 것이다. 혹은 정상적인 삶이 될 수는 없을 것이다.

"부모님과 전혀 말을 하지 않았던 때가 있었니?" 아론에게 물어본다.

"응, 한 이삼 년 말을 안 했지." 그가 게이다운 모습으로 쾌활하게 대답한다. 그러나 다음 순간 그는 매우 진지해진다. "그러다 결국 말하게 되었을 땐 이렇게 말했어. 내게 '선택권'이 있다면 일부러 게이가 되었겠어요?" 그의 목소리가 높아진다. "이 집안에서 게이가 되는 게, 빌어먹을, 얼마나 힘든 건지 알기나 하세요? 내가 원해서 이런 줄 아세요?"

아론은 입양되었다 해도 과언이 아니다. 우리가 함께 그의 가족을 방문하러 갔을 때였다. 가족들과 그토록 닮은 그가 또 어떻게 그토록 달라 보일 수 있는지 믿어지지 않았다. 그의 독특한 태도며 말투며 그 모든 것이, 꼭 외계에서 온 사람 같았다.

그는 오랫동안 고향마을에 맞춰 살려고 노력을 했다. 미식축구를 하고 사슴 사냥을 나가고 여자애들과의 데이트를 시도하기도 했다. 그러나 수백 개의 지뢰가 묻힌 땅을 건너온 뒤, 이제는 철저히 게이가 되었다. 그런 그가 자랑스럽다. 아직도 가끔 침울할 때가 있지만, 대체로 예전보다 행복해 보인다. 자신에게 진실할 수 있는 솔직한 방법을 찾았기 때문이다. 그는 자신의 모습 그대로를 사랑해주는 친구들에게 둘러싸인 채 거대한 감정의 저장고를 구축해왔다. 그리하여 내면의 갈등을 겪는 나 같은 친구들과 마음의 수양이 필요한 타인들에게 아낌없이 베풀고 있다. 그는 하이힐과 그물 스타킹, 가짜 속눈썹, 그리고 억누를 수 없는 타고난 끼로 멋들어지게 노래하고 춤추면서 이 모든 것을 해낼 수 있는 사람이다.

———◁———

사랑하는 엄마.

당신이 이 세상에 없는 지금, 당신은 내게 더 가까이 있어요. 지구를 반 바퀴 돌아 서울의 지하 아파트, 당신은 늘 그렇게 멀리 있었지요. 나는 여기 미네소타에서 당신의 언어를 배우려고 열심히 애쓰다가 실패하고, 그저 당신의 목소리가 듣고 싶어 전화를 하면 알아들을 수 있는 건 오직 한 마디뿐이었어요. "사랑해. 아이 러브 유."

그러나 엄마, 이제는 어느 때고 당신과 얘기할 수 있어요. 내가 영어로 얘기하면, 내게 영어로 화답하는 당신의 말이 들리지요. 그건 말이 아니라 감정의 덩어리, 혹 어쩌면 뭔가 다른 것일지도 모르겠지만, 다 알아들을 수 있답니다. 나는 이제 꿈을 꾸어요. 한국말로 된 꿈들, 틀림없이 당신으로부터 왔나 봐요. 이젠 읽을 수도 있어요. 엄마, 내가 정말 한국말로 읽을 수가 있어요. 이런 능력을 줘서 고마워요. 마술에 걸린 것 같아요. 당신이 살아계실 땐 전혀 못 읽었잖아요.

엄마, 거실 화장대 위에 놓아둔 당신의 사진이 보이나요? 추도식 때 사용한 그 사진이에요. 오 년 전, 내가 미국에 보내진 후로 우리가 처음 만난 그때 찍은 거예요. 엄마는 방바닥에 앉아 있죠. 얼굴은 장난기 어린 미소로 가득하고, 화창한 서울의 햇볕에 그을린 건강한 모습으로 평소에 입던 분홍 꽃무늬 바지와 베이지 니트 상의를 입고 있어요. 당신은 나를, 카메라를 똑바로 바라보고 있군요. 사진을 가까이에서 응시해봅니다. 지금껏 알아보지 못한, 뭐 새로운 게 있나 찾아보기도 하지요. 이렇게 오래도록 쳐다보고 있으면요, 사진의 표면을 넘어 어떤 입구를 통해 다른 세상 속으로 빠져들어 갈 수 있을 거라는 생각이 들어요. 혹 사진에서 뭔가 움직이는 것을 목격하게 된다면 그건 바로 당신이 다른 공간에서는 여전히 살아 있다는 증거일 거라는 생각도 들고요.

당신은 늘 미소를 띤 채 정면을 바라보고 있어요. 초와 향을 켜고 음식을 차려 당신을 공경하는 내 모습이 보이나요? 당신을 위해 새 신발 한 켤레와 산봉우리에 절이 들어선 산의 지도, 그리고 당신의 여정에 필요할지 몰라 여비도 조금 올려두었어요. 한국 음식을 요리할 때면 당신이 얼마나 그리운지, 엄마, 내 그리운 마음을 알아주세요. 김치, 불고기, 만두, 비빔밥, 기타 내가 좋아하는 것들을 먹을 때마다 한순간, 당신에 대한 기억과 내가 빼앗겨버린 것들에 대한 기억이 가득 차오릅니다.

엄마, 당신을 다시 데려올게요. 빼앗긴 그 모든 것들을 도로 찾아와 내 몸 안에 되살려놓겠어요.

당신의 딸, 경아 올림.

추방자

추방자의 크로스워드

							K		M				
					M	O	T	H	E	R			
							R		M				
			J	U	X	T	A	P	O	S	E		
A		J	A	N	U	S	E	U	R	Y		M	
M		E		F	R	A	U	D	Y		M	B	E
B		I							M		T		S
I		C			L	A	N	G	U	A	G	E	
V			P	A	R	A	D	O	X		M		E
A	B						E				O		M
L	A	U	G	H			N	E	I	T	H	E	R
E	T				S			I			E	P	
N	T			K	Y	O	N	G	A	H	R	H	
T	E			Z							M	O	
	D	R	E	A	M		Y	F	R	E	A	K	S
	F		G		L			P					I
A	L	C	H	E	M	Y		O	B	O	T	H	S
	Y				S						R		
			S	U	S	P	E	N	S	I	O	N	S
								D					T
								I					O
			S	U	B	L	I	M	A	T	I	O	N
								E					E

KOREA 한국   MEMORY 기억   MOTHER 어머니

JUXTAPOSE 병렬하다, 병치하다   JANE 제인

AMERICA 아메리카 대륙, 미국   AMBIVALENT 양가감정, 양면가치

JANUS 야누스(머리 앞과 뒤에 두 개의 얼굴을 가진 문의 수호신)

UMMA 엄마   METAMORPHOSIS 변형, 변모, 변태

FRAUD 가짜, 부정품(不正品)   BE ~이다, ~이 있다, ~이 되다

SEEM ~처럼 보이다, ~인 것 같다   LANGUAGE 언어, 말

PARADOX 역설   XENIA 크세니아(한 품종의 꽃가루가 다른 품종의 배젖에

이식되어 열매나 종자에 직접적인 유전적 영향을 미침으로써 잡종을 만드는

현상)   BUTTERFLY 나비   LAUGH 웃다

NEITHER ~도 아니고 ~도 아니다, 그 어느 쪽도 아니다

HERMAPHRODITE 양성구유자, 자웅동체

SYZYGY 연접(連接, 서로 잇닿아 있거나 짝지어진 상태)

KYONG-AH 경아   DREAM 꿈, 꿈꾸다   FREAKS 기형체들

LOSS 상실, 손실   ALCHEMY 연금술   BOTH ~도 ~도, 양쪽 다

SUSPENSION 공중에 매달린 상태, 부유(浮遊)   STONE 돌

SUBLIMATION 승화(昇華)

단순한 질문 하나로 인해 나는 내 존재를 설명할 단어, 내 정체성을 정확하게 못 박을 말 하나를 찾아 나섰다. 질문은 이랬다. "네가 한국에서 자랐다면 더 좋았겠니?"

순간 나는 내가 정말 좋아하는 총명한 이민 삼 세대 미국인 친구의 푸른 눈을 쳐다보았다. 그러다가 곧 눈길을 돌리며 자신 없는 목소리로 우물거렸다. 뭐라 말하기가 불가능하다, 한국에서 자랐다면 다른 가치관을 가지게 되었을 거다, 내 자매들은 결국 무사히 자라났지만 모르는 일 아니냐…….

입양의 외관과 실제 사이에는 팽팽한 긴장이 존재한다. 겉으로 보이는 빛나는 모습—양부모의 행복한 미소, 영원히 행복하게 살아갈 거라는 기대, 입양 입문서, 아이의 생모에 대한 이야기는 끼어들 자리도 없는 예쁜 그림책—과 숨겨진 내면의 현실이라는 두 풍경 사이에.

점잖게 고개를 끄덕이며 화제를 바꾸는 대신 내가 알고 있는 바를 조리 있게 설명할 용기라도 있다면, 타인의 억측에 도전할 배짱이라도 있다면 좋을 텐데. 내가 한국에서 자랐다면 더 좋았겠냐고?

내 친구에게 그 질문은 수사학적 표현에 불과하므로 답은 분명하다. '네가 한국에서 자랐다면 더 좋았을 리 없어!' 그녀는 내가 구제받았고, 내가 어머니의 심장 밑으로가 아닌 심장 속에서, 그러니까 어머니의 마음에서 태어났다는 말들을 들어왔다. 내가 한국에 그대로 있었다면 공공시설에 수용되어 제멋대로 방치되다가, 가난한 아시아 여자아이들이 으레 그렇듯 결국 창녀의 길로 빠져들었을 텐데, 그런 운명으로부터 입양이 날 구해주었다는 말이다. 그녀가 윤택한 삶을 판단할 때 기준으로 삼는 것들—대학교육, 미국 시민권, 검증된 중산층 가정환경—은 내게 주어지지 않았을 거라는 말이다.

이제 막 아이를 입양한, 내 나이쯤 되는 신참 부모들은 나를 위로하기 좋아한다. "흔히 어른들이 아이들 대신 선택을 하잖아요." 마치 내가 자신들이 입양한 아기들 또래인 양 친절하게, 나를 위해 참 편리하고도 숙명적인 등식을 만들어 준다. '부모님은 자식이 없었다.' = '나는 가정이 필요했다.'

하지만 나로서는 그렇게 단순한 문제가 아니다. 나는 내 입양이 백 퍼센트 긍정적인 일이라면 좋겠다. 하나님처럼 사람들도 피부색을 보지 않으면 좋겠다. 자매들 중 내 키가 가장 크게 자란 이유가, 어린 시절 이 풍요로운 미국 땅에서 충분한 영양 공급을 받았을 뿐만 아니라 정신적인 풍성함도 함께 누렸기 때문이라면 좋겠다. 안타까운 소망들이다. 내 삶이 겉으로 보기에는 미국에 완벽하게 동화되었지만 결코 기쁨과 감사의 마음만으로 채워진 것이 아니라는 사실을 점잖은 대화 중에 어떻게 설명할 수 있겠는가? 어떻게 내 양가감정(兩價感情)을 설명할 수 있을까? 아직도 나는 복잡한 심경이다. 내게 주어진 선물들을 받을 가치가 없는 부끄러운 인간이라는 기분이 든다. 더 나은 딸―고마워하는 미국의 딸이자 용서하는 한국의 딸, 그렇게 효심 지극한 딸―이 되지 못해 부끄럽다. 사람들이 내게 최선이라 생각하여 해주려고 했던 그 모든 것에도 불구하고 이렇게 입을 열어 부끄럽다. 참으로 비열하고 버릇없고 배은 망덕하고 투정부리는 철부지이다.

———

요즘 들어 나는 나를 가장 잘 표현해주는 말로써 내 존재를 생각하게 된다. 추방자! 여태껏 스스로 추방자나 이주민이라고 생각해본 적은 없었다. 난 그저 운 좋은 입양인이었다. 그러나 이제는 '추방자'라는 말이 내게 가장 잘 들어맞는다는 걸 알겠다.

추방자의 언어는 이득과 상실, 문화와 가족, 기억과 상상으로 가득하다. 추방자라는 신분의 옷을 걸쳐보니 기분이 좋다. 추방자라서 기분 좋다는 게 아니다. 내게 맞는 옷을 찾았기에 기분 좋다는 뜻이다. '입양인'이란 말은 결코 적절치 못한 듯했다. 그건 입양됨으로써 내가 잃은 것, 즉 입양됨으로써 내가 얻은 것과 불가분의 관계에 있는 상실분을 반영하지 못하기 때문이다.

맘에 딱 드는 카페와 기꺼이 즐기려는 여자들과 값싼 와인을 찾아 지구 곳곳으로 옮겨 다니는 '국외 거주자들'에 대해서는 좀 참기가 어렵다. 그러나 내 삶과 공명하는 경험을 가진 사람들이 있다. 자신에게 꼭 맞는 장소, 다시 말해 제2의 고향을 찾은 이들에게 간절한 그리움은 변하여 뭔가 다른 것, 유령처럼 희미하나 육신의 살처럼 실재하는 그 어떤 것이 된다.

추방당한 시인의 부조리는, 그가 모국어로 쓴 글을 새로 정착한 나라의 친구들은 아무도 읽을 수 없다는 데 있다. 그건 내가 가족과 같은 언어로 얘기할 수 없을 때 부딪치는 그 끔찍한 부조리와 같다. 또 어떤 추방자가 있어, 알렉산드리아에 있는 자기 유대인 조상들의 무덤을 찾아가 묘석을 정성스럽게 씻는다. 그리고 나는 내 어머니의 무덤을 찾아가 쓰다듬고 싶고, 나를 낳고서 지금은 멀리서 나를 지켜주는 그 여인 앞에 절을 올리고 싶은 소망을 떠올린다. 거기에는 쫓겨난 자의 느낌, 지금 이곳에서 그곳을 갈망하는 느낌, 바깥 세상을 대신하는 내면의 세계를 창조하는 느낌—사랑하는 사람들과 장소들이 닿을 수 없이 곳곳에 흩어져 있는 광대한 세상과는 달리, 내면세계는 그 모든 것을 다 한 곳에 촘촘히 담을 수 있으니까—이 있다.

프랑스로 간 자발적인 유랑자는 불어를 공부하면서 어물거리며 실수도 한다. 마치 내가 한국 음식점에 가서 웨이트리스에게 "대단히 감사합니다. 신경 쓰지 마세요. 배부르나요."라고 말하는 것처럼. 또 어딘가 다른 곳, 자기 할머니가 떠나온 민족의 품에서 안식처를 구하는 자발적인 국외 거주자도 있다. 그는 매년 그곳으로 돌아가 지금은 후락하지만 옛 영광에 빛나는 고도의 아름다움에 흠뻑 취한다.

작가들이 깊이 생각에 잠기는 것들—고향에 대한 그리움, 그 어느 한 곳에서도 마음이 편치 않으나 여러 곳을 전전하다 보면 평온해지는 의식, 추억의 힘—은 지식인들의 현실이면서도 사치이다.

미니애폴리스로 이주해 온 소말리아인 택시 기사와 동아프리카 식품점 할랄 미트의 주인, 타르 먼지를 뒤집어쓴 채 지붕을 이는 멕시코인 직공, 자기네 음식점에서 매일 열여섯 시간씩 일하는 터키인 부부, 이들이 쏟아내는 감상은 어디 있는가? 또 입양된 아이들이 쏟아내는 감상은 다 어디 있나? 인형 가게로 되돌아가지 않으려고 양부모의 착한 아이, 완벽한 아이가 되고 싶은 수많은 아이들 말이다.

⌒

엄마는 자기가 나를 계속 키웠다면 내가 죽었거나 거지가 되었을 거라고 했다. 엄마의 이야기에 따르면, 아버지가 내 머리를 때려 시퍼렇게 멍들게 했고 나를 창밖으로 던지기도 했으며, 엄마는 그를 피해 집을 나와 길거리에서 잔 적도 있었다. 그런 가정에서 갓난아이가 어떻게 살아남을 수 있었겠나?

엄마가 죽음을 향해 가고 있었을 때, 자매들은 내가 한국에 머무를 수 있도록 해주었다. 정경아로서 말하자면 나는 한국 국민이다.

미국의 아파트를 청산하고 한국에 그냥 눌러앉을 수도 있었다. 그러나 내 선택은 돌아가는 것이었다.

───⌒───

입양되지 않았다면 더 좋았을까? 모르겠다. 그 질문은 숫자로 환산할 수 없는 것을 계산해보라는 요구이다. 미국에서 남성과 동등한 권리와 자유를 누리는 대신 상실해버린 내 모국의 언어와 문화의 빈자리를 어떻게 가늠할 수 있을까? 선택의 여지도 없이 어린아이로 추방된 인간이, 자신이 한국에 계속 있었다면 결국 어떻게 되었을지 헤아려볼 수나 있을까? 내 어머니를 잃을 만큼 가치 있는 일이었다고 말할 수 있으려면 얼마나 많은 교육의 기회를 누려야만 할까? 한 입양인이 자신이 겪은 엄청난 상실의 무게를 어떻게 새 조국과 양부모에 대한 고마움의 짐과 저울질할 수 있을까?

인근에 사는 멕시코인들을 관찰해보면, 대륙 곳곳으로 뻗어 나가며 흩어진 민족을 함께 묶어주는 중추가 무엇인지 알 수 있다. 중추는 언어, 음식, 음악, 신체적 특징, 종교, 가족 등 여러 가지이다. 미국의 그 모든 이주민 집단을 결속시켜온 것도 바로 그런 요소들이다. 그러다가 몇 세대를 내려오면서 스웨덴인과 노르웨이인 혹은 프랑스인과 독일인의 차이가 더 이상 불협화음을 일으키지 않게 되었고 타민족끼리 결혼으로 맺어졌으며, 한때 그들을 함께 묶어주었던 전통과 관습은 그저 희미하게 고수하면서 한 민족의 현실적

생존을 확보하는 데 주력하게 되었다.

입양된 한국인으로서 내 중추는 어디에 있나? 나는 미국과 유럽, 호주, 캐나다에서 자란, 이십만 명이 넘는 한국 입양인들과 어떻게 구별될까? 자기 자신에 대해, 세상에 대해, 또 세상 속에서 살아가는 법에 대해 내가 결코 배우지 못한 것을 내 아이들에게 가르쳐주려면, 과연 이 삶에서 무엇을 건져 올릴 수 있을까?

> 여호와께서 가라사대 이 무리가 한 족속이요, 언어도 하나이므로 이같이 시작하였으니, 이후로는 그 경영하는 일을 금지할 수 없으리로다. 자, 우리가 내려가서 거기서 그들의 언어를 혼잡게 하여 그들로 하여금 서로 알아듣지 못하게 하자 하시고, 여호와께서 거기서 그들을 온 지면에 흩으셨기에 그들이 성 쌓기를 그쳤더라.
>
> — 창세기 11:6~8

거의 일 년 반이 지나서야 미국 어머니와 다시 말문을 텄다. 마크와 내가 약혼한 사실을 알리고 얘기도 나눌 겸 엄마에게 전화를 건다. 나는 가능한 한 오래 침착한 목소리를 유지하려고 하는데, 곧 떨리기 시작한다. 마크가 물 한 잔을 따라준다.

"글쎄, 네 친구들이 모두 날 험담하는데 어떻게 네 결혼식에 갈 수 있을지 모르겠다."

"엄마, 엄마를 험담하는 사람은 아무도 없어요. 우리 그날 하루만이라도 서로 정중하게 대할 순 없을까요?"

"글쎄다. 네가 우리한테 다정하게 굴려고 그렇게나 힘들게 애써야 한다면, 우린 네 결혼식에 가고 싶지 않구나."

"엄마, 엄마가 오시지 않으면 완전한 결혼식이 될 수 없을 거예요. 마크와 난 정말 엄마가 와주셨으면 해요. 우린 가족이잖아요."

"그래 맞아. 우린 네 가족이지."

말한 것보다 말하지 않은 부분이 더 크게 울린다. "우리가 '하나밖에 없는' 네 '유일한' 가족이지." 이것이 엄마의 뜻이다. 그렇다, 그들은 내 유일한 가족이다. 그런데 내가 미국에서 제공받은 것이 내게는 왜 완벽한 것이 못 될까?

네 시간 동안 말로 표현된 것들과 말로 표현되지 않은 것들이 산더미처럼 쌓이고 나서 남은 것은 결국 불확실함이다. 내가 할 수 있는 것은 엄마를 한 여자로 이해하는 것뿐이다. 엄마의 입장이 되어보니 한 여인의 모습이 보인다. 지금의 나보다 더 젊은 나이에 여자아이 둘을 입양한 여인. 자기가 어렸을 때는 부모에게서 파이 부스러기만 받아먹었는데, 자기 아이들에게는 파이를 통째 다 주고 싶어 한 여인이다. 그러나 어찌 됐든 그 여인도 자기 어머니, 즉 내 외할머니를 사랑했으며, 돌아가시자 무척 슬퍼했다. 그러니 바로 이것, 우리가 감당하는 이 슬픔이 우리의 공통점이다.

우리에게는 또 다른 공통점이 있다. 우리의 몸이다. 자기가 가지지 못한 것, 자기와는 다른 모습을 우리의 몸은 서로에게 상기시킨다. 엄마, 난 당신에게서 태어나지 않았어요. 그러니 결코 당신의 몸이 될 수 없을 거예요. 결코 복숭앗빛 피부나 금발을 갖지 못할 것이고, 결코 푸른 눈으로 세상을 보지 못할 거예요. 우리 둘 다 앞을 보지 못한다면 서로를 받아들일 수 있을까요? 만져봄으로써 서로를 알게 될까요? 여기를 만져주세요, 엄마. 여기, 내가 미안해하고, 내가 당신을 사랑하고, 내 상처가 치유되어야 하는 곳을요.

그 무엇인가를 영원히 태울 수 있을 만큼 충분한 연료는 없다. 우리의 실루엣은 오래도록 활활 타올랐다. 날카롭고 분명한 이쪽 윤곽과 저쪽 윤곽, 두 그림자는 서로 양보하지 않았다. 이제 내 주위의 불꽃은 스스로 소진해버리고서 용서와 같은 감정으로 잦아드는 걸 느낀다. 엄마, 만약 내가 두려워하면, 내가 어둠 속에서 길을 잃으면, 다시 나를 구해줄래요?

———

조상에 대해 어떻게 아느냐고 사람들은 내게 묻는다. "누구든지 자기가 왕족이나 재력가 집안의 후손이라고 생각하잖아. 넌 무슨 문서랄까, 뭐 그런 증거물이라도 있니?"

그렇다고 말할 수는 없다. 가족의 호적부 일부를 갖고 있지만, 가계 전체를 다 기록해놓은 것은 아니다. 퇴락해가는 어느 양반집 가옥을 방문한 기억도 있지만, 주로 내가 갖고 있는 것은 이야기들이다. 한국 어머니가 윗대에 대해 말해준 것들과 어머니가 세상을 뜬 뒤로는 자매들이 이어서 전해주는 것들이다.

나는 대부분의 사람들보다 더 많은 이야기와 더 많은 서류를 갖고 있기에 스스로 운 좋은 사람이라고 생각한다. 흔히 입양기관이 입양인들에게 말하는 바는 서류가 분실 혹은 파손되었거나 아니면 애당초 충분하지 않았다는 것이다. 혹 그들이 서류를 보관하고 있다 하더라도, 정보를 내주기 전에 먼저 자기네 측 변호사와 의논해야 할 일이라고 말할 것이다. 마치 이전에는 아무도 그런 요청을 한 적이 없다는 듯이.

공식 서류상에 적힌 사실이 구전되는 이야기보다 더 진실하다고 누가 정해놓았는가? 서류는 부분적인 진실에 불과하다.

한 예로, 베트남 전쟁 당시 삼촌이 복무일지를 기록해놓은 문서가 어디서 발견되었다고 하자. 그러나 그건 날짜일 뿐이다. 충만한 진실은 그가 헬리콥터를 청소했다고 들려준 이야기 속에 있다. 또 다른 예로, 세기의 전환기에 내 친구의 조상들이 미국으로 건너올 당시, 그들 가운데 어느 젊은 여인이 타고 온 배와 정박한 항구들이 자세하게 적힌 문서가 발견되었다고 하자. 진실은 그런 세세한 항목들에 있다기보다는 후세에 전해진 다음과 같은 이야기 속에 있다. 그 여인은 배에 탄 남자들이 너무 무서워서 항해하는 내내 부츠를 끈으로 꽁꽁 묶어두었는데, 미국에 도착하자 부츠를 벗겨 내려고 그걸 잘라내야만 했다고 한다.

내친김에 말하자면, 서류상에 기재된 사실조차 틀릴 수 있다. 출생증명서라 불리는 서류에는 내 부모가 프레더릭과 마거릿 브라우어라고 기록되어 있다. 부분적인 진실이다. 그리고 언니와 나는 한 가정에서 자랐음에도 불구하고, 과거의 특정한 집안 행사 때 어떤 일이 있었으며 무슨 말이 오갔는지 하는 문제로 다툴 때가 종종 있다. 하나의 진실에 다양한 시각들.

만일 내 한국 가족이 정말 내 가족임을 법적으로 증명해야 한다면 무척 난처할 것이다. 내가 정경아였던 시간과 제인 브라우어가 된 시간 사이의 빈틈을 메우는 서류가 입양기관에게 있을 리 만무하기 때문이다. 설령 있다 하더라도, 사진 속의 아기가 그들이 미국으로 보낸 바로 그 아기라고 누가 법적으로 증명할 수 있겠나? 아이들을 바꿔치기했다 해도 그게 처음은 아닐 것이다. 감춰진 진실이다.

그러니 세월의 파편을 통해 남은 것은 허구처럼 보이는 감정적인 진실이다.

여기, 꽤 그럴듯하지만 완전히 지어낸 이야기가 있다.

21세기 전래동화

옛날 옛적에 한국 여자아이 둘이 있었답니다. 이 소녀들은 엄마를 무척이나 사랑했대요. 그런데 엄마는 딸들을 보살필 수 없는 형편이었어요. 그래서 어느 날 큰딸의 외투 호주머니에 반질반질한 돌멩이 하나를 넣어주고서 딸아이들을 머나먼 곳으로 떠나보냈답니다. 돌보다 더 나은 것을 줄 수 있는 사람들이 사는 곳, 미국이라는 나라로 말이지요.

새로운 나라에서 소녀들은 건강하고 튼튼하게 자랐습니다. 양부모님은 소녀들을 무척이나 사랑했고, 그 아이들의 한국 핏줄을 존중하여 옛날 기억들을 되살리게 도와주었답니다. 다 함께 한국의 말과 음식, 옷과 관습을 찾아서 공부를 했고, 한국 어머니가 보내준 선물을 집 안에 자랑스럽게 진열해놓았어요. 무엇보다 중요한 건, 한국 가족에 대한 이야기를 도란도란 나누고 한국 가족을 한가족으로 여겼다는 사실이랍니다. 저녁 식탁에서는 음식과 그들 가족 그리고 한국 가족 모두를 위해 하나님께 축복의 기도를 올렸어요.

학교에서는 다른 아이들의 짓궂은 말 때문에 마음이 상했지만, 곧 그런 말들은 뚝 그쳤습니다. 부모님이 선생님에게 부탁드려 딸들이 수업시간에 한국 사람과 한국 문화에 대해 특별히 발표할 수 있도록 했거든요. 그랬더니 발표가 끝나자 학급 아이들은 서로의 차이를 이해하게 되었고 두 소녀를 친구로 받아들이게 되었던 거예요. 선생님은 그런 발표가 아주 좋은 아이디어라 생각해서, 다음 달에는 전교생이 모두 모여 서로 다른 각자의 핏줄과 전통을 축하하는 문화 행사를 벌였답니다.

윗대의 분들이 독일과 노르웨이에서 건너온 아이들은 고조할아버지와 고조할머니의 옛날 사진들을 가지고 와서, 옛 고국과 길고 긴 항해에 대해 집안 대대로 전해 내려오는 이야기들을 들려주었어요. 뱃멀미를 해서 사방에 쫙 쫙 토해낸 소년의 이야기나 감옥행을 피하려고 배에 올라탄 말 도둑 이야기를 들었을 때 아이들은 너무나 신이 나서 외쳤답니다. "한 번 더 해줘ー!"

"내 이름은 언덕 위의 교회라는 뜻이야." 한 아이가 자랑스럽게 말했어요. 그러자 다른 한 아이가 "내 이름은 빛나는 도시라는 뜻이고, 독일에 아직 사촌들이 살고 있어."라고 말했습니다.

소녀들의 집에는 한국에서 가져온 돌멩이 하나가 나비가 담긴 새도 박스 위에 아주 특별한 자리를 차지하고 있었지요. 딸아이들이 자고 있을 때, 미국 어머니는 이따금 돌멩이를 손에 쥐고 눈을 감은 채, 딸들을 낳아준 그 먼 나라를 그려보곤 했답니다.

두 소녀는 자신들의 핏줄을 부끄러워하지 않았고, 오히려 미국인 인 동시에 한국인이라는 걸 자랑스러워했어요. 세월이 흐르고 그들이 자라서 모국을 찾아가도 될 나이가 되었습니다. 미국 부모님은 그렇게 오랫동안 마음속으로 상상하며 소중히 간직해온, 낯설고도 아름다운 그곳을 보려고 딸들과 함께 한국으로 날아왔습니다.

웰컴! 환영합니다! 팡-! 팡-! 마침내 두 가족은 만나게 되었고 선물도 주고받았습니다. 이번에는 큰딸이 미국의 어느 호수에서 돌멩이 하나를 집어 외투 호주머니에 넣어와 한국 어머니에게 드렸어요. 이제는 한국 어머니도 미국의 일부분을 만질 수 있게 된 것입니다. 미국 부모님은 한국 어머니와 형제자매들, 조카들, 고모들과 삼촌들, 기타 여러 친척분들을 다 만나보았어요. 한국 가족도 미국 가족만큼이나 많았답니다. 두 가족은 여러모로 같은 모습이었지요. 다시 만날 계획도 세웠어요.

한국 어머니가 병이 들어 세상을 뜨자 미국 어머니는 딸들과 친척들을 교회의 추도식에 초대해, 가족의 삶에 그토록 소중했던 그 여인을 추모했습니다. 미국 고모들과 삼촌들이 모두 왔고, 한국 어

머니를 만나본 적은 없지만 이 가족과 한가족이라는 걸 알고 있는
사람들도 참석해주었지요.

훗날 딸들이 어른이 되어 예쁜 아이들을 낳았을 때 미국 가족과
한국 가족은 다 같이 기뻐했습니다. 이제 그 아이들을 통해 자자손
손 그들이 기억될 것이고 그들의 이야기가 전해질 것이니, 이제 두
가족은 영원히 함께 맺어진 한가족이 된 것입니다.

끝.

미국 엄마는 어렸을 때 부모님 농장에서 자기가 직접 기른 닭을
팔아 그 돈으로 고장 난 자동피아노를 샀다. 자동연주 장치는 작동
하지 않았지만 기계는 아직 멀쩡했다. 그런 다음 매주 피아노 레슨
을 받기 위해 시내로 태워달라고, 우유를 배달하는 트럭 기사를 설
득시켰다. 엄마의 부모님은 딸을 위해 편도로 반 시간 걸리는 길을
태워주기에는 너무 바빴거나 아니면 그러고 싶지 않았던 모양이다.
엄마가 닭을 기르고, 도살장에 팔고, 피아노를 사고, 차까지 얻어
타는 이 모든 수고 끝에 얻은 것은 〈닥터, 닥터〉라는 간단한 노래
하나뿐이었다.

관심은 있었지만 아무래도 재능이 없었나 보다. 게다가 시간도
없었을 것이다. 엄마는 이미 필요와 사치의 차이를 알고 있었고, 보
다 중요한 일에 시간을 투자했다. 자기 어머니가 헛간에서 소젖을

짜는 동안 어린 동생들 넷을 돌보고, 야채로 통조림 만드는 법과 감침질로 바느질하는 법, 산벚나무 열매로 시럽을 만드는 법, 식초나 소금을 이용해 과학적으로 얼룩을 빼는 법 등을 익혔다.

내가 피아노에 눈길을 줄 만한 나이가 되었을 때는 이미 할아버지가 피아노를 차고의 농기계 옆으로 치워버린 뒤였고, 이제 피아노 뚜껑 위에는 오래된 기름통들과 못 단지들이 잔뜩 쌓여 있었다. 피아노는 그 세월 동안 이 집안의 차 몇 대가 들어왔다 나가는 걸 지켜보았고, 사슴 가죽과 줄곧 친구로 지냈으며, 그러면서 차츰 아이들을 매혹하는 힘을 잃어갔다.

지금은 그 피아노가 어디에서 살고 있는지 아무도 모른다. 오래전 할아버지 할머니가 돌아가신 뒤로 농장이 팔렸기 때문이다. 아마 새 농장 주인은 그것을 들판으로 끌어내어 그대로 썩어가게 내버려두었을지 모른다. 흔히 농부들이 낡은 자동차나 기계 따위를 고고학적 무덤처럼 방치해놓듯이. 나는 피아노가 바깥세상 어딘가에서 새 삶을 살고 있으리라 상상하고 싶다. 새가 한 마리 내려앉아 건반을 누르면, 유달리 두드러진 앨팰퍼 목초지의 빛깔이 B 플랫조음으로 변하리라. 혹 바람이라도 한줄기 불어와 몸체를 간질이면, 피아노는 마치 에올리언 하프*처럼 줄들이 하나 둘 깨어나 노래하리라. 그리고 이제는 아무도 엄마의 피아노를 만지지 않을 테고, 아무도 피아노 대신 팔아야 했던 닭들을 생각하지 않을 것이다.

---

* 바람을 맞으면 저절로 울리는 악기. 그리스 신화의 바람의 신 아이올로스에서 유래된 말.

해마다 팔월의 마지막 더위가 기승을 부릴 때면 도살의 냄새가 농장을 뒤덮었다. 닭을 잡는 일은 할아버지 할머니를 비롯해 고모들, 삼촌들, 그리고 사촌들까지 가세한, 가족의 대행사였다.

먼저 우리는 작업장을 마련하기 위해 엄청나게 큰 구리철사 뭉치의 평평한 쪽을 눕혀서 작업대로 설치했다. 쓰레기통마다 비닐봉지를 채워 넣고 찬물이 담긴 물통을 옮기는가 하면, 닭의 몸통을 걸 수 있도록 철삿줄에 갈고리를 달았다. 닭을 잡은 뒤 깨끗이 씻고 또 포장하기까지 조립라인 방식으로 일이 진행되었다. 나는 모래주머니 담당이었다. 털을 뽑거나 내장을 떼어내는 기술은 미흡했지만, 모래주머니에서 돌을 빼내고 따뜻한 살집을 문질러 씻은 다음 차곡차곡 쌓아 올리는 데는 제법 쓸 만했다. 그날 일이 끝나면 열두어 마리의 닭들이 각 가정의 냉동고에 넣어졌다. 겨우내 먹기에 충분한 양이었다.

이 연중행사는 훗날 따분할 정도로 무의미한 어느 시기에(기억 자체는 거의 사라져버린 뒤였다) 그 중요성을 되찾았다. 우울증에 빠져 자기 생각에 골몰하던 여대생은 기억이라는 렌즈를 통해 닭의 상징성을 볼 수 있었다. 퉁, 할아버지의 도끼질에 잘려나간 닭의 머리. 남은 몸통은 빙글빙글 뛰어다니며 모래밭에 만다라 같은 무늬를 긁어 파고, 잘린 목으로는 죽음의 노래를 불렀다. 컹컹, 개들이 짖으며 으르렁대는 가운데, 머리 잘린 몸통이 마침내 힘을 잃어가며 깃털로 뒤덮인 초월(超越)의 덩어리로 무너져 내릴 때, 나는 세례 요한이 떠올랐다.

내 머리가 잘려나갔으면 하는 욕망. 그건 너무나 강렬한 은유였기에 나중에서야 그것이 결코 죽음을 갈구하는 마음이 아니었음을 깨달았다. 하지만 그때는 그것을 꿈꾸고, 그것에 대해 공상의 나래를 펴고, 단두대의 구원을 상상했다. 내 몸은 너무나 우스꽝스러운 이원론(二元論)을 토대로 내 정신과 분리되었다. 그러니까 나는 어깨쯤에서 머리와 몸통으로 쫙 나누어짐으로써 정신과 육체의 관념을 순진하게 구현하고 있었던 것이다.

진정 내가 갈망한 것은 완전함이었다. 내 몸도 내 정신처럼 북부 미네소타 백인이 되는 것. 자기 자리를 찾기 위해 스스로의 감정을 파헤치지 않아도 되는 정상적인 사람이기를 갈망했다. 정상적인 부모와 조부모를 닮았고 가족의 결장(結腸)과 코를 물려받았으며 크리스마스 가족 모임에서는 다른 쪽 친지들의 안부를 서로 주고받고 하던 내 사촌들처럼 되고 싶었다.

요즘은 닭에 대한 그 기억이 다른 의미를 지닌다. 먹여주는 사랑, 말이 아닌 행동으로 보여주는 사랑, 이의 없이 주고받는 사랑. 그것은 의무와 같은 의미의 사랑이지만, 그럼에도 사랑이다. 육신을 보살피는 사랑, 이것이 바로 내 미국 부모님의 조용한 사랑이다. 그들에게는 육신을 보살피는 일이 곧 영혼을 보살피는 일이고, 자손 대대로 그들 민족은 이런 사랑만으로도 충분했다. 이런 사랑이 냉동고의 닭과 감자 샐러드, 겨울철 훈제 생선과 그 언제라도 따뜻한 커피를 제공해주는 것이다.

내 부모님이 그들의 가족이나 민족과 떨어져 살아본 적이 한 번
도 없었다면, 세대적 기억에서, 민족의 기억에서, 그리고 지상의 풍
경에서 울려나오는 피할 수 없는 목소리에 대해 무엇을 알 수 있었
을까? 그들이 예상했던 것보다 혹은 줄 수 있었던 것보다 더 많은
것들이 생존에 필요했던 한 여자아이에 대해서는 무엇을 알 수 있
었을까? 그들은 한(恨)이라는 말과 그 정서를 알지 못했다. 그럼에
도 그것은 지구의 저편으로부터 뻗쳐 올라와 아이의 발밑을 뚫고
건물의 기둥처럼 다리와 몸을 타고 오른 뒤, 목구멍의 막다른 끝에
서 슬픔으로 구체화되었다. 그리고 언제나 새로운 망각의 삶이 지
혈대가 되어 슬픔의 피를 응고시켰다.

혼인 확인서에는 내가 원하는 이름을 선택할 수 있다. 그냥 적어
넣으면 된다.

정경아, 아니면 경아 정? 제인 마리 브라우어, 제인 마리 트렌카,
제인 브라우어 트렌카, 제인 경아 정 브라우어 트렌카. 결국 나는
세 가족―한국 가족, 미국 가족, 그리고 마크의 가족―으로부터
각기 이름 한 자씩을 따온 것으로 결정한다. 제인 정 트렌카.

나는 현실을 반영하도록 조합해 만든 이 이름을 상처처럼, 신분
증처럼 지니고 다닌다. 이로써 나는 내 이름을, 내 친족을, 또 나를

품고 나를 창조한 이 세상 속의 내 자리를 고의적으로 선택한 것이다. 나를 나타내는 이름 석 자 속에 내 기쁨과 내 아픔을 함께 품은 것이니, 이 이름을 통해 사람들은 내가 누구인지 알게 될 것이다.

———⌣———

나는 만성형(晚成形) 인간이다. 미국 엄마가 내 나이였을 때 부모님은 결혼한 지 이미 십삼 년이 되었는데, 마크와 나는 이제 겨우 결혼 일주년을 기념했다.

물론 서로에게 화가 나는 점도 있다. 그는 코를 골고, 나는 반쯤 마시다 만 커피잔을 집 안 아무 데나 둔다. 그래도 이제는 매일 조건 없는 사랑으로 살아가는 것이 어떤 건지 알고 있다. 안전한 느낌은 어떤 것이며 미래를 꿈꾸는 것은 어떤 건지 알고 있다. 마크는 격렬하면서도 부드럽게 나를 사랑해준다. 내가 사랑받을 가치가 있는 사람이라고 스스로 느끼게끔 해주는 사람이다. 하나의 원을 그려 그 안에서 나를 완성한다기보다, 창문을 열어줌으로써 모든 것이 가능한 상태에 나를 머물게 한다고 표현할 수 있는 사람이다.

사랑하는 엄마, 당신의 삶을 공경하기 위해 내가 할 수 있는 최선은 내 삶을 잘 살아가는 것이고, 당신이 그토록 원했지만 이룰 수 없었던 화목한 가정을 내가 만드는 것이겠지요. 나를 사랑하고 공경하는 남편과 내 곁에서 안전하게 커가는 아이들이 있는 그런 가정 말이에요.

엄마, 지금 내가 보이나요? 한 번은 엄마를 위하고 또 한 번은 나를 위해 두 배의 행복 속에 살고 싶은 내 마음이 보이나요? 이 행복은 내가 만든 성인용 마술 가루예요. 이걸 얼굴에 대고서 내 소원을 불어넣는답니다. 두 손을 공중으로 휙 던져 올리면 행복은 아름다운 황금빛 천사처럼 바람을 타고 높이 올라가지요. 내 마음은 맑고 환해집니다. 어디선가 당신도 이 행복을 함께 느끼고 있다는 걸 알겠어요. 엄마, 이제야 집에 돌아온 기분입니다.

비상飛上

벽오동 심은 뜻은 봉황을 보려 터니
내 심은 탓인지 기다려도 아니 오고
밤중에 일편명월만 빈 가지에 걸렸어라.*

— 옛시조, 작자 미상

마지막으로 한국을 방문한 뒤 이 년이 흘러 다시 한국을 찾았을 때
는 더 이상 혼자가 아니었다. 남편과 그의 비용까지 고려해야 했다.
여행 가이드북 『론리 플래닛』 최신판을 사서 저렴한 호텔과 대중교
통을 알아보기 시작했다.

'언니, 우리한테 신경 쓰지 마. 언니네 집에 들렀다가 기차와 버
스를 타고 해인사에 갈 거야. 폐를 끼치고 싶지 않아. 언니가 장사
하랴 아이들 돌보랴 무척 바쁘다는 거 알고 있어.' 나는 독일에 거
주하는 은미 언니의 친구에게 이메일을 보냈고, 그분이 번역해서

---

* 뜻풀이: 벽오동을 심으면 봉황이 와서 집을 짓는다고 하기에 심었더니, 박복한 내가
심어서인지 기다리는 봉황은 오지 않고, 깊은 밤중에 한 조각 밝은 달만이 잎이 다 떨어
진 쓸쓸한 빈 가지에 덩그렇게 걸려 있구나!

언니에게 전해주었다.

이번 한국 여행은 긴 문장 끝에 찍는 마침표이자 마지막 호흡, 소나타를 마무리 짓는 코다 같은 것이 되도록 마음속에 그려보았다. 이 여행이 책의 마지막 장이 될 거라고 이미 몇 달 전에 결정해놓았다. 계획은 이러했다.

계단 하나하나가 인간의 비애를 상징하는 해인사의 가파른 돌계단을 힘겹게 올라가, 칠 년 전 내가 이곳에서 집어갔던 돌을 같은 자리에 아주 조심스럽고도 의미심장하게 다시 내려놓을 것이다. 해인사란 모든 이원성(二元性)이 그치는 곳이고, 해인삼매(海印三昧)란 깨달은 자가 모든 사물을 그 본질대로 볼 수 있는 사색의 경지, 즉 깨달음 혹은 해탈의 상태를 일컫는 것임을 독자들에게 보여줄 것이다. 나는 깨달음의 기회를 얻을 작정이었다. 모든 것이 해명되는 아름다운 순간. 책에 관한 한, 또 자기만의 진실을 쓰고 있는 한 그것은 꽤 괜찮은 결말인 듯 보였다. 유일한 문제는 내가 묘사하려고 하는 것—분열되지 않고 평온하며 깨달음에 이른 '참된 정체성'을 궁극적으로 찾아내는 것—의 깊이를 독자들이 완전히 흡수할 때까지 거기에 머물게 하려면 어떻게 써야 하느냐는 점이었다.

은미 언니가 메일을 보내왔다. '사랑하는 동생아, 내가 네 여행 스케줄을 제안할게.'

'사랑하는 언니,' 내가 다시 메일을 보냈다. '신경 쓰지 않아도 돼. 우린 단지 해인사에 가고 싶을 뿐이야. 시간이 되면 오빠네 농장

에도 들르고 싶어. 마크의 직장 때문에 일주일밖에 시간이 없거든.'

'사랑하는 동생아, 네가 여기 머물 동안의 스케줄이야.' 은미 언니는 전국을 종횡무진으로 누비는 회오리 같은 스케줄을 짜놓았다. 거기에는 영어 가이드를 동반한 주요 사적지 투어와 제주도에서 치르는 전통혼례를 겸한 신혼여행이 포함되어 있었다.

나는 서른한 살, 어머니가 돌아가셨을 때 나이의 거의 절반이다. 반추해보니, 삶이란 늘 놀라움인 것 같다. 계획한 대로는 아니었지만, 늘 상상한 것보다 좋았다.

———

한국은 볼 때마다 변한다. 서구화의 급류와 전통을 고수하려는 의지가 서로 삐걱거리며 혼재되어 있다. 코오롱 관광호텔은 경기가 좋아 보이고 해피 치킨 레스토랑도 그렇다. 맥도널드와 버거킹은 더 많이 생겨났으며, 예전에는 보기 드물었던 뚱뚱한 사람들이 이제는 제법 눈에 띈다. 그런데도 옛것을 기념하는 민속마을이 뚝딱뚝딱 생겨나고, 월드컵 전야에는 고속도로 톨게이트의 여성 매표원들을 비롯하여 모든 공직에 있는 여성들이 한복을 차려입을 예정이었다. 심지어 택시의 뒷좌석에서도 삼자 간 통화로 이루어지는 무료통역서비스에 접속이 가능했고, 수도꼭지에서 바로 나온 물도 마실 수 있었으며, 급격히 증가한 서양식 화장실에는 칸마다 화장지를 구비해놓았다.

자고로 외국 것을 싫어하던 한국이 세계를 향해 문을 활짝 열었다. 우리가 서울에 있는 민속촌에서 전통혼례를 올리고 있었을 때, 남편이 마침 월드컵 취재 중이던 유럽의 한 텔레비전 방송팀의 주목을 받게 되었다. "한국에서 결혼하는 기분이 어떠십니까? 고향에서 아주 먼 곳이잖아요." 그들은 당연히 내가 영어를 못하리라 예상하고서 남편에게만 인터뷰를 청했다. 그리고 예전에는 수줍어하던 학생들이 어찌 된 일인지 이제는 다들 넉살 좋은 십대들로 변해, 선생님의 지시에 따라 영어를 연습하려고 외국인들에게 다가가 말을 걸고 있었다. "하이! 웰컴 투 코리아! 웨어 아 유 프롬?" 학생들은 남편이 록 스타라도 되는 양 그를 에워싸고 그와 함께 사진을 찍으려고 포즈를 취하면서도 나는 상대조차 하지 않았다. 은미언니가 그런 아이들의 무례함에 치를 떨었지만, 마크는 그걸 호의로 받아들였다.

이번 방문 동안 자매들은 영어를 더 많이 썼고, 나는 한국어를 더 많이 썼다(현재 시제로, 한 문장에 동사 하나씩). 거의 모든 표현에 사전이 필요하기는 마찬가지였지만 의사소통이 예전보다 쉬워졌다. 통역자들은 각자 정도의 차이는 있어도 다들 나름대로 도움이 되었으며, 자매들은 몇 마디 못하는 영어이지만 알아듣기 좋게끔 또박또박 발음해주어서 고마웠다.

네 살 난 조카 아이 민이는 이제 막 영어수업을 받기 시작하여, 'yes', 'no', 'good morning' 정도의 말을 할 수 있었다. 그러고는 자신의 한글 이름 옆에 'rain'이라는 단어를 써 보였는데, 그냥 자기가 아는 단어였기 때문이다. 열한 살이 된 남자 조카 준이는 남편과 함께 페리스 대회전식 관람차를 타면서 "Oh my God-a, dude!"라고 내지를 정도였고, 은미 언니와 명희도 꾸준히 연습한 결과 영어 실력이 나아졌다.

그러나 아직도 대부분의 의사소통은 지난 방문 때처럼 서투른 영어와 한국어를 조합하고 사전을 가리켜 보이며 노트와 펜을 엄청나게 사용하는 방식으로 이루어졌다. 나는 엉성하게 그린 미국 지도의 도움을 받아가며 한국어 문법에 겨우 맞춰 문장을 연결했다. '언제 미국에 너 오니? 여기 나의 집 있어요. 여기 미자 집 있어요.'

―――――⌒――――

우리는 화산암으로 만든 울타리와 집들이 즐비한 아열대의 섬 제주도에서 여행을 마쳤다. 이곳의 집과 울타리는 검은 화산암 덩어리를 차곡차곡 쌓아 올린 형태인데, 그 모양새가 다들 제각각인 것으로 보아 손수 하나씩 쌓은 것이 분명하다. 검은 집들 옆으로 야생 진달래와 점박이 조랑말, 오렌지 나무, 고기잡이 어선들이 보이고, 그 너머로는 바다가 펼쳐져 있다. 놀라울 정도로 완벽하게 아름다운 바다는 매일 밀물이 들고 썰물이 지면서 땅을 드러냈다 감추었다 한다.

파도는 종에서 울려 퍼지는 음파처럼 서로 포개지는 잔물결을 일으키며 모래에 갖가지 무늬를 남기고, 섬사람들에게 해초와 조개를 선사한다. 그들의 조상은 땅속 세 개의 구멍에서 나왔으며 그들의 전통 의상은 감빛이라 한다. 파도가 스르륵 스르륵, 땅은 자신의 아들과 딸들인 조개와 해초를 모아서 주었다 빼앗아 간다.

제주도에 안개가 자욱한 날이면 수직으로 내리꽂힌 현무암 절벽이 바다에 맞서 도드라져 보이고, 바다가 하늘 속으로 흐릿하게 사라지며 한 폭의 수채화보다 더 미묘한 풍경을 자아낸다. 수평선이 사라지고 땅과 하늘은 하나가 된다.

———⌣———

공항의 이별은 미숙한 언어 때문에 용두사미 꼴이었다. 나는 회화책에 나온 문장 '수고하셨어요.'를 반복해서 연습했다. 그런데 "수고하셨어요!"는 하자마자 삼 초 만에 끝이 나고 더 이상 할 말이 없었다. 은미 언니와 명희가 사전 위로 얼굴을 맞대더니 오 분 뒤 내게 노트를 내밀었다. 'We hope happy and health of you, Mark. We will missing you(행복하고 건강하길 빌어요, 마크. 보고 싶을 거예요).' 마크가 깊이 고개 숙여 인사했고 나는 얼른 은미 언니를 껴안으며 말했다. "사랑해요. 아이 러브 유."

우리는 유리문을 통해 출입국 심사실로 들어갈 때 마지막으로 돌아서서 손을 흔들었다. (작별 인사는 손을 위아래가 아니라 옆으로 흔드는 동작임을 주의했다. 위아래로 흔드는 손짓은 한국에서는 이리 오라는 뜻이다.) 우리들 사이의 거리는 몇 미터에서 몇십 미터로

멀어지고 더 멀어지고 계속 멀어지다가, 마침내 훌쩍 바다의 크기
가 되었다.

———⌒———

한국이 변하든 내가 변하든 또 내가 한국을 집처럼 편하게 느끼
든 안 느끼든 간에, 이 한 가지는 변하지 않을 것이다. 한국은 내 어
머니의 나라이고, 이제 어머니는 가톨릭 묘지의 산 중턱에 묻혀 있
다는 사실. 어머니가 사랑하는 성모마리아가 묘석 위에서 눈 한 번
깜박이지 않은 채 여섯 개의 작은 도자기인형 연주자들이 묘석 밑
단에서 하프와 트럼펫을 소리 없이 연주하는 광경을 지켜보고 있
다. 묘석 앞면에는 어머니의 본명이 한자로, 세례명 줄리아가 한글
로 적혀 있다. 뒷면에는 어머니의 업적이자 슬픔이고 무거운 짐이
자 기쁨이던 자식들의 이름이 새겨져 있다. 성덕, 선영, 선미, 은미,
미자, 경아, 명희. 우리는 무덤의 잡초를 뽑고 꽃병에 비단 꽃을 꽂
은 다음 절을 올렸다. 나란히 선 딸 셋과 손녀 하나. 머리카락은 다
같이 숯검정, 피부는 다 같이 닥종이 빛깔, 모두가 한가족, 모두가
똑같이 물려받은 유산을 이어가야 하는 사람들.

묘석에 새겨진 것을 누가 거스를 수 있을까? 가족은 존속한다.
그 모든 제약에도 불구하고.

엄마, 우리는 당신이 그리울 거예요.

미국으로 돌아오는 길에 마크는 처음으로 역문화(逆文化) 쇼크*
를 경험했다. 그는 한국과 그곳의 예의 바른 사람들과 사랑에 빠져
버린 것이다. 그리고 국제날짜변경선을 건너 돌아가는 이 여정에
(이 때문에 우리는 한국을 떠난 지 십 분 만에 미국에 도착하는 셈
이었다) 우리는 시카고에 기지를 둔 항공사 승무원들의 서비스를
받게 되었다.

이 특정 항공로를 이용하는 대부분의 동남아시아 항공편과 한국
항공편은 도쿄의 나리타공항을 경유한다. 그래서 일본에서 출발하
는 비행기들은 아시아 전역에서 날아온, 다양한 언어를 쓰는 사람
들로 채워진다. 그러나 이 모든 사람들이 미국에 입국하기 위해서
는 영어로 된 입국양식을 기재해야만 한다.

분명 이런 상황이 불만스러운 우리의 승무원은 소리를 지를 만큼
목소리를 팽팽하게 당기는 것으로 상황을 해결하려 했다. 그녀는
입국양식을 배부하면서 "비자? 비자?" 하며 묻고 있었다. 그러다
가 어느 줄에 멈춰 섰고, 내 자리에서는 보이지 않는 한 무리의 사
람들에게 언성을 높였다. 그들은 이 양식이 무엇인지도 모르고, 통
역인을 요청할 수 있다는 사실조차 모르는 것 같았다. 통역인의 도
움을 받을 수 있다는 알림 방송이 영어로만 나왔기 때문이다. 승무

---

* 외국에서 오래 생활한 사람이 고국에 돌아와서 느끼는 소외감 따위의 충격.

원이 재차 삼차 언성을 높이자 결국 승객 한 사람이 그들을 도와주었다. 그녀가 우리가 앉은 줄을 지나가면서 중얼거렸다. "한국인들은 참……."

서리처럼 차가운, 우리의 시카고 항공편 승무원은 내가 옆에 앉은 중국 남자와 일행이라고 생각하는 모양이었다. 그 남자에게 음료와 스낵을 제공한 뒤 내게 우유 팩을 들어 보이며 "밀크—"라고 말했다.

나는 그 말 다음의 서술어를 돈을 주고서라도 사고 싶었다.

"밀크!" 그녀가 손가락으로 우유 팩을 찌르며 가리켰다. 뭐라고요? 아, 나는 마침내 감을 잡았다. 그녀는 내게 밀크라는 단어를 설명하고 있었던 것이다. 내 이쪽 옆자리의 중국 남자가 내 남편임에 틀림없고(그 반대편 내 옆자리에 앉은 백인 남자가 아니라) 그가 마시고 있는 것이 우유이므로 아마 내가 원하는 것도 우유일 거라고 생각했던 모양이다.

"커피!" 나는 커피를 요구하며 빈 잔을 가리켰다.

마크와 나는 이 차가운 승무원을 무시하고서, 그의 자리에서 가까운 반대편 통로에서 서비스하고 있는 승무원에게 '치킨 또는 비프' 기내식을 주문하기로 했다. 나는 마크에게 대신 말해달라고 했다. 그가 영어로 말하는 것은 분명한 사실로 보이기 때문이다. 그가 한국어를 못하는 것 또한 분명해 보이므로 한국에서는 그가 물건값을 치르도록 했다. (순수한 한국인 얼굴이 한국어를 못해 영어로 말하면, 흠, 조금 곤란해졌다.) 마찬가지로 그가 미국에서 태어나 미국인으로 자란 것은 분명한 사실로 보이므로 미국의 입국 심사대 앞에서는 그가 먼저 심사원에게 말을 하게 한다.

두 가지 사실. 첫째, 서로 다른 인종끼리 결혼하면 그 나름의 이점이 있다. 둘째, 내 삶은 근본적으로 부조리하다.

———⌐

깨달음은 스케줄을 짜서 실천할 수 있는 성질의 것이 아니고 사랑은 돈으로 살 수 없는 것인데, 자유는 어느 정도껏 살 수가 있다. 마크는 봉급이 크게 인상된 적도 없었고 연금 계획조차 세워놓지 않았지만, 우리에게는 엄마가 평생 가졌던 것보다 더 많은 돈이 있다. 아이들이 생기면 충분히 양육할 만큼의 돈이 있고 가족을 만나러 한국에 갈 수 있는 돈도 있다. 그리고 사람들이 원래 내 것인 정보를 숨기려 들고 우리 가족의 재회를 막으려고 했지만, 그 어떤 입양기관의 관료도 내 항공 마일리지를 빼앗지는 못한다.

지금 747 항공편 안에 떠 있는 나는 지상의 작은 나라로부터 하늘에 닿으려고 시도해온 인간들을 생각한다. 바벨탑을 쌓다가 그 죄로 뿔뿔이 흩어지게 된, 노아의 후손들. 화강암으로 불탑을 쌓아올린 한국인들. 그들에게는 가장 높은 탑들이 가장 아름답게 여겨지고, 거의 모두가 홀수 층의 규정된 형태로 만들어졌다. 땅 위에 얹힌 사각형의 토대는 인간 세상을 상징하고, 그 위로 올라가면서 사각형의 모서리가 하나씩 잘려나가 팔각형이 되고, 원형이 되고, 그러다가 꼭대기에 이르면 부처님의 세계를 상징하는 연꽃으로 피어난다.

가장 높은 곳에 위치한 절보다 훨씬 더 높은 이곳에서, 영어 담당 여행가이드인 미숙 씨—"편의상 그레이스라고 부르세요."—가 한 말이 다시 생각난다. "부처님을 절에서 찾지 말고, 당신 안에서 찾으세요. 부처님은 바로 거기에 있습니다."

불가에서는 한 남자에 관한 전설이 전해 내려온다. 그는 종교적 믿음이 아주 대단했기에 자신을 박해하는 자들에게 자기 머리를 자르라고 도전했다. 그리하여 기적이 일어나는 것을 보면 그자들이 자기 말을 믿을 것이라는 확신이 있었기 때문이다. 그자들이 그의 머리를 잘랐다. 머리는 엄청난 힘으로 몸에서 떨어져 나와 하늘로 솟구쳐 오르더니 아득히 사라졌다. 그리고 나서 다시 떨어져 내린 것은 사람 머리가 아니라 꽃잎들이었다. 한 무더기의 흰 꽃.

———⌄———

은미 언니는 내게 아기를 낳아서 한국에 돌아오라고 했다. 마크와 내 생각에는 갓난아이를 그토록 먼 장거리 여행에 데리고 나서는 것이 무모한 일이지만, 은미 언니라면 충분히 그렇게 할 것이다. 하이힐까지 신고서 말이다.

우리의 타임머신인 태평양 횡단 비행이 낮에서 밤으로, 밤에서 다시 낮으로 바뀌는 동안, 이따금 나는 미니애폴리스의 우리 집에

서 나를 기다리는 안락한 침대와 장차 태어날 내 아이들의 얼굴을
상상하면서 잠에 빠져들곤 했다.

"마마." 높고 청아한 목소리가 들린다. 내 목소리와 닮은, 어린아
이의 목소리.

"마마, 우리와 함께 가요."

연두색 치마에 색동저고리를 차려입은 꼬마 여자애가 한국 어머
니의 등에 업혀 있다. 달랑 묶어 올린 연갈색 머리카락이 귀 위로
흘러내리고, 마크를 쏙 빼닮은 홀쭉한 턱이 나를 닮은 입을 새침하
게 받쳐주는 모양새가 사랑스럽다. 함께 가자는 말에 별 반응이 없
는 나를 쳐다보며 아이는 생각을 굴리느라 동그란 갈색 눈을 깜박
인다.

"가자. 당장 서둘러. 안 그러면 놓치고 말아." 엄마가 말한다.

엄마는 쪼그려 앉으며 내 딸아이를 바닥에 내려놓는다. 내가 침
대에서 일어나자 우리는 다 함께 손을 잡는다. 딸아이의 손은 국화
꽃잎처럼 보드랍다. 엄마의 손은 예전처럼 따뜻하고 통통하며 언제
나 그랬듯이 너무 꽉 잡는다. 우리는 조그만 원이 되어 천장을 뚫고
다락방을 뚫고 지붕을 뚫고 올라간다. 날이 새면서 가로등 불빛은
사그라지고, 때는 팔월, 마지막 제왕나비 무리가 저마다 날개를 말
리랴 기지개를 켜랴 분주히 날 준비를 하고 있다.

우리는 건물들을 떠나고, 도시의 소음을 떠나고, 인간들의 욕망

과 근심과 좌절의 무게를 떠나, 멀리 더 멀리 하늘로 솟아오른다. 우리는 지금 제왕나비들의 논리에 따라 공중으로 들어 올려진다. 그들은 자신들의 불가능성과 부서지기 쉬운 연약함을 인식하지 못한 채, 이유를 묻지 않고 오직 희미한 기억만을 좇아 행동하는 생명체들이다.

이제 막 제왕나비들은 대이동을 시작했고 우리는 그들의 상승기류 속으로 미끄러져 들어간다. 엄마는 일출 색상의 한복, 나는 새들이 수놓아진 한복, 딸아이는 색동 한복을 입고 있다. 치마와 소매가 저마다 범선의 돛처럼 부풀어 오르고 옷고름이 정신없이 나부낀다. 우리는 날아가는 흥분감에 떨며 마구 웃는다. 비상(飛上)의 즐거움, 그건 마치 만화경 속 한가운데로 굴러떨어지는 느낌이다.

얼굴에 부딪치는 바람은 상쾌하고 하늘은 보석 같다. 해는 지는 법이 없고 너무 뜨겁지도, 너무 눈부시지도 않다. 우리가 피곤함을 느끼자 나비들은 살아 있는 롤러코스터처럼 단번에 급강하하여, 우리가 유액 식물의 즙을 마실 수 있도록 옥수수밭에 내려준다. 우리는 습지와 초원을 지나 연못과 달콤한 꽃들을 지나 남으로, 남으로, 멀리멀리 날아가 마침내 다다른다.

숲 속 바닥은 그늘지고 시원하며 온통 솔잎으로 덮여 있다. 딸아이가 색동 한복의 팔다리를 걷어 올리더니 습기 먹은 보따리처럼 풀썩 내 무릎 위로 쓰러진다. 아이의 머리카락은 새끼 양의 귀처럼 보드랍고 나리꽃 향기를 솔솔 풍긴다. 그 조그만 심장이 내 몸 안에서 새근새근 뛰고 있다.

제왕나비들은 햇살을 받아 화려하게 반짝이며 거대한 무리들을 지어 전나무 숲 곳곳에 매달려 있다. 숲 속은 스테인드글라스 날개들로 눈부시게 빛나는 성당이다.

"들어봐." 엄마가 말한다.

쉭 쉭 쉭…… 숨소리처럼, 바다의 경쾌한 리듬처럼, 이 성당의 고요 속으로 부드럽게 밀려드는 소리. 그것은 수백만 마리의 나비들이 날개를 폈다 닫았다 하는 소리이다. 모처럼 얻은 휴식을 위해 쉴 자리를 마련하면서 이다음에 다가올 상황을 기다리는 지금, 그들은 머나먼 여정의 비밀을 속삭이고 있다.

펴고 닫고

　　　펴고

　　　　　닫고

　　　　　　　펴고

　　　　　　닫고

　　　　　　펴고 ……

사랑하는 엄마.

이 책을 쓴 걸 용서하세요. 결코 우리 가족을 부끄럽게 만들려는 의도는 아니었답니다. 그저 제게 익숙한 방식으로 당신을 기리며 존경하고 싶었을 뿐이에요. 당신께 드릴 꼭 알맞은 말을 찾지 못해 죄송해요. 이 점을 너그러이 봐주신다면, 당신께 드리는 작은 선물로서 이 이야기를 받아주세요.

2003년 4월
정경아

초판 〈작가의 말〉

태어난 곳으로 돌아가는 것은 죽음인 동시에 부활이다. 이런 죽음
을 경험하는 것은 삶을 긍정하게 만든다. 그리하여 참된 정체성을
찾고 긍정적인 자아로 돌아오기까지 지구의 반 바퀴를 오가며 걸어
온 여정이 실은 행복한 길이었다는 걸 깨닫는다. 내 인생은 끊임없
는 변화와 이동이자 타협과 절충인 동시에 혼합의 산물이었다. 그
래서 나는 어디에서든 영원한 이방인이었다. 그러나 이제는 가능성
과 변화 속에 존재하는 법을, 그리고 삶을 즐기며 순간순간 내가 가
진 것들에 감사하는 법을 배우고 있다.

이 책이 한국어판으로 출간되어 감사하게 생각하며, 한 개인과
한 가족의 차원을 넘어 한국인의 집단적 경험의 일부로 읽히기를
바란다. 이 책이 미국에서 발간되었을 때 미국 독자들의 가슴속에
어떠한 연민의 감정을 전할 수 있었듯이 한국의 독자들에게도 그렇
게 다가갈 수 있다면, 세상 그 어디에서도 더 이상 이런 가슴 아픈
사연들이 생겨나지 않을 거라는 작은 희망이 생긴다. 무엇보다도
이 책을 통해 내 가족을 비롯한 한국인들과 언어의 장벽을 뛰어넘

어 진실로 소통할 수 있다는 사실에 마음이 설렌다. 그리고 전 세계의 입양인 친구들에게 우리 사이에 가로놓인 장벽을 넘나드는 화합의 의지와 우정의 마음을 전하고 싶다.

　이 책에 실린 인명과 지명 중 일부는 가명이고 일부는 실명이다. 주인공의 이름으로는 내 실명을 사용했고, 그 가족들의 이름은 모두 가명이다.

　그리고 개인과 가족의 신화를 만들어내기 위해 동서양의 자료들을 자유롭게 차용했는데, 즉흥적으로 지어낸 전통은 때로는 의도된 것이고 때로는 이방인으로서의 흔적이 드러나는 부분이라는 점에 대해 한국 독자들의 양해를 구한다.

2005년 6월 서울에서

제인 정 트렌카(정경아)

옮긴이 송재평

전남대 영문학과를 졸업하고, 미국 텍사스 A&M 대학에서 「다시 쓰는 (포스트)식민주의 시대의 국가: 조이스, 오브라이언, 루시디 속에 나타난 문화정치와 비판적 민족주의」로 박사학위를 취득했다. 현재 메리그로브 칼리지 영문학과 부교수로 재임 중이다. 식민주의 및 포스트식민주의 문학/문화 이론을 중심으로 다양한 연구활동을 하고 있다. 최근에는 하버드 대학교에서 출간하는 한국문예지 *Azalea*를 비롯한 여러 저널에 한국의 시를 번역하여 소개하는 일을 하고 있다.

송재평 교수의 한국시 번역 사이트 http://www.jaypsong.wordpress.com/

피의 언어

초판 1쇄 인쇄 2012년 5월 21일
초판 1쇄 발행 2012년 5월 29일

지은이 제인 정 트렌카
옮긴이 송재평
펴낸이 조동욱
편집 김영진, 임지원

펴낸곳 도마뱀출판사(와이겔리)
등록 2007년 5월 7일 제300-2007-83호
주소 110-320 서울시 종로구 낙원동 58-1 종로오피스텔 1211호
전화 (02)744-8846
팩스 (02)744-8847
이메일 aurmi@hanmail.net
블로그 http://ybooks.blog.me/

ISBN 978-89-960189-3-3 03840

* 책값은 뒤표지에 있습니다.
* 잘못 만들어진 책은 바꿔 드립니다.